普通高等教育“十五”国家级规划教材
住房城乡建设部土建类学科专业“十三五”规划教材
高等学校工程管理和工程造价学科专业指导委员会规划推荐教材

工程经济学

（第四版）

西安建筑科技大学 刘晓君
张 炜 李玲燕 主编
清华大学 刘洪玉 主审

中国建筑工业出版社

图书在版编目(CIP)数据

工程经济学 / 西安建筑科技大学等主编. —4 版.
—北京：中国建筑工业出版社，2020.7（2025.7 重印）
普通高等教育“十五”国家级规划教材 住房城乡建设部土建类学科专业“十三五”规划教材 高等学校工程管理和工程造价学科专业指导委员会规划推荐教材
ISBN 978-7-112-25174-2

Ⅰ.①工… Ⅱ.①西… Ⅲ.①工程经济学—高等学校—教材 Ⅳ.①F062.4

中国版本图书馆 CIP 数据核字(2020)第 082722 号

本教材为普通高等教育“十五”国家级规划教材，住房城乡建设部土建类学科专业“十三五”规划教材以及高等学校工程管理和工程造价专业指导委员会规划推荐教材，是依据“高等学校工程管理本科指导性专业规范”中经济类主干课程之一“工程经济学”课程教学大纲编写的。本书系统全面地介绍了工程经济学的基本原理和基本方法及其在工程项目投资决策中的应用。其主要内容包括：资金的时间价值、现金流量分析方法、风险与不确定性分析、建设项目可行性研究、建设项目财务分析、建设项目费用效益分析、建设项目费用效果分析、设备更新分析和价值工程等内容。本书在第一版、第二版、第三版使用过程中广泛听取教师、读者和使用单位意见并持续改进。

本书适宜用作高等院校工程管理专业及其他经济管理类专业的“工程经济学”课程教材，也可作为高等院校理工类专业通识课程“工程经济学”的教材，同时还可作为工程管理专业研究生、工程技术人员、工程管理人员和经济管理人员的参考书。

为更好地支持相应课程的教学，我们向采用本书作为教材的教师提供教学课件，有需要者可与出版社联系，邮箱：jckj@cabp.com.cn，电话：01058337285，建工书院 http://edu.cabplink.com。

责任编辑：张　晶　王　跃
责任校对：王　瑞

普 通 高 等 教 育 “ 十 五 ” 国 家 级 规 划 教 材
住 房 城 乡 建 设 部 土 建 类 学 科 专 业 “ 十 三 五 ” 规 划 教 材
高等学校工程管理和工程造价学科专业指导委员会规划推荐教材

工 程 经 济 学
（第四版）

西安建筑科技大学　刘晓君　主编
张　炜　李玲燕
清　华　大　学　刘洪玉　主审

*

中国建筑工业出版社出版、发行（北京海淀三里河路 9 号）
各地新华书店、建筑书店经销
北京红光制版公司制版
北京市密东印刷有限公司印刷

*

开本：787×1092 毫米　1/16　印张：18¾　字数：478 千字
2020 年 9 月第四版　　2025 年 7 月第五十五次印刷
定价：**48.00** 元（赠教师课件）
ISBN 978-7-112-25174-2
（35899）

第四版前言

时隔五年，《工程经济学》第四版在第三版的基础上，经过不断改进、充实和完善，再次与读者见面。本书第四版遵循以下修订原则：一是顺应国家新的经济增长方式以及由此带来的新动能、新业态、新商业模式更新相关内容；二是依据最新的经济法规、财税制度和投资体制改革内容更新相关内容；三是精简教材内容，不再保留非工程经济学核心知识点。

第四版对各章修正内容如下：

第 1 章　概论：①阐述工程经济活动的定义时，在强调应用科学知识的同时，增加了技术创新的内容。②强调技术创新对未来投资的影响，通过未来有潜力的投资项目分析，强调高端制造业领域、新型基础设施领域和生产要素领域是新的投资方向。

第 2 章　现金流量与资金时间价值：①贯彻国家去杠杆、控债务、严监管、强环保等政策措施，将利率普遍调低。②对引例、例题和案例分析的题干进行了更新，以更贴近新时代经济由高速度增长向高质量发展转变的现实。③将经济增长速度纳入利率高低的影响因素。

第 3 章　投资、成本、收入、税金与利润：①根据增值税改革进程，对增值税税率进行了调整，明确了小规模纳税人及应纳税额的简便计算方式。②根据消费税和资源税改革进程，重新明确了征收范围、税率和计税办法。③进一步明确了工程建设项目现金流出和现金流入的具体表现形式及计算方法。④为与通用计算软件和国际惯例保持一致，进一步明确工程建设项目的现金流量服从年末习惯法。

第 4 章　经济评价方法：①进一步明确了经济评价的概念：在初步方案的基础上，采用经济评价方法，对拟建项目经济效果指标进行计算、分析、比较、优化的过程。②明确了经济评价是建设项目前期工作的重要内容，其主要目的是实现项目全寿命周期良性运行，达到预定的投资目标。③指标计算时，进一步明确盈利能力指标计算时现金流量发生时间的两种处理办法，一是按时点，以保持与第 2 章现金流量概念的一致性；二是按年数，常规现金流量发生在年末，以保持与通用软件计算结果的一致。

第 5 章　风险与不确定性分析：①适应营业税改增值税的要求，明确盈亏平衡分析中的税金及附加应根据价格是否含增值税而定。②增加了新科技革命背景下新商业模式对盈亏平衡分析的影响。③根据稳增长、调结构的要求，普遍降低案例中的基准收益率。④根据第 3 章投资的概念，将敏感性分析中的不确定因素——固定资产投资改为建设投资。⑤根据经济评价和财务评价以及融资前评价和融资后评价对敏感性分析进行了分类。⑥明确产权清晰是进行风险分析的充分条件。

第 6 章　建设项目可行性研究：①在可行性研究内容中更加强调节能、环保与资源循环利用。②依据最新的可行性研究标准对可行性研究报告的内容进行了修正。③增加“建设项目方案的产生与比选”一节，强调可行性研究必须对不同的方案进行财务、经济效益评价，并比选出优秀方案。④增加一节内容，专门进行房地产开发项目可行性研究典型案例分析。

第 7 章　建设项目财务分析：①通过更新引例强调经济效益不是孤立的，在当今最严格的生态环境保护硬约束下，在产业升级、技术进步不断加速的背景下，只有技术先进、环保达标、资源循环利用，经济效益、社会效益、环境效益协调统一，项目的财务分析报告才能通过各方的审查。②将利息备付率和偿债备付率的计算限定在借款偿还期内。

第 8 章　建设项目费用效益分析：①通过案例强调了文化传承创新和生态环境保护的正外部效果。②引入经济学中的“影子价格”“庇古税”等理论，明确对绿色、生态、节能、减排等建设项目进行经济激励及高污染建设项目进行市场失灵校正的依据，因而取消了在费用效益分析中税金和补贴不作为经济现金流量的规定。③将“提出外部效果内部化的对策建议”加入费用效益分析的内容中。④用新时期的外汇牌价对例题和案例进行了修正。

第 9 章　建设项目费用效果分析：①采用环境生态补偿机制的案例对引例进行了替换。②突出强调了费用效果分析的适用范围。③对案例进行了更新。

第 10 章　设备更新分析：①将设备大修理经济分析作为设备更新分析的重要内容独立成一节。②将原型设备更新分析改为按设备经济寿命进行更换。③新型设备更新分析按照无限期和有限期两种情况进行。④增加所得税后设备更新分析内容。⑤增加设备租赁经济分析内容。

本书第四版由西安建筑科技大学刘晓君、张炜、李玲燕主编。书中第 1、5、7、8、9、11 章由西安建筑科技大学刘晓君撰写；第 2、4 章由重庆大学张仕廉和刘晓君共同撰写；第 3 章由东北财经大学王立国和刘晓君共同撰写；第 6 章由西安建筑科技大学李玲燕撰写；第 10 章由西安建筑科技大学张炜撰写。全书由西安建筑科技大学刘晓君、张炜、李玲燕统稿。

西安建筑科技大学管理学院教师唐晓灵、王旭嘉，博士研究生刘晓丹，硕士研究生陈诗琪、范方梅等为本书的出版做了许多有益的工作，在此一并表示谢意。

本书虽几经修改，但由于作者水平有限，缺点错误在所难免，敬请读者予以指正。

2020 年 3 月

第三版前言

时隔七年后，《工程经济学》第三版在第二版的基础上，经过不断改进、充实和完善，再次与读者见面。依据国家最新的经济法规、财税制度、投资体制改革内容和“建设部高等工程管理学科专业指导委员会”讨论通过的“高等学校工程管理本科指导性专业规范”中经济类主干课程《工程经济学》课程教学大纲，本书第三版主要在以下方面进行了修正。

第1章：(1) 阐述工程经济活动的定义时，在强调应用科学知识的同时，增加了技术创新的内容。(2) 通过进藏铁路方案选择过程，强调方案比选对保证工程科学决策和顺利实施的重要作用。

第2章：(1) 将利率的概念进行了延展，从银行借贷利率拓宽至利润率。(2) 将资金的时间价值进行了重新定义，将资金时间价值分为两个方面：一是资金作为生产要素产生的增值，二是资金作为稀缺资源的机会成本。(3) 对例题的题干进行了更新，以更贴近现实。(4) 强调了正确选取折现率的重要性。

第3章：(1) 建筑安装工程投资构成，按中华人民共和国住房和城乡建设部、中华人民共和国财政部关于印发《建筑安装工程费用组成》的通知［建标 (2013) 44号］，进行了修正。(2) 固定资产折旧年限和净残值，按《中华人民共和国企业所得税法实施条例》，进行了修正。(3) 明确了递延资产中的开办费和其他待摊费用的摊销方法。(4) 根据国家规定，明确了：凡缴纳增值税和消费税的单位和个人都应按规定缴纳地方教育费附加。(5) 根据国家营业税收增值税试点进程，将营业税金及附加改为增值税金及附加。

第4章：(1) 将第二版中“静态评价指标是在不考虑时间因素对货币价值影响的情况下，直接通过现金流量计算出来经济评价指标”，改成“静态评价指标是在不考虑时间因素对货币价值影响的情况下，通过投资、收益、成本、利息和利润等计算出来的经济评价指标”。(2) 指标计算时，将现金流量发生的年份改为时点，以保持与第二章现金流量概念的一致性。(3) 将现金流量的年初习惯法和年末习惯法对应不同的动态评价指标计算公式。(4) 根据《建设项目经济评价方法与参数》，将利息备付率和偿债备付率的判定标准调整为“应大于1”。(5) 将单一方案与独立方案分离，独立方案既可是单一方案，也可是多方案。

第5章：将风险管理步骤改为风险分析及其步骤。

第6章：(1) 依据2006年1月1日起用的新《中华人民共和国公司法》，对工业产权、非专利技术作价出资的比例进行了修正。(2) 将三家政策性银行改为两家，国家开发银行已于2008年12月16日转为商业银行。

第7章：在可行性研究内容中更加强调节约能源、资源与环境保护。

第8章：(1) 在动态财务分析中，用时点替换年份，明确现金流入和现金流出的基本假定。(2) 将利息备付率和偿债备付率的计算限定在借款偿还期内。

第 9 章：（1）区分了技术性外部效果和货币性外部效果。（2）更新了外汇汇率。（3）修正了技术劳动力的影子工资换算系数。

第 11 章：更新了房地产项目经济评价案例。

第 13 章：根据中华人民共和国国家质量监督检验检疫总局，中国国家标准化管理委员会. 价值工程第 1 部分：基本术语. GB/T 8223.1—2009，对本章进行了修正。

本书第三版由西安建筑科技大学刘晓君教授主编，清华大学刘洪玉教授主审，重庆大学张仕廉教授和东北财经大学王立国教授任副主编。书中第 1 章，第 3 章第 1、2、3 节，第 4 章第 2 节，第 5 章，第 6 章第 1、2、3 节，第 9、10、12 章由西安建筑科技大学刘晓君撰写；第 2 章由张仕廉、刘晓君共同撰写；第 4 章第 1、3 节由重庆大学张仕廉撰写；第 3 章第 4 节和第 6 章第 4、5 节由东北财经大学王立国撰写；第 7 章由西安建筑科技大学兰峰撰写；第 8 章由西安建筑科技大学张炜撰写；第 11 章由西安建筑科技大学王萌萌撰写；第 13 章由西安建筑科技大学杨建平和王萌萌撰写。每章引例和案例分析由西安建筑科技大学刘晓君、孙伟和王萌萌编写。

西安建筑科技大学管理学院教师唐晓灵、宋金昭、王旭嘉，博士研究生郭振宇、颜维成，硕士研究生张晨曦、胡伟、王斌、张宇飞、杨兰兰等同学为本书的出版做了许多有益的工作，在此一并表示谢意。

本书虽几经修改，但由于水平有限，缺点错误在所难免，敬请读者予以指正。

2014 年 6 月

第二版前言

《工程经济学》第二版在第一版的基础上做了进一步的充实和完善，并依据国家最新的经济法规、财税制度、投资体制改革内容和2006年7月国家发展改革委、建设部颁布的第三版《建设项目经济评价方法与参数》对相关章节的内容进行了调整和修正，使教材的前瞻性、实践性和系统性更加突出，同时，更显著地体现了与国际惯例接轨。

本书第二版的编写工作是在教育部高等教育司、建设部人事教育司和建设部高等工程管理专业指导委员会的领导和组织下进行的，得到了主编单位西安建筑科技大学、副主编单位重庆大学和东北财经大学、主审单位清华大学和参编单位兰州交通大学的大力支持。

本书第二版由西安建筑科技大学刘晓君教授主编，清华大学刘洪玉教授主审，重庆大学张仕廉教授和东北财经大学王立国教授任副主编。第一章，第三章第一节，第四章第二节，第五章，第六章第一、二、三节，第八、九、十、十二章等由西安建筑科技大学刘晓君撰写；第二章，第四章第一、三节由重庆大学张仕廉撰写；第三章二、三、四节和第六章第四、五节由东北财经大学王立国撰写；第七章由西安建筑科技大学郭斌撰写；第十一章由清华大学龙奋杰撰写；第十三章由西安建筑科技大学杨建平撰写；第十四章由兰州交通大学王恩茂撰写。全书由刘晓君统一定稿。

西安建筑科技大学管理学院研究生廖阳、石浩、王彬、段涛、张哲威、李颖、郝胜梅、王栋栋、刘新科、钟石头、宋聪旭、霍亚坤、季宽、张江涛、缪玉、任志胜、文烽、周晓娟、黄国楚、师立新、王伟、高沂、郭振宇等同学为本书的出版作了许多有益的工作，在此一并表示谢意。

本书虽几经修改，但由于水平有限，缺点错误在所难免，敬请读者予以指正。

2008年1月

第一版前言

《工程经济学》是根据“建设部高等工程管理学科专业指导委员会”讨论通过的“工程管理专业”经济类课程中的《工程经济学》教学大纲编写的，目的是为工程管理专业提供一部主干技术基础课程教材，使学生掌握工程经济学的基本原理、基本知识和常用分析方法，具有从事各类工程项目可行性研究及经济评价的初步能力。

本教材在编写时，体现了以下原则：

前瞻性。教材根据目前工程经济学最新的发展动态，补充了国内以往此类教材较少涉及的项目融资、工程项目风险管理、财务杠杆效应、通货膨胀对经济评价的影响等内容，体现了学科建设的发展方向。

实践性。本教材紧密结合我国工程项目前期管理的实践，注重与国家现行财经法规或标准相衔接，并对量大面广以及热点领域工程项目评价的特点予以详细说明。例如，书中专门论述了城市房地产开发项目经济评价的方法。另外，书中附有充足的实际案例和例题对基础理论加以说明和演示，力求进一步缩短理论学习与实际操作之间的距离。

系统性。教材试图对工程经济学的基本理论与方法进行较为完整的阐述和介绍。为此，书中除对工程项目经济分析的基本方法作深入细致的论述外，还补充了国内以往同类教材较少专门论述的市场调查与预测、非盈利项目效益费用分析、工程项目后评价等内容。

本书的编写工作是在教育部高等教育司、建设部人事教育司和建设部高等工程管理学科专业指导委员会的领导和组织下进行的，得到了主编单位西安建筑科技大学、副主编单位重庆大学和东北财经大学、参编单位清华大学和兰州铁道学院的大力支持，并经过了主审单位清华大学的严格审阅。

本书由西安建筑科技大学刘晓君教授主编，清华大学刘洪玉教授主审，重庆大学张仕廉教授和东北财经大学王立国教授任副主编。书中第一、五、八、九、十、十二及第三章第一节由西安建筑科技大学刘晓君撰写；第二、四章由重庆大学张仕廉撰写；第三章第二、三、四节和第六章由东北财经大学王立国撰写；第七章由西安建筑科技大学郭斌撰写；第十一章由清华大学龙奋杰撰写；第十三章由西安建筑科技大学杨建平撰写；第十四章由兰州交通大学王恩茂撰写。全书由刘晓君统一定稿。

西安建筑科技大学管理学院研究生廖阳、石浩、王彬、段涛、张哲威、李颖、郝胜梅等同学为本书的出版作了许多有益的工作，在此一并表示谢意。

本书虽几经修改，但由于水平有限，难免有不当乃至错误之处，敬请读者予以指正。

2004年8月

目　录

第1章 概论

引例

新兴大国与守成大国的博弈

2018年3月23日0时50分，美国总统特朗普在白宫正式签署对华贸易备忘录。特朗普当场宣布，将有可能对从中国进口的600亿美元商品加征关税，并限制中国企业对美投资并购。美商务部长称，更多细节将在未来数日内公布。

2018年4月3日下午，美国贸易代表办公室在其网站公布了长达58页的对华征税建议清单。该清单基于“301调查”，包含大约1300个独立关税项目，建议税率为25%，总额涉及约500亿美元中国出口商品，主要涉及航空航天、信息和通信技术、机器人和机械、医药等行业。

2018年6月15日，经国务院批准，国务院关税税则委员会发布公告决定，对原产于美国的659项约500亿美元进口商品加征25%的关税，其中对农产品、汽车、水产品等545项约340亿美元商品自2018年7月6日起实施加征关税，对其余商品加征关税的实施时间另行公告。

2018年8月3日，中国国务院关税税则委员会决定对原产于美国的5207个税目约600亿美元商品，加征25%、20%、10%、5%不等的关税。如果美方一意孤行，将其加征关税措施付诸实施，中方将即行实施上述加征关税措施。

启　示

从中美贸易摩擦的案例可以看出：一方面，中国作为新兴大国创新实力快速提升，产业不断转型升级并加快向全球价值链中上游转移，与发达国家的正面竞争加剧；另一方面，以美国为代表的守成大国为保持领导地位，会采取打压、遏制等措施，加剧与新兴大国的博弈。大国博弈将令中国所处的国际环境变得异常复杂，也会对全球经济格局、竞争合作关系和工程项目决策产生极其深刻的影响。

本章知识结构图

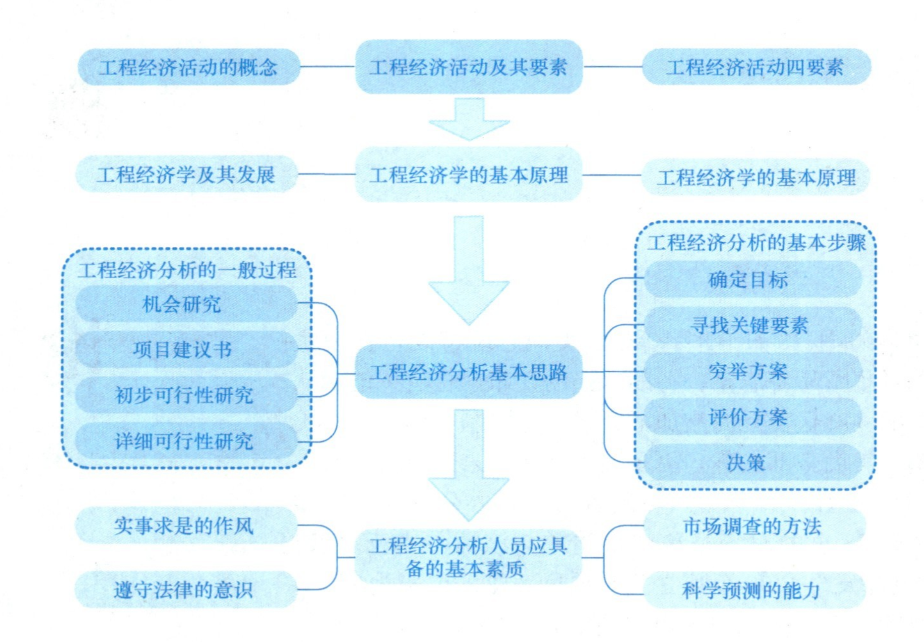

1.1 工程经济活动及其要素

1.1.1 工程经济活动的概念

工程经济活动就是把科学研究、生产实践、经验积累中所得到的科学技术有选择地、经济地、创造性地应用到最有效地利用自然资源、人力资源和其他资源的经济活动和社会活动中，以满足人们需要的过程。

从上述定义中可以看出，工程经济活动更侧重于科学知识的应用和技术的创新。科学家的作用是发现宇宙间各种自然现象的规律，丰富人类的知识宝库。而工程师的作用是把这些知识创造性地用于特定的系统，攻克技术难关，实现创造发明，最有效地为社会提供商品和劳务。对于从事工程经济活动的工程师来说，掌握科学知识和成熟技术本身并不是目的，知识只是构建各种运动系统时所需各种要素中的一种，关键是要在解决特定问题中创造性地把知识、技术、能力和物质手段有效地融为一个有机整体来更好地满足人们的需要。

人类活动主要由经济活动和社会活动组成。经济活动是人类的基本活动，它决定了人类生存和发展的条件。人类经济活动是使用一定的手段或工具改变自然或非自然物质，使之适合自身需要的有目的的活动。人类在经济活动的基础上还从事着大量的社会活动，包括文化艺术、科研与教育、医疗保健、国防安全、环境保护以及扶弱济贫等方面的活动。经济活动是社会活动的基础，经济发展的水平决定着社会活动的范围和规模；社会活动一方面满足了人类的非经济需要，另一方面促进着经济转型发展及可持续发展。在经济全球化时代，由于科技创新能力是国家综合实力决定性的因素，大部分经济活动和社会活动都涉及科学技术的应用和创新，这使得工程经济活动也具有了创新的内涵。同时，贸易保护和贸易摩擦也使经济问题政治化倾向加重。

当今社会经济的发展和人类文明的进步都是工程经济活动直接或间接的成果。反过来，人类物质文化生活水平的改善、社会经济、生态环境可持续发展和人类命运共同的要求又对工程经济活动提出了更明确的新目标。

1.1.2 工程经济活动的要素

工程经济活动一般涉及四大要素：活动主体、活动目标、实施活动的环境以及活动的效果。

活动主体是指垫付活动资本、承担活动风险、享受活动收益的个人或组织。现代社会经济活动的主体可大致分为三大类：企业、政府及包括文、教、卫、体、科研等组织在内的事业单位或社会团体。

人类一切工程经济活动都有明确的目标，都是为了直接或间接地满足人类自身的需要。而且不同活动主体目标的性质和数量等存在着明显的差异。如政府一般是多目标系统，包括：社会经济的可持续性发展、就业水平的提高、法制的建立健全、社会安定、疾病防治、币值稳定、环境保护、义务教育、经济结构的改善、收入分配公平等。企业的目标以利润为主，包括：利润最大化、市场占有率、应变能力和品牌效应等。

工程经济活动常常面临两个彼此相关且至关重要的双重环境，一个是自然环境，另一个是经济环境。自然环境提供工程经济活动的客观物质基础，经济环境显示工程经济活动成果的价值。工程经济活动固然要遵循自然环境中的各种规律并保护生态环境，只有这样才能赋予物品或服务使用价值。但是，在市场经济条件下，物品或服务的价值取决于其带给人们的边际效用。无论技术系统的设计多么精良，如果生产出的物品或提供的服务没有市场需求或不能满足消费者的市场预期，这样的工程经济活动就失去了经济价值。

所谓工程经济活动的效果是指活动实施后对活动主体目标产生的影响。由于目标的多样性，通常一项工程经济活动会同时表现出多方面的效果，甚至各种效果之间还是冲突和对立的。例如，对一个经济欠发达地区进行开发和建设，如果只进行低水平的资源消耗类生产，就有可能在提高当地人民收入水平的同时，造成严重的环境污染和生态平衡的破坏。

人类社会的一个基本任务，就是要根据对客观世界运动变化规律的认识，对自身的活动进行有效的规划、组织、协调和控制，最大限度地提高工程经济活动的价值，降低或消除负面影响。而这正是工程经济学的主要任务。

1.1.3 工程经济学及其发展

工程经济学是一门研究如何根据既定的活动目标，分析活动的代价及其对目标实现之贡献，并在此基础上设计、评价、选择以最低的代价可靠地实现目标的最佳或满意活动方案的学科。工程经济学的核心内容是一套工程经济分析的思想和方法，是人类提高工程经济活动效率的基本工具。

工程经济学是介于自然科学和社会科学之间的交叉科学，是根据现代科学技术和社会经济发展的需要，在自然科学和社会科学的发展过程中，各学科互相渗透、互相促进、互动交叉，逐渐形成和发展起来的。在这门学科中，经济学处于支配地位，因此，工程经济学属于应用经济学的一个分支。

1800年以前，科学技术随着工具的变革，推动人类社会经济的发展和文明的进步，但由于技术十分落后，经济发展的速度极为缓慢，人们不能有意识地通过提高技术水平来促进经济发展，只是为了生存或减轻劳动强度而就技术论技术。1800年以后，迅猛发展的科学技术很快改变了世界格局。以蒸汽机、发电机、原子能、电子计算机、微电子技术、航天技术、分子生物学、遗传工程、新能源技术等为代表的新技术群的兴起和普及，带来人类社会的数次经济繁荣，科学技术成为经济发展的“有力杠杆”。

20世纪30年代之后，经济学家们注意并深刻认识到了科学技术对经济发展的巨大影响，对工程经济的研究也深入地展开了，逐渐形成了一门独立的学科。20世纪50年代之后，数学和计算技术迅速发展，运筹学、概率论、数理统计等方法以及系统工程、计量经济学、最优化技术在生产建设领域大量应用，促使工程经济学获得了长足的发展。特别是20世纪末计算机技术和信息技术的迅速普及，以及21世纪初互联网技术、大数据分析和云计算技术的广泛应用，使得分析和评价工程经济活动及选择技术方案的方法又有了新的突破。

1.2 工程经济学的基本原理

1.2.1 工程经济分析的目的是提高工程经济活动的经济效果

工程经济活动，不论主体是个人还是机构，都具有明确的目标，都是为了直接或间接地满足人类自身的需要。例如，人类的生产性活动是通过新材料、新能源和新制造技术的应用为人类生存和发展提供更多更好的所需物品和服务；教学活动是通过更先进的信息技术和手段将知识及技能传播给更多的受教育者，以便更充分地利用这些知识与技能；医疗活动是应用生物工程、遗传学和生命科学的成果更好地防病治病，救死扶伤，造福人类。

工程经济活动的目标是通过活动产生的效果来实现的。根据活动对具体目标的不同影响，效果可分为有用的、所期望的和无用的或想避免的。前者通常称为效益，后者通常称为损失。

由于各种工程经济活动的性质不同，因而会取得不同性质的效果，如财务效果、环境效果、艺术效果、军事效果、政治效果、医疗效果等。但无论哪种技术实践效果，都要涉及资源的消耗，都有浪费或节约问题。由于在特定的时期和一定的地域范围内，人们能够支配的经济资源总是稀缺的，因此对工程经济活动进行事前分析（简称工程经济分析）是十分必要的。工程经济分析的目的是，在有限的资源约束条件下对所采用的技术进行选择，对活动本身进行有效的计划、组织、协调和控制，以最大限度地提高工程经济活动的效益，降低损失或消除负面影响，最终提高工程经济活动的价值。

所谓经济效果就是人们在应用技术的社会实践中效益与费用及损失的比较。对于取得一定有用成果和所支付的资源代价及损失的对比分析，就是经济效果。

当效益与费用及损失为不同度量单位时，经济效果可用下式表示：

$$经济效果 = \frac{效益}{费用 + 损失} \tag{1-1}$$

当效益与费用及损失为相同度量单位时，经济效果可用下式表示：

$$经济效果 = 效益 - (费用 + 损失) \tag{1-2}$$

提高工程经济活动的经济效果是工程经济分析的出发点和归宿点。一般来说，提高活动经济效果有以下两种途径：

第一，用最低的寿命周期成本实现产品、作业、服务或系统的必要功能。例如，世界上第一辆汽车是1886年由德国人本茨（Benz）制造的，由于生产成本太高，在相当长一段时间内汽车仅是贵族的玩物。后来，经过美国人亨利·福特（Henry Ford）降低生产成本的努力，每辆车的售价降至1000～1500美元，进而又降至850美元，到1916年甚至降至360美元。同时，汽车的使用成本也有所降低，这为汽车在世界范围内的广泛使用创造了条件。

第二，在费用一定的前提下，不断改善产品、作业、服务或系统的质量，提高其功能。电子计算机自问世以来，储存空间不断扩大，运算速度不断提高，兼容性日益改善，而价格却相对稳定的事实，使其应用领域大大地拓展，以至于人们的生活方式和生产方式都为之改变。

1.2.2 技术与经济之间是对立统一的辩证关系

从长期来看，经济是技术进步的目的，技术是达到经济目标的手段，是推动经济发展的强大动力。马克思说："火药、指南针、印刷术，这是预告资产阶级社会到来的三大发明。因为火药把骑士阶层炸得粉碎，指南针打开了世界市场而且建立了殖民地，而印刷术，则变成新教的工具，总的来说，变成科学复兴的手段，变成对精神发展创造必要前提的最强大的杠杆。"在我国当前，手工业、传统工业、高技术产业的劳动生产率之比，大概是1∶10∶100。未来，人类更加强调资源、环境、经济的可持续发展。而要不想以牺牲环境和资源为代价来发展经济，技术进步仍是必由之路。

从短期来看，技术与经济之间还存在着相互制约和相互矛盾的一面。有些先进技术，需要有相应的工程经济条件起支撑作用，需要相应的资源结构相配合。对于不具备相应条件的地区和国家，这样的技术就很难发挥应有的效果。这正是为什么在相同的生产力发展阶段，不同的社会形态会创造出极为悬殊的劳动生产率的原因之一。欧美、日本等发达国家，劳动力成本较高，资本比较充裕，因此生产过程中使用更多的先进技术和装备代替人的劳动。我国是一个发展中的国家，劳动力资源丰富，最优的要素组合方式必然不同于发达国家。同时，我国又是一个发展中的大国，各地区资源条件和经济发展水平很不均衡，这就决定了我国现阶段的技术体系应该同时包容新技术、高技术、中间技术和传统技术，以满足不同地区的经济条件。

1.2.3 工程经济分析的重点是科学地预见活动的结果

人类对客观世界运动变化规律的认识，使得人们可以对自身活动的结果作出一定的科学预见，判断一项活动目的的实现程度，并相应地选择、修正所采取的方法。以三峡工程为例，如果我们不了解三峡工程建成后可以获得多少电力，能在多大程度上改进长江航运和提高防洪能力，那么建设三峡工程就成为一种盲目的活动。因此，为了有目的地开展各种工程经济活动，就必须对活动的效果进行慎重的估计和评价。

工程经济分析正是对一次性工程经济活动的方案付诸实施之前或实施之中的各种结果进行估计和评价的过程，属于事前或事中主动的控制，即信息搜集→资料分析→制定对策→防止偏差。事后的评价和总结仍然是为了在新的项目中汲取经验教训。对工程经济活动的预见要求人们面对未来，对可能发生的后果进行合理的预测。只有提高预测的准确性，客观地把握未来的不确定性，才能提高决策的科学性。工程经济活动可行性研究的主要内容之一就是要进行周密的市场调查，准确地估计项目的效益、费用及损失。可行性研究工作方式的提出，使工程经济分析的预见性提高到一个新的水平。

当然，由于人的理性有限性，不可能做到对所有活动效果的估计都准确无误，总会产生一定的偏差，特别是对具有创新性的项目而言。正因如此，人们才会不断地在风险分析和不确定性分析中进行大量的、旨在拓展人类知识范围、提高预见能力的研究工作。

1.2.4 工程经济分析是对工程经济活动的系统评价

环境问题是世界各国共同关心的问题，把经济、社会发展同环境保护结合起来研究已成为国际社会的共识。为了防止一项工程经济活动在对一个利益主体产生积极效果的同时可能损害到另一些利益主体的目标，工程经济分析必须体现较强的系统性。系统性主要表现在以下三个方面：①评价指标的多样性和多层性，构成一个指标体系；②评价角度或立场的多样性，根据评价时所站的立场或看问题的出发点的不同，分为企业财务评价、国民经济评价以及社会评价等；③评价方法的多样性，常用的评价方法有以下几大类：定量或定性评价、静态或动态评价、单指标或多指标综合评价等。

由于局部和整体、局部与局部之间客观上存在着一定的矛盾和利益摩擦，系统评价的结果总是在法律法规允许的范围内各利益主体目标相互协调的均衡结果。

需要指出的是，对于特定的利益主体，由于多目标的存在，各方案对各分目标的贡献有可能不一致。因此，在一定的时空和资源约束条件下，工程经济分析寻求的只能是令决策者满意的整体方案，而非各分项效果都最佳的最优方案。

1.2.5 满足可比条件是技术方案比较的前提

为了在对各项技术方案进行评价和选优时，能全面、正确地反映实际情况，必须使各方案的条件等同化，这就是所谓的“可比性问题”。由于各个方案涉及的因素极其复杂，加上难以定量表达的因素，所以不可能做到绝对的等同化。在实际工作中一般只能做到使方案经济效果影响较大的主要方面达到可比性要求，包括：①产出成果使用价值的可比性；②投入相关成本的可比性；③时间因素的可比性；④价格的可比性；⑤定额标准的可比性；⑥评价参数的可比性。其中，时间的可比是方案经济评价通常要考虑的一个重要因素。例如，有两个技术方案，产品种类、产量、投资、成本完全相同，但时间上有差别，其中一个投产早，另一个投产晚，这时很难直接对两个方案的价值大小下结论，必须将它们的效果和成本都换算到同一个时点后，才能进行方案评价和比较。

在实际工作中，工程经济活动很多是以建设项目的形式出现的。因此，本书对工程经济原理及方法的应用主要针对建设项目展开。

1.3　工程经济分析基本思路

1.3.1　工程经济分析的一般过程

一个建设项目从提出意向到实现预想的目标，一般都需要经过多个工作阶段。就是在建设项目前期决策阶段往往也需要分段进行，逐步深入，例如，上海虹桥综合交通枢纽工程的提出就是一个由粗到细、逐步完善的过程。根据国内外工程实践经验，大型建设项目前期工作一般历经的阶段如图 1-1 所示。

图 1-1　工程建设项目前期工作阶段划分

如果把建设项目前期论证看作一个包含若干阶段的工作过程，那么从不同阶段所提问题的层次、问题的涉及面和解决问题的方法来看，工程经济分析是一个多级、多阶段的链式反应过程。从纵向来看，前一阶段的工作成果是后一阶段工作的前提和基础，后一阶段是前一阶段工作的深入和具体化，如图 1-2 所示。

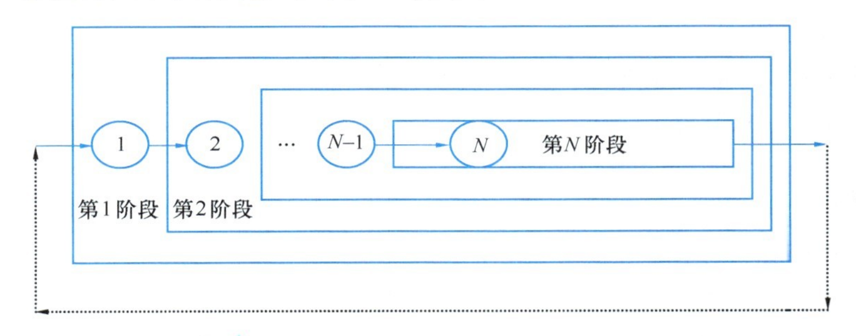

图 1-2　工程经济分析纵向动态规划过程

从横向来看，每一个阶段又可以分解成若干相互联系而又互相区别的子系统，子系统的优化离不开整体的优化，整体的优化要靠子系统的优化来实现，如图 1-3 所示。可以说，整个工程经济分析是一个不断深入、不断反馈的动态规划过程。

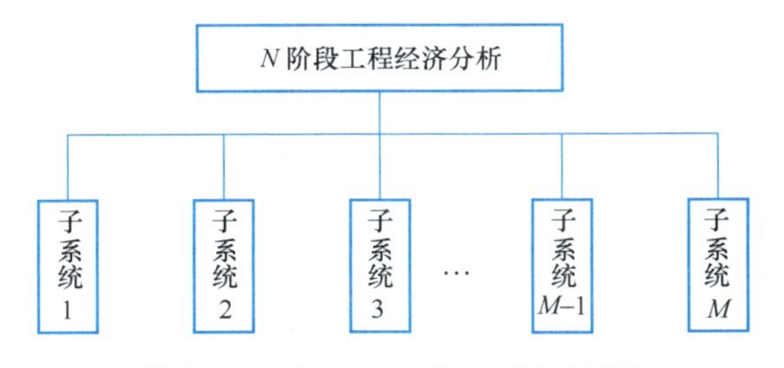

图 1-3　工程经济分析子系统分解图

1.3.2 工程经济分析的基本步骤

工程经济分析可大致概括为以下五个步骤：①确定目标；②寻找关键要素；③穷举方案；④评价方案；⑤决策。五个步骤的关系如图 1-4 所示。

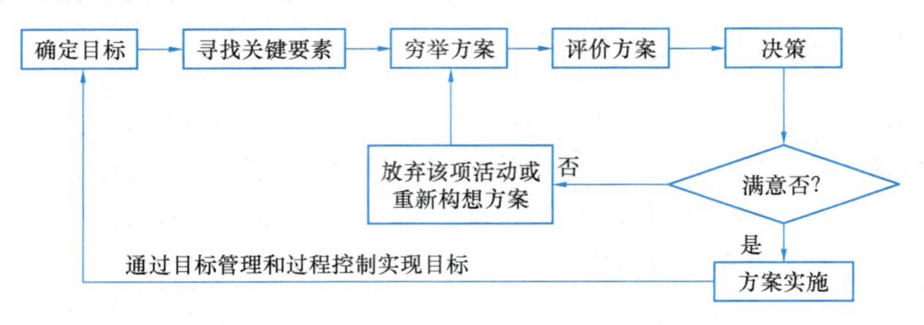

图 1-4 工程经济分析的基本思路

1. 确定目标

工程经济分析的第一步就是通过调查研究寻找经济环境中显在和潜在的需求，确立工作目标。无数事实说明，工程项目的成功与否，不但取决于系统本身效率的高低，也与系统是否能满足人们的需要密切相关。因此，只有通过市场调查等各种手段，明确了目标，才能谈得上技术可行性和经济合理性。

2. 寻找关键要素

关键要素也就是实现目标的制约因素，确定关键要素是工程经济分析的重要一环。只有找出了主要矛盾，确定了系统的各种关键要素，才能集中力量，采取最有效的措施，为目标的实现扫清道路。

寻找关键要素，实际上是一个系统分析的过程，需要树立系统思想方法，综合运用各种相关学科的知识和技能。

例如，三峡工程决策时就采用了系统分析的方法来确定项目的关键要素。1954 年，由于长江中下游区域出现了近 100 年间最大的洪水，造成了严重的洪涝灾害。为消除水患，国家于 1958 年成立长江流域规划办公室，提出蓄水位 200m、水电装机容量 2500 万 kW 的设计方案。由于工程规模太大、移民太多、水库建成后泥沙淤积等问题，工程建设搁置。1984 年组建了中国三峡开发总公司筹建处，经过充分论证和系统分析，确定了整个三峡工程的关键要素：防洪、发电、通航、移民、文物保护、环境保护。三峡工程于 2009 年完工后，可使荆江河段防洪标准由原来的约 10 年一遇提高到 100 年一遇；三峡水电站总装机容量 1820 万 kW，对华东、华中和华南地区的经济发展和减少环境污染起到重大的作用；显著改善了宜昌至重庆 660km 的长江航道，万吨级船队可直达重庆港，航道单向年通过能力可由原来的 1000 万吨提高到 5000 万吨。

3. 穷举方案

关键要素找到后，紧接着要做的工作就是制订各种备选方案。很显然，一个问题可采用多种方法来解决，因而可以制订出许多不同的方案。例如，降低人工费可采用新设备，也可采用简化操作的方法；降低产品废品率，可通过更新设备实现，也可通过质量控制方法实现。工程经济分析过程本身就是多方案选优，如果只有一个方案，决策的意义就不大了。所以，穷举方案就是要尽可能多地提出潜在方案，包括什么都不做的方案，也就是维持现状的方案。实际工作中往往有这样的情况，虽然在分析时考虑了若干方案，然而，由于恰恰没有考虑更为合理的某个方案，导致了不明智的决策结果。很明显，一个较差的方案与一个更差的方案比较也会变得有吸引力。

工程技术人员不应仅凭直觉提出方案，因为最合理的方案不一定是工程技术人员认为最好的方案。因此，穷举方案需要多专业交叉配合。分析人员也不应轻率地淘汰方案，有时经仔细地定量研究后会发现，开始已凭感觉拒绝的方案其实就是解决问题的最好方案。

4. 评价方案

从工程技术的角度提出的方案往往都是技术上可行的，但在效果一定时，只有费用最低的方案才能成为最佳方案，这就需要对备选方案进行经济效果评价。

评价方案，首先必须将参与分析的各种因素定量化，一般将方案的投入和产出转化为用货币表示的收益和费用，即确定各对比方案的现金流量，并估计现金流量发生的时点，然后运用数学手段进行综合运算、分析对比，从中选出最优的方案。

5. 决策

决策即从若干行动方案中选择令人满意的实施方案，它对工程项目建设的效果有决定性的影响。在决策时，工程技术人员、经济分析人员和决策人员应特别注重信息交流和沟通，减少由于信息的不对称所产生的分歧，使各方人员充分了解各方案的工程经济特点和各方面的效果，提高决策的科学性和有效性。

1.4 工程经济分析人员应具备的基本素质

工程经济学的理论和方法具有很强的综合性、系统性和应用性。为有效地对工程项目进行经济分析，工程经济分析人员应主要具备以下基本素质：

1. 实事求是的作风

工程经济分析人员应实事求是，遵守诚实、信用、客观、公正的原则，保证评价结果经得起时间和实践的检验。

2. 遵守法律的意识

国家的法律、法规和部门规章会对具体工程项目的建设起导向作用，只有正确理解国家的法律、法规和有关政策，才能正确评价技术方案，并不断减少工程项目与投资目标的偏差。

3. 市场调查的方法

在市场经济条件下，产品和服务的价值取决于其稀缺程度，稀缺程度往往要用人们愿意为此付出的金钱来衡量。不论技术系统的设计多么精良，如果生产出的产品市场销路不畅，这样的技术系统的经济效果就会很低。因此，作为工程经济分析人员，必须获取国内外市场供需信息，把握市场显在和潜在的需求，了解产品所处的生命周期，清楚现有企业的生产能力和可挖掘的生产潜力。

4. 科学预测的能力

工程经济分析具有很强的预见性，这就要求工程经济分析人员有很强的洞察力。为此，应掌握科学的预测方法，尽可能对未来的发展情况作出准确的估计和推测，提高决策科学化水平。

案例分析

我国未来投资潜力空间

国家发展改革委2018年全国固定资产投资发展趋势监测报告及2019年投资形势展望指出：对照对标高质量发展和供给侧结构性改革的要求，积极落实“稳投资”政策，深入挖掘未来投资增长空间，可以集中发力的有效领域包括：一是高端制造业领域。按照制造业高质量发展要求，加快推进制造业技术改造和设备更新，加大关键技术、高端装备以及核心零部件和元器件领域投资，尤其重视集成电路、发动机、人工智能减速器等高技术产业项目投资。二是新型基础设施领域。加快推进新型基础设施建设，加快5G商用步伐，研究规划新一代信息技术基础应用投资发展方案；加强人工智能、工业互联网、物联网等领域基础设施投资，积极储备、推介优质投资项目，创新新领域基础设施投融资模式。三是生产要素领域。加强对资源、环境、人力资本等生产要素领域投资力度，提高各类要素生产效率。加快推进能源、交通、水利等重大项目建设，适当降低能源对外依存度，重点补齐清洁能源短板；加快推进环境保护、生态修复、环保工艺、防灾减灾等领域建设，增强生态环境对经济增长的支撑和容纳能力；加快推进人力资源、科学技术领域的投资建设，支持教育培训、科研创新等软投资项目。四是社会补短板领域。促进社保、教育、医疗、健康养老、文化等公共服务领域补短板、强弱项、提质量。根据不同地区发展情况，因地制宜，通过落实重大公共服务投资项目，提高区域发展协调性。

[案例思考]

1. 试比较未来投资增长领域与现实占比较大投资领域的差别。
2. 如果要让案例中所列的未来投资增长空间成为现实投资项目还需要开展哪些工作？

思考题

1. 工程经济活动的要素有哪些？
2. 为什么要科学地预见工程经济活动的效果？
3. 提高工程经济活动的经济效果有何积极意义？
4. 工程经济学的基本原理包含哪些内容？
5. 为什么要对工程技术方案进行系统评价？
6. 工程经济分析的一般过程是什么？
7. 为什么说工程经济分析是一个动态规划过程？
8. 工程经济分析的基本步骤有哪些？
9. 工程经济分析人员应具备哪些基本素质？

第2章 现金流量与资金时间价值

引例

全球前十大经济体 GDP 增长率预测

中国发展出版社出版的《百年大变局》一书中对全球七个经济体 2035 年 GDP 进行了预测，其结果如下表所示。根据 2017 年、2035 年的 GDP 值和一次支付的复利现值公式可计算出相应国家的 GDP 平均增长率，计算结果如表最后一列所示。

序号	国别	2017 年 GDP（现价美元）	2035 年 GDP（现价美元）	GDP 平均增长率（%）
1	美国	193906 亿	431226 亿	4.54
2	中国	122377 亿	571057 亿	8.93
3	日本	48721 亿	67805 亿	1.85
4	德国	36774 亿	65060 亿	3.22
5	英国	26224 亿	53682 亿	4.06
6	印度	25975 亿	212681 亿	12.39
7	巴西	20555 亿	97005 亿	9
	全球平均	806838 亿	2518833 亿	6.52

（资料来源：国务院发展研究中心课题组. 百年大变局——国际经济格局新变化. 北京：中国发展出版社，2018.）

注：现价美元一般用于统计和比较不同货币国家的 GDP，即 GDP 按美元价计算，美元汇率取当期官方平均汇率。

启　示

资金可以有时间价值，但同一时段不同国家或地区的资金时间价值可以不同。未来 15 年全球经济格局将呈现多极变化趋势，新兴经济体、发展中国家在全球经济中地位更加重要。中国、印度、巴西有可能成为全球经济增长的领跑者，其资金的时间价值会更高一些。反之，一些以往的经济强国未来 GDP 将长期保持低位，这些国家的资金时间价值会低一些。

本章知识结构图

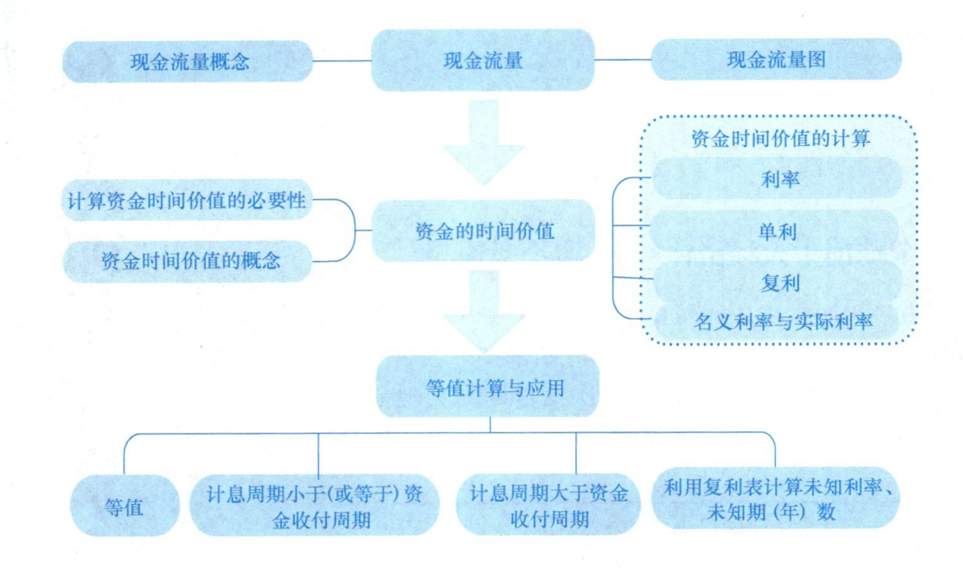

2.1 现金流量

2.1.1 现金流量（Cash Flows）

在进行工程经济分析时，需要将所考察的对象视为一个系统，这个系统可以是一个建设项目或一个企业，也可以是一个地区或一个国家。而投入的资金、花费的成本、获取的收入，均可看成该系统以货币形式体现的资金流出或资金流入。这种考察系统一定时期各时点上实际发生的资金流出或资金流入称为现金流量，其中，流出系统的资金称为现金流出（CO），流入系统的资金称为现金流入（CI），现金流入与现金流出之差（$CI-CO$）称之为净现金流量（Net Cash Flow，NCF）。工程经济分析的任务就是要根据所考察系统的预期目标和所拥有的资源条件，分析该系统的现金流量情况，选择 NCF 大的合适技术方案，以获得最大的经济效果。

现金流量的内涵和构成因工程经济分析的范围和方法不同而异。在建设项目财务评价时，使用从项目的角度出发、按现行财税制度和市场价格确定的财务现金流量，有关现金流量构成参见第 7 章有关表格。在建设项目国民经济评价时，使用从国民经济角度出发，按资源优化配置原则和影子价格确定的国民经济效益费用流量，有关现金流量构成参见第 8 章有关表格。

本书从第 2 章到第 6 章，主要阐述现金流量的基本原理和方法，暂不对现金流量进行财务现金流量和国民经济效益费用流量的区分。

2.1.2 现金流量图（Cash-Flow Diagrams）

对于一个经济系统，其现金流量的流向（流出或流入）、数额和发生时点都不尽相同。

为正确地进行经济评价，有必要借助现金流量图。所谓现金流量图，是一种反映经济系统资金运动状态的图式，即把经济系统的现金流量绘入一时间坐标图中，表示出各现金流出、流入与相应时间的对应关系，如图 2-1 所示。

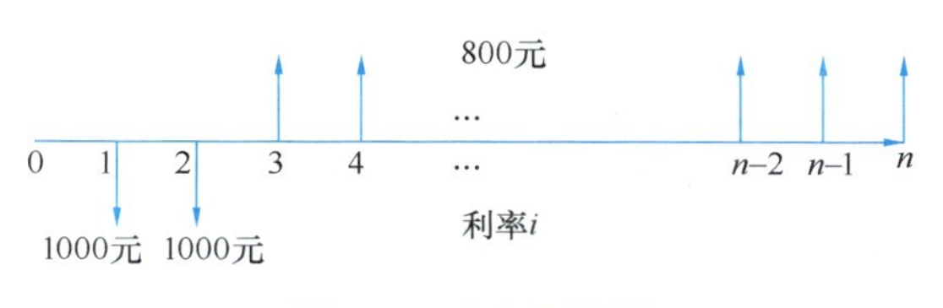

图 2-1 现金流量图

现以图 2-1 说明现金流量图的作图方法和规则：

（1）以横轴为时间轴，向右延伸表示时间的延续，轴上每一刻度表示一个时间单位，可取年、半年、季或月等；零表示时间序列的起点，当年的年末同时也是下一年的年初。

（2）相对于时间坐标的垂直箭线代表不同时点的现金流量，在横轴上方的箭线表示现金流入，即表示效益；在横轴下方的箭线表示现金流出，即表示费用或损失。

（3）现金流量的方向（流出与流入）是对特定系统而言的。贷款方的流入就是借款方的流出；反之亦然。

（4）在现金流量图中，箭线长短与现金流量数值大小本应成比例。但由于经济系统中各时点现金流量的数额常常相差悬殊而无法成比例绘出，故在现金流量图绘制中，箭线长短只是示意性地体现各时点现金流量数额的差异，并在各箭线上方（或下方）注明其现金流量的数值即可。

（5）箭线与时间轴的交点即为现金流量发生的时点。现金流量发生的时点可服从年末习惯法或年初习惯法。在工程经济分析中一般采用年末习惯法。对于建设期计算利息的贷款还可服从年中习惯法。

总而言之，要正确绘制现金流量图，必须把握好现金流量的三要素，即现金流量的大小（资金数额）、方向（资金流入或流出）和作用点（资金的发生时点）。

2.2 资金的时间价值

2.2.1 计算资金时间价值的必要性

人们无论从事何种经济活动，都必须花费一定的时间。而时间却是有限的，它既不能停止，也无法倒流。因此，在一定意义上讲，时间是一种最宝贵也是最有限的“资源”。但是，对时间内涵的理解常常因人而异。对学生，时间就是知识；对生命正处于危险之中的人来说，时间就是生命；对农民，时间就是粮食……那么在工程经济活动中，时间又是什么？

在工程经济活动中，时间就是经济效益。因为经济效果是在一定时间内创造的，不讲时间，也就谈不上效益。如一百万元的利润，是一个月创造的，还是一年创造的，其效益是大不一样的。因此，重视时间因素的研究，对工程经济分析有着重要的意义。

在建设项目经济效果评价中，常常会遇到以下几类问题：

（1）投资时间不同的方案评价。例如，是早投资还是晚投资、是集中投资还是分期投资，它们的经济效果是不一样的。

（2）投产时间不同的方案评价。投产时间也有早投产和晚投产、分期投产和一次投产等问题，在这些情况下经济效果也是不一样的。

(3) 使用寿命不同的方案评价。

(4) 实现技术方案后，各年经营费用不同的方案评价。如有的方案前期经营费用大，后期小；有的前期费用小，后期费用大等。

上述问题都存在时间因素的不可比现象，要正确评价建设项目技术方案的经济效果，就必须研究资金的时间价值及其计算，从而为消除方案时间上的不可比奠定基础。

2.2.2 资金时间价值的概念

资金的时间价值，又称货币的时间价值（Time Value of Money），是资金随时间的推移而产生的增值。资金的时间价值可以从以下两方面来理解：

(1) 资金的时间价值，是资金作为生产要素，在技术创新、社会化大生产、资金流通等过程中，随时间的变化而产生的增值。资金的增值过程必须与占有市场份额的生产和流通过程相结合，如果没有市场需求，或离开了生产过程和流通领域，资金是不可能实现增值的。资金的增值过程可由图 2-2 表示。

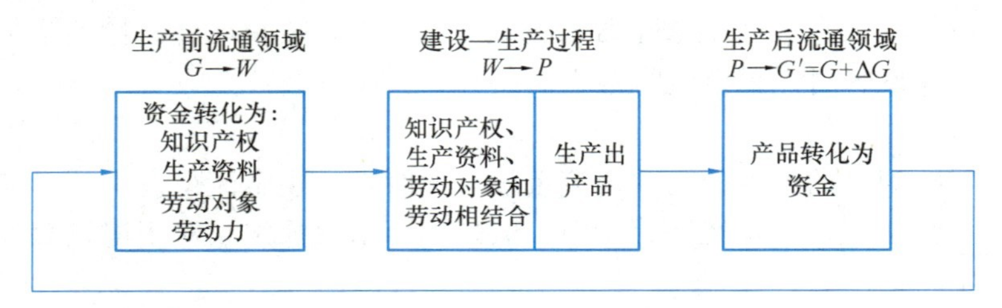

图 2-2 （G-W-G′）资金增值过程示意图

在确定产品有市场需求后，首先需用一笔资金（G），购买厂房和设备作为该企业生产资料的固定资产，同时还需垫支流动资金采购生产所需要的专有技术、原材料、辅助材料、燃料等劳动对象和招聘工人所需支出的工资；然后在生产过程中，劳动者运用生产资料对劳动对象进行加工生产劳动，生产制作新的产品，这里生产出来的新产品（P）比原先投入的资金（G）具有更高的价值；最后这些新产品（P）必须在生产后的流通领域里出售给用户，才能转化为具有新增价值的资金（G'），使物化的资金（P）转化为货币形式的资金（G'），这时的 $G'=G+\Delta G$，从而使生产过程中劳动者创造的资金增值部分ΔG得以实现。这样就完成了“G-W-G'”形式表示的、完整的资金增值过程。

(2) 资金的时间价值，是使用稀缺资源——资金的一种机会成本，是使用货币的利息，是使用土地的租金，是使用技术要素的付费，是企业家才能创造的利润；或者是让渡资金使用权所得的报偿，是放弃近期消费所得的补偿。

由于资金时间价值的存在，使不同时点上发生的现金流量无法直接加以比较。因此，要通过一系列的换算，在同一时点上进行对比，才能符合客观实际。这种考虑了资金时间价值的经济分析方法，使方案的评价和选择变得更现实和可靠，它也就构成了工程经济学要讨论的重要内容之一。

2.2.3 资金时间价值的计算

由于资金时间价值既代表投资的回报率，又代表牺牲资金使用权的代价，因而，资金时间价值可用利润率表示，也可用利息率表示，以下统称利率。

1. 利率

（1）利率

利率（Interest Rate），是在单位时间内（如年、半年、季、月、周、日等）利息（利润）与本金之比，通常用百分数表示。即：

$$i=\frac{I_t}{P}\times 100\% \tag{2-1}$$

式中 i——利率；

I_t——本金在单位时间内产生的利息（利润）；

P——本金。

用于表示计算利息的时间单位称为计息周期，计息周期通常为年、半年、季，也可以为月、周或日。

【例 2-1】某企业年初从商业银行借入流动资金 1000 万元，一年后给银行付息 43.5 万元，试求这笔流动资金借款的年利率。

【解】根据式（2-1）计算这笔流动资金借款的年利率为：

$\frac{43.5}{1000}\times 100\%=4.35\%$

利率是国民经济发展的主要晴雨表之一。利率的高低由如下因素决定：

1）经济增长速度。经济处于快速增长期，利率上升；发展处于新旧动能转换的调整期，经济会处于低速增长期，利率下降。

2）行业平均利润率。在通常情况下，利息来自于利润，所以利率要受到行业平均利润率的制约，行业平均利润率越高，往往利率也随之提高。但行业平均利润率是利率的最高界限。如果利率高于利润率，银行获得利息后，投资人无利可图，投资者就不会去贷款了。

3）资金供求状况。在平均利润率不变的情况下，利率作为资金的价格，是金融市场供求状况的反映。借贷资本供过于求，利率便下降；反之，利率便上升。

4）投资风险。投资有风险，投资风险的大小影响利率的高低。风险越大，利率越高。

5）通货膨胀率。通货膨胀对利率的波动有直接影响，通货膨胀率高，往往推动利率升高，以防资金贬值使实际利率成为负值。

6）资金回收期限。投资或借款期限长，不可预见因素多，风险大，利率也就高；反之，利率就低。

7）产业对环境的影响程度。产业对环境破坏的程度越高，说明产业的获利程度越高，相应的利率也越高。

（2）利率在工程经济活动中的作用

1）利率是以信用方式动员和筹集资金的动力。以信用方式筹集资金的一个重要特点是自愿性，而自愿性的动力在于回报率。对投资者而言，只有认为投资某项目的回报高于其他项目，他才可能给这个项目投资。

2）利率促进企业加强经济核算，节约使用资金。企业借款需付利息，增加支出，这就促使企业必须精打细算，减少借入资金的占用量和占用时间，以少付利息。

3）利率是国家调控宏观经济的重要杠杆。国家在不同的时期制定不同的利率政策，对不同地区不同行业规定不同的利率标准，就会对整个国民经济产生调控影响。如对于限制发展的行业和企业，利率规定得高一些；对于鼓励发展的部门和企业，利率规定得低一些，从而引导部门和企业的生产经营服从国民经济发展的总方向。基础性、公益性项目，贷款利率低；商业性项目，贷款利率高。对产品适销对路、质量好、信誉高的企业，在资金供应上给予低息支持；反之，贷款利率较高。

2. 单利

单利（Simple Interest），是指在计算利息时，仅考虑最初的本金，而不计入在先前利息周期中所累计增加的利息，即通常所说的“利不生利”的计息方法。其计算式如下：

$$I_t = P \times i_d \tag{2-2}$$

式中 I_t——第 t 计息期的利息额；

P——本金；

i_d——计息期单利利率。

设 I_n 代表 n 个计息期所付或所收的单利总利息，则有下式：

$$I_n = \sum_{t=1}^{n} I_t = \sum_{t=1}^{n} P \times i_d = P \times i_d \times n \tag{2-3}$$

由式（2-3）可知，在以单利计息的情况下，总利息与本金、利率以及计息周期数是成正比的线性关系。而 n 期末单利本利和 F 等于本金加上利息，即：

$$F = P + I_n = P(1 + n \times i_d) \tag{2-4}$$

式中 $(1+n\times i_d)$——单利终值系数。

同样，本金可由本利和 F 减去利息 I_n 求得，即：

$$P = F - I_n = F/(1 + n \times i_d) \tag{2-5}$$

式中 $1/(1+n\times i_d)$——单利现值系数。

在利用式（2-4）计算本利和 F 时，要注意式中 n 和 i_d 反映的周期要匹配。如 i_d 为年利率，则 n 应为计息的年数；若 i_d 为月利率，n 即应为计息的月数。

【例 2-2】某企业从贸易伙伴公司借入 1000 万元用于企业扩建，年利率 6%，单利计息，四年末偿还，试计算各年利息及本利和。

【解】计算过程和计算结果列于表 2-1。

［例 2-2］单利方式利息计算表 表 2-1

年末	借款本金（万元）	利息（万元）	本利和（万元）	偿还额（万元）
0	1000			
1		1000×6%=60	1060	0
2		60	1120	0
3		60	1180	0
4		60	1240	1240

由上例可见，单利的年利息额都仅由本金产生，其新生利息不再加入本金产生利息，此即“利不生利”。单利不符合客观的经济发展规律，没有反映资金可能随时都在“增值”的客观现实，即没有完全反映资金的时间价值。因此，在工程经济分析中单利使用较少，通常只适用于短期投资及不超过一年的短期贷款。

3. 复利

(1) 复利的概念

复利（Compound Interest），是指在计算利息时，某一计息周期的利息是由本金加上先前周期所累积利息总额来计算的计息方式，也即通常所说的“利生利”“利滚利”。其表达式如下：

$$I_t = i \times F_{t-1} \tag{2-6}$$

式中 i——计息期利率；

F_{t-1}——第（$t-1$）年末复利本利和。

第 t 年末复利本利和的表达式如下：

$$F_t = F_{t-1} \times (1+i) \tag{2-7}$$

【例 2-3】 数据同［例 2-2］，如果按复利计息时则得表 2-2。

［例 2-3］复利方式利息计算表　　表 2-2

年末	借款本金（万元）	利息（万元）	本利和（万元）	偿还额（万元）
0	1000			
1		1000×6%=60	1060	0
2		1060×6%=63.6	1123.60	0
3		1123.6×6%=67.416	1191.016	0
4		1191.016×6%=71.461	1262.477	1262.477

从表 2-1 和表 2-2 可以看出，同一笔借款，在利率和计息期均相同的情况下，复利的利息金额比单利的利息金额大，两者相差 22.477 万元（1262.477－1240）。本金越大、利率越高、计算期越长，两者差距就越大。复利计息符合资金在社会再生产过程中运动规律，在实际中得到了广泛的应用。如我国现行财税制度规定：投资贷款实行差别利率并按复利计息。同样，在工程经济分析中，一般采用复利计息。

复利计息有间断复利和连续复利之分。按期（年、半年、季、月、周、日）计算复利的方法称为间断复利（即普通复利）；按瞬时计算复利的方法称为连续复利。

式（2-7）计算复利很不方便，因为它要逐期计算，如果周期数很多，计算是十分烦琐的。而且在式（2-7）中没有直接反映出本金 P、年金 A、本利和 F、利率 i、计息周期数 n 等要素的关系。所以有必要对式（2-7）进一步简化。

(2) 一次支付情形的复利计算

一次支付又称整付，是指所分析系统的现金流量，无论是流入或是流出，均在一个时点上一次发生，如图 2-3 所示。一次支付情形的复利计算式是复利计算的基本公式。在图 2-3 中：i 为计息期利率；n 为计息期数；P

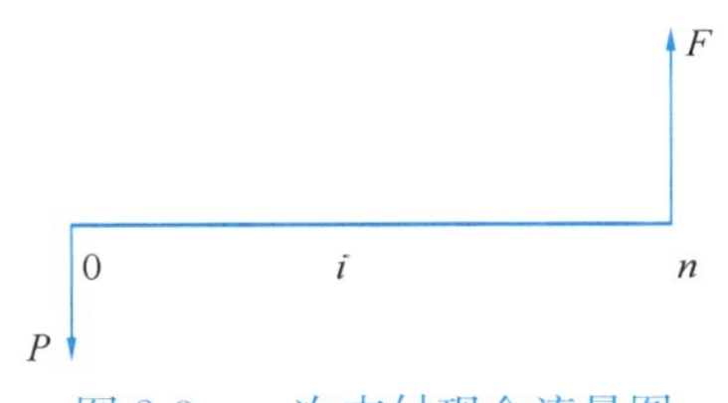

图 2-3　一次支付现金流量图

为现值（即现在的资金或本金，Present Value），或资金发生在（或折算为）某一特定时间序列起点时的价值；F 为终值（n 期末的资金值或本利和，Future Value），或资金发生在（或折算为）某一特定时间序列终点的价值。

1）终值计算（已知 P 求 F）

现有一项资金 P，按年利率 i 计算，n 年以后的本利和为多少？

根据复利的定义即可求得本利和 F 的计算公式。其计算过程见表 2-3 所列。

终值计算过程表　　表 2-3

计息期	期初金额（1）	本期利息额（2）	期末本利和 F_t＝（1）＋（2）
1	P	$P \cdot i$	$F_1=P+P \cdot i=P(1+i)$
2	$P(1+i)$	$P(1+i) \cdot i$	$F_2=P(1+i)+P(1+i) \cdot i=P(1+i)^2$
3	$P(1+i)^2$	$P(1+i)^2 \cdot i$	$F_3=P(1+i)^2+P(1+i)^2 \cdot i=P(1+i)^3$
…	…	…	…
n	$P(1+i)^{n-1}$	$P(1+i)^{n-1} \cdot i$	$F=F_n=P(1+i)^{n-1}+P(1+i)^{n-1} \cdot i=P(1+i)^n$

由表 2-3 可以看出，n 年末的本利和 F 与本金的关系为：

$$F=P(1+i)^n \tag{2-8}$$

式中　$(1+i)^n$ 称之为一次支付终值系数，用（F/P，i，n）表示。故式（2-8）又可写成：

$$F=P(F/P, i, n) \tag{2-9}$$

在（F/P，i，n）这类符号中，括号内斜线上的符号表示所求的未知数，斜线下的符号表示已知数。整个（F/P，i，n）符号表示在已知 i、n 和 P 的情况下求解 F 值。为了计算方便，通常按照不同的利率 i 和计息期 n 计算出 $(1+i)^n$ 的值，并列于表中（见附录Ⅰ）。在计算 F 时，只要从复利表中查出相应的复利系数再乘以本金即为所求。

【例 2-4】 某人以一年期整存整取的方式在 2016 年 5 月 16 日存入银行 18 万元，年利率 2.025%，存期 3 年，可自动转存。那么他在 2019 年 5 月 16 日从银行可取出本利和共多少钱？如果此人当时将 18 万元以三年期整存整取的方式存入银行，年利率 3%，则 3 年后可从银行取出本利和共多少钱？

【解】 由式（2-9）得：

$F=P(F/P, i, n)=18(F/P, 2.025\%, 3,)$ 因复利系数表无直接对应结果，再由式（2-8）得：$F=18\times(1+2.025\%)^3=18\times1.06198849=19.115793$ 万元。

按商业银行规则，三年期整存整取方式，利息按单利计算，由式（2-4）得：

$$F=18\times(1+3\times3\%)=19.62 \text{ 万元}$$

三年期的利息多，是银行给予存款人放弃用款方便的补偿。

2）现值计算（已知 F 求 P）

由式（2-8）即可推导出现值 P：

$$P=F(1+i)^{-n} \tag{2-10}$$

式中，$(1+i)^{-n}$ 称为一次支付现值系数，用符号（P/F，i，n）表示，并按不同的利率 i 和计息期 n 列于表中（见附录Ⅰ）。一次支付现值系数这个名称描述了它的功能，即未来一笔资金乘上该系数就可求出其现值。工程经济分析中，一般是将未来值折现到零期。计算现值 P 的过程叫“折现”或“贴现”，其所使用的利率常称为折现率、贴现率或收益率。贴现率、折现率反映了利率在资金时间价值计算中的作用，而收益率反映了利率的经济含义。故 $(1+i)^{-n}$ 或 $(P/F, i, n)$ 也可叫折现系数或贴现系数。式（2-10）常写成：

$$P=F(P/F, i, n) \tag{2-11}$$

【例 2-5】某企业投资形成的固定资产在 10 年后的余值为 1000 万元。年利率 $i=5\%$，复利计息，试问这 1000 万元贴现后的现值是多少？

【解】由式（2-11）得：

$P=F(P/F, i, n)=1000(P/F, 5\%, 10)$

从附录Ⅰ中查出系数 $(P/F, 5\%, 10)$ 为 0.6139，代入式中得：

$P=1000\times0.6139=613.9$ 万元

从上面计算可知，现值与终值的概念和计算方法正好相反，因为现值系数与终值系数互为倒数。在 P 一定、n 相同时，i 越高，F 越大；在 i 相同时，n 越长，F 越大。在 F 一定、n 相同时，i 越高，P 越小；在 i 相同时，n 越长，P 越小。见表 2-4、表 2-5 所列。

一元现值与终值的关系　　表 2-4

i \ n	1 年	5 年	10 年	15 年	20 年
4%	1.0400	1.2167	1.4802	1.8009	2.1911
8%	1.0800	1.4693	2.1589	3.1722	4.6610
12%	1.1200	1.7623	3.1058	5.4733	9.6463
15%	1.1500	2.0114	4.0456	8.1371	16.3665
20%	1.2000	2.4883	6.1917	15.4070	38.3376

一元终值与现值的关系　　表 2-5

i \ n	1 年	5 年	10 年	15 年	20 年
4%	0.9615	0.8219	0.6756	0.5553	0.4564
8%	0.9259	0.6806	0.4632	0.3152	0.2145
12%	0.8929	0.5674	0.3220	0.1827	0.1037
15%	0.8696	0.4972	0.2472	0.1229	0.0611
20%	0.8333	0.4019	0.1615	0.0649	0.0261

在工程项目多方案比较中，由于现值评价常常是选择现在为基准点，把方案预计的不同时期的现金流量折算成现值，并按现值之代数和大小作出决策。因此，在工程经济分析时应当注意以下两点：

1）正确选取折现率。折现率是决定现值大小的一个重要因素，在未来收益额一定的情况下，折现率越高，收益现值越低。且折现率的微小变化，会造成现值结果的巨大差异，必须选用正确的方法科学确定。其确定方法可参见本书第 4 章 4.2 内容。

2）合理分布现金流量。从收益方面来看，获得的时间越早且数额越大，其现值也越大。因此，应使建设项目早日投产，早日达到设计生产能力，早获收益，多获收益，才能达到最佳经济效益。从投资方面看，投资支出的时间越晚、数额越小，其现值也越小。因此，应合理分配各年投资额，在不影响项目正常实施的前提下，尽量减少建设初期投资额，加大建设后期投资比重。

（3）多次支付的情形

在工程经济实践中，多次支付是最常见的支付情形。多次支付是指现金流量在多个时点发生，而不是集中在某一个时点上。如果用 A_t 表示第 t 期末发生的现金流量大小，可正可负，用逐个折现的方法，可将多次现金流量换算成现值，即：

$$P=A_1(1+i)^{-1}+A_2(1+i)^{-2}+\cdots+A_n(1+i)^{-n}=\sum_{t=1}^{n}A_t(1+i)^{-t} \tag{2-12}$$

或

$$P=\sum_{t=1}^{n}A_t(P/F,i,t) \tag{2-13}$$

同理，也可将多次现金流量换算成终值：

$$F=\sum_{t=1}^{n}A_t(1+i)^{n-t} \tag{2-14}$$

或

$$F=\sum_{t=1}^{n}A_t(F/P,i,n-t) \tag{2-15}$$

在上面式子中，虽然那些系数都可以计算或查复利表得到，但如果 n 较大，A_t 较多时，计算也是比较麻烦的。如果多次现金流量 A_t 有如下特征，则可大大简化上述计算公式。

1）等额系列现金流量。现金流量序列是连续的，且数额相等，即：

$$A_t=A=\text{常数} \qquad t=1,2,3,\cdots,n \tag{2-16}$$

2）等差系列现金流量。现金流量序列是连续的，相邻现金流量相差同一个常数 G，且现金流量序列是连续递增或连续递减，即：

$$A_t=A_1\pm(t-1)G \qquad t=1,\ 2,\ 3,\ \cdots,\ n \tag{2-17}$$

3）等比系列现金流量。现金流量序列是连续的，紧后现金流量较紧前现金流量按同一比率 j 连续递增，即：

$$A_t=A_1(1+j)^{t-1} \qquad t=1,\ 2,\ 3,\ \cdots,\ n \tag{2-18}$$

下面就分别说明这三种典型系列现金流量的复利计算。

（4）等额系列现金流量

其现金流量如图 2-4 所示。

A 为年金，发生在（或折算为）某一特定时间序列各计息期末（不包括零期）的等额资金序列的价值。

1）终值计算（已知 A 求 F）

由式（2-15）展开得

$$F=\sum_{t=1}^{n}A_t(1+i)^{n-t}=A[(1+i)^{n-1}+(1+i)^{n-2}+\cdots+(1+i)^{n-(n-1)}+1]$$

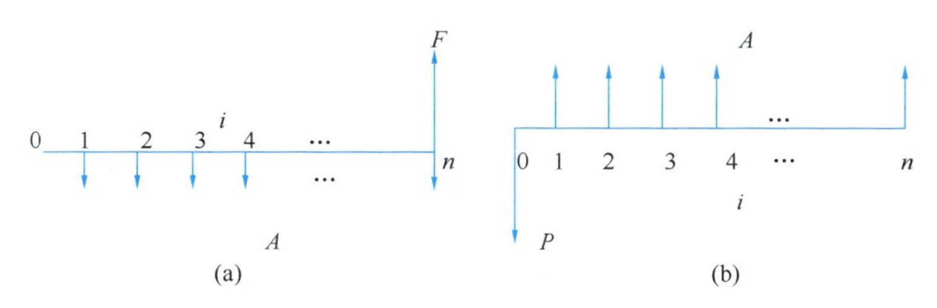

图 2-4 等额系列现金流量示意图

(a) 年金与终值关系；(b) 年金与现值关系

根据等比级数求和公式 $\dfrac{a_1(1-q^n)}{1-q}$，令 $q=(1+i)$，$a_i=1$，求得上式中括号内的和为 $\dfrac{(1+i)^n-1}{i}$。则：

$$F=A\frac{(1+i)^n-1}{i} \tag{2-19}$$

式中，$\dfrac{(1+i)^n-1}{i}$ 称为等额系列终值系数或年金终值系数，用符号（F/A，i，n）表示。则式（2-19）又可写成：

$$F=A\ (F/A,\ i,\ n) \tag{2-20}$$

等额系列终值系数（F/A，i，n）可从附录Ⅰ中查得。

【例 2-6】 赵明从儿子 8 岁时起，每年春节将 10000 元存入银行，供儿子 18 岁上大学用。若年利率始终为 4%，复利计息，问 10 年末他可从银行连本带利取出多少钱？

【解】 由式（2-20）得：

$F=A$（F/A，i，n）$=10000$（F/A，4%，10）

从附录Ⅰ中查出（F/A，4%，10）为 12.0061，代入式中得：

$F=10000\times12.0061=120061$ 元

2）现值计算（已知 A 求 P）

由式（2-10）和式（2-19）得：

$$P=F(1+i)^{-n}=A\frac{(1+i)^n-1}{i(1+i)^n} \tag{2-21}$$

式中，$\dfrac{(1+i)^n-1}{i(1+i)^n}$ 称为等额系列现值系数或年金现值系数，用符号（P/A，i，n）表示。则式（2-21）又可写成：

$$P=A\ (P/A,\ i,\ n) \tag{2-22}$$

等额系列现值系数（P/A，i，n）可从附录Ⅰ中查得。

【例 2-7】 如果李勇期望今后 5 年内每年年末可从银行取回 18000 元来完成他建筑学本科生的学业，年利率为 2.75%，复利计息，问他的银行账户里现在必须有多少存款？

【解】 由式（2-21）得：

$P=18000\times$［（1.0275^5-1）/（0.0275×1.0275^5）$=83026.47$ 元

3）资金回收计算（已知 P 求 A）

由式（2-21）可知，等额系列资金回收计算是等额系列现值计算的逆运算，故由式（2-21）即可得：

$$A = P\frac{i(1+i)^n}{(1+i)^n - 1} \tag{2-23}$$

式中，$\frac{i(1+i)^n}{(1+i)^n-1}$称为等额系列资金回收系数，用符号（$A/P$，$i$，$n$）表示。则式（2-23）又可写成：

$$A=P(A/P, i, n) \tag{2-24}$$

等额系列资金回收系数（A/P，i，n）可从附录Ⅰ中查得。

【例 2-8】 某企业拟投资 1000 万元建设高新技术产业化项目，期望年回报率为 10%。若每年年末等额获得收益，10 年内收回全部本利，问年收益至少多少才能达到期望的回报率？

【解】 由式（2-24）得：

$A=P(A/P, i, n)=1000(A/P, 10\%, 10)$

从附录Ⅰ中查出系数（A/P，10%，10）为 0.1627，代入上式得：

$A=1000\times0.1627=162.7$ 万元

4）偿债基金计算（已知 F 求 A）

偿债基金计算是等额系列终值计算的逆运算。通过式（2-19）即可得：

$$A = F\frac{i}{(1+i)^n - 1} \tag{2-25}$$

式中，$\frac{i}{(1+i)^n-1}$称为等额系列偿债基金系数，用符号（A/F，i，n）表示。则式（2-25）又可写成：

$$A=F(A/F, i, n) \tag{2-26}$$

等额系列偿债基金系数（A/F，i，n）可从附录Ⅰ中查得。

【例 2-9】 某人欲在第 10 年年末攒够 200 万元购置一套商品住宅，若每年存款金额相等，年利率为 4%，复利计息，则每年年末需存款多少元？

【解】 由式（2-26）得：

$A=F(A/F, i, n)=200(A/F, 4\%, 10)$

从附录中查出系数（A/F，4%，10）为 0.0833，代入上式得：

$A=200\times0.0833=16.66$ 万元。

（5）等差系列现金流量

在许多工程经济问题中，现金流量每年均有一定数量的增加或减少，如房屋随着其使用期的延伸，维修费将逐年增加。如果逐年的递增或递减是等额的，则称之为等差系列现金流量。其现金流量如图 2-5 所示。

图 2-5（a）为一等差系列递增现金流量，可化简为两个支付系列。一个是等额系列现金流量，图 2-5（b），年金是 A_1；另一个是由 G 组成的等差递增系列现金流量，图 2-5（c）。图 2-5（b）支付系列的等值计算可用等额系列现金流量的有关公式计算。图 2-5（c）支付系列的等值计算就是等差系列现金流量需要解决的问题。

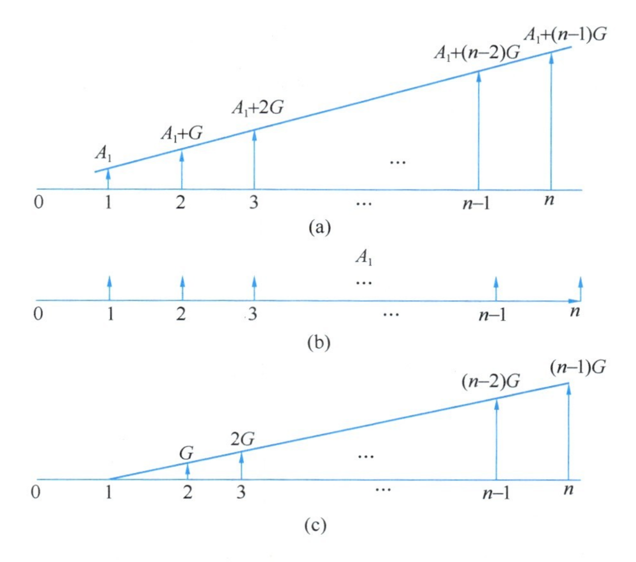

图 2-5 等差系列递增现金流量示意图

1）等差终值计算（已知 G 求 F）

根据图 2-5（c），可列出 F 与 G 的计算式如下：

$$F_G=G(1+i)^{n-2}+2G(1+i)^{n-3}+\cdots+(n-2)G(1+i)+(n-1)G \tag{1}$$

式（1）两边同乘以（$1+i$）得：

$$F_G(1+i)=G(1+i)^{n-1}+2G(1+i)^{n-2}+\cdots+(n-2)G(1+i)^2+(n-1)G(1+i) \tag{2}$$

由（2）－（1）得：

$$\begin{aligned}F_G i&=G[(1+i)^{n-1}+(1+i)^{n-2}+\cdots+(1+i)^2+(1+i)+1]-nG\\&=G\frac{(1+i)^n-1}{i}-nG\end{aligned} \tag{3}$$

整理得：$$F_G=G\left[\frac{(1+i)^n-1}{i^2}-\frac{n}{i}\right] \tag{2-27}$$

式中，$\left[\frac{(1+i)^n-1}{i^2}-\frac{n}{i}\right]$称为等差系列终值系数，用符号（$F/G$，$i$，$n$）表示。则式（2-27）可写成：

$$F_G=G(F/G,i,n) \tag{2-28}$$

2）等差现值计算（已知 G 求 P）

由 P 与 F 的关系得：

$$P_G=F_G(1+i)^{-n}=G\left[\frac{(1+i)^n-1}{i^2(1+i)^n}-\frac{n}{i(1+i)^n}\right] \tag{2-29}$$

式中，$\left[\frac{(1+i)^n-1}{i^2(1+i)^n}-\frac{n}{i(1+i)^n}\right]$称为等差系列现值系数，用符号（$P/G$，$i$，$n$）表示。则式（2-29）可写成：

$$P_G = G(P/G, i, n) \tag{2-30}$$

等差系列现值系数（P/G，i，n）可从附录Ⅱ中查得。

3）等差年金计算（已知 G 求 A）

由 A 与 F 的关系得：

$$A_G = F_G(A/F, i, n) = G\left[\frac{(1+i)^n - 1}{i^2} - \frac{n}{i}\right]\left[\frac{i}{(1+i)^n - 1}\right]$$，整理得：

$$A_G = G\left[\frac{1}{i} - \frac{n}{(1+i)^n - 1}\right] \tag{2-31}$$

式中，$\left[\frac{1}{i} - \frac{n}{(1+i)^n - 1}\right]$ 称为等差年金换算系数，用符号（A/G，i，n）表示。则式（2-31）可写成：

$$A_G = G(A/G, i, n) \tag{2-32}$$

等差年金换算系数（A/G，i，n）可从附录Ⅱ中查得。

根据上述公式，即可方便地得出等差系列现金流量的年金为：

$$A = A_1 \pm A_G \tag{2-33}$$

“减号”为等差递减系列现金流量，如图 2-6 所示。

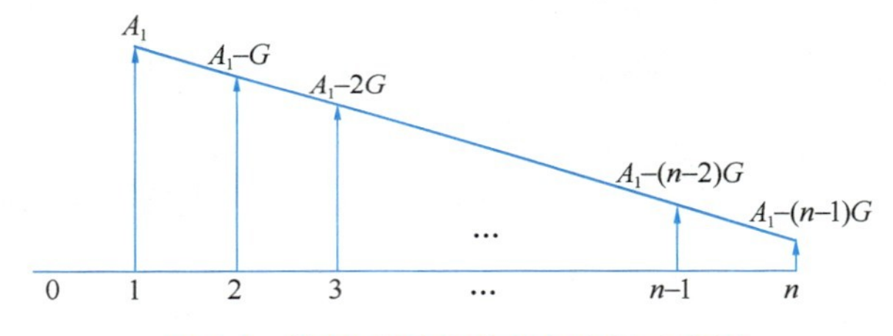

图 2-6　等差系列递减现金流量示意图

若计算原等差系列现金流量的现值 P 和终值 F，则按式（2-30）和式（2-28）进行。

$$P = P_{A1} \pm P_G = A_1(P/A, i, n) \pm G(P/G, i, n) \tag{2-34}$$

$$F = F_{A1} \pm F_G = A_1(F/A, i, n) \pm G(F/G, i, n) \tag{2-35}$$

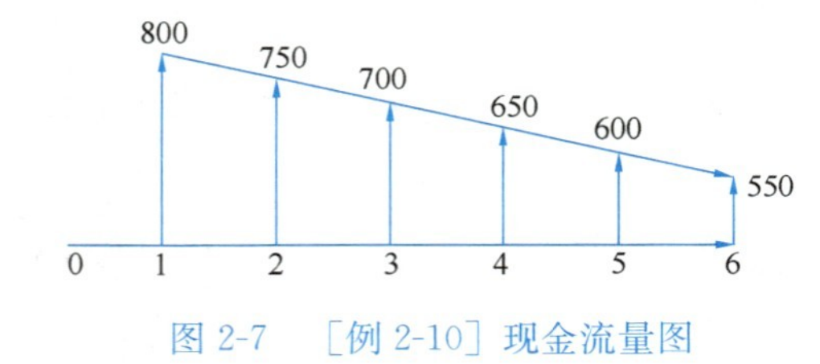

图 2-7　［例 2-10］现金流量图

【例 2-10】 某家电企业受市场竞争的影响，营业收入呈逐年递减趋势，其现金流量如图 2-7 所示，单位：万元。设 $i=10\%$，复利计息，试计算其现值、终值、年金。

【解】 $A = A_1 - A_G = A_1 - G(A/G, i, n)$
$=800-50(A/G, 10\%, 6)$

查附录表Ⅱ可得系数（A/G，10%，6）为 2.224，代入上式得：

$A=800-50\times2.224=688.8$ 万元

则　$P=A(P/A, i, n)=688.8(P/A, 10\%, 6)=688.8\times4.3553=2999.93$ 万元

$F=A(F/A, i, n)=688.8(F/A, 10\%, 6)=688.8\times7.7156=5314.51$ 万元

（6）等比系列现金流量

等比系列现金流量如图2-8所示。

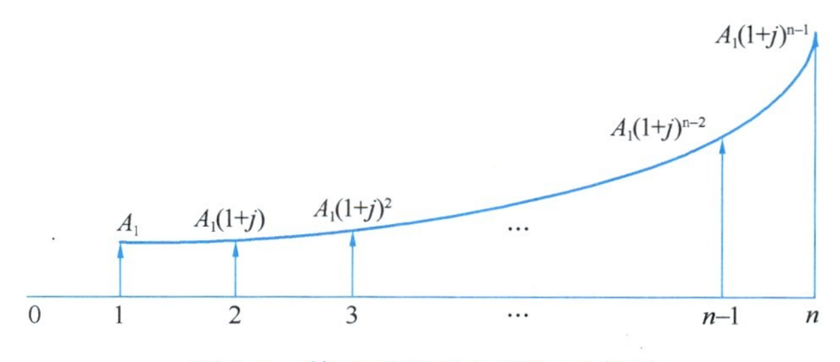

图2-8 等比系列现金流量示意图

将等比系列通式 $A_t=A_1(1+j)^{t-1}$ 分别代入式（2-12）和式（2-14），化简，即可求得等比系列现值和终值。

1）等比系列现值

$$P=\sum_{t=1}^{n}A_t(1+i)^{-t}=\sum_{t=1}^{n}A_1(1+j)^{t-1}(1+i)^{-t}=\frac{A_1}{1+j}\sum_{t=1}^{n}\frac{(1+j)^t}{(1+i)^t}$$

化简得：

$$P=\begin{cases}\dfrac{nA_1}{1+j} & i=j\\ A_1\dfrac{[(1+j)^n(1+i)^{-n}-1]}{j-i} & i\neq j\end{cases} \tag{2-36}$$

或 $$P=A_1(P/A,i,j,n) \tag{2-37}$$

式中，$(P/A,i,j,n)$ 称为等比系列现值系数。

2）等比系列终值

由 $F=P(1+i)^n$ 得：

$$F=\begin{cases}nA_1(1+j)^{n-1} & i=j\\ A_1\dfrac{[(1+j)^n-(1+i)^n]}{j-i} & i\neq j\end{cases} \tag{2-38}$$

或 $$F=A_1(F/A,i,j,n) \tag{2-39}$$

式中，$(F/A,i,j,n)$ 称为等比系列终值系数。

（7）复利计算小结

1）复利系数之间的关系

① 倒数关系：$(F/P,i,n)=1/(P/F,i,n)$

$(A/P,i,n)=1/(P/A,i,n)$

$(A/F,i,n)=1/(F/A,i,n)$

② 乘积关系：$(F/A,i,n)=(P/A,i,n)(F/P,i,n)$

$(F/P,i,n)=(A/P,i,n)(F/A,i,n)$

③ 其他关系：$(A/P,i,n)=(A/F,i,n)+i$

$(F/G,i,n)=[(F/A,i,n)-n]/i$

$(P/G,i,n)=[(P/A,i,n)-n(P/F,i,n)]/i$

$$(A/G, i, n) = [1-n(A/F, i, n)]/i$$

2）复利计算公式使用注意事项

① 本期末即等于下期初。零点就是第一期初，也叫零期；第一期末即等于第二期初；余类推。

② P 是在第一计息期开始时（零期）发生的。

③ F 发生在考察期期末，即 n 期末。

④ 各期的等额支付 A，发生在各期期末。

⑤ 当问题包括 P 与 A 时，系列的第一个 A 与 P 隔一期。即 P 发生在系列 A 的前一期。

⑥ 当问题包括 A 与 F 时，系列的最后一个 A 是与 F 同时发生的。

⑦ P_G 发生在第一个 G 的前两期；A_1 发生在第一个 G 的前一期。

4. 名义利率与实际利率

在复利计算中，利率周期通常以年为单位，它可以与计息周期相同，也可以不同。当利率周期与计息周期不一致时，就出现了名义利率和实际利率的概念。

（1）名义利率

所谓名义利率（Nominal Interest Rate），是指在计算利率周期利率时未考虑计息周期利率的再生因素，也就是计息周期利率 i 乘以一个利率周期内的计息周期数 m 所得的利率周期利率。即：

$$r=i\times m \tag{2-40}$$

式中　r——名义利率。

若计息周期为月，月利率为 1%，利率周期为年，则每年计息 12 次，年名义利率为 12%。很显然，计算名义利率时忽略了各期利息再生的因素，这与单利的计算相同。

（2）实际利率

若用计息周期利率来计算利率周期利率时将利率周期内的利息再生因素考虑进去，这时所得的利率称为利率周期实际利率（Actual Interest Rate），又称有效利率。

根据利率的概念即可推导出实际利率的计算式。

已知名义利率 r，一个利率周期内计息 m 次，则计息周期利率为 $i=r/m$。在某个利率周期初有资金 P，根据一次支付终值公式可得该利率周期的 F，即：

$$F=P\left(1+\frac{r}{m}\right)^{m}$$

根据利息的定义可得该利率周期的利息 I 为：

$$I=F-P=P\left(1+\frac{r}{m}\right)^{m}-P=P\left[\left(1+\frac{r}{m}\right)^{m}-1\right]$$

再根据利率的定义可得该利率周期的实际利率 i 为：

$$i=\frac{I}{P}=\left(1+\frac{r}{m}\right)^{m}-1 \tag{2-41}$$

现设年名义利率 $r=10\%$，则年、半年、季、月、日计息的年实际利率如表 2-6 所示。

实际利率与名义利率的关系 表2-6

年名义利率（r）	计息期	年计息次数（m）	计息期利率（$i=r/m$）	年实际利率（i）
10%	年	1	10%	10%
	半年	2	5%	10.25%
	季	4	2.5%	10.38%
	月	12	0.833%	10.47%
	日	365	0.0274%	10.52%

从上表可以看出，每年计息期 m 越多，年实际利率 i 与年名义利率 r 相差越大。所以，在工程经济分析中，如果各方案的利率周期不同，就不能简单地使用名义利率来评价，而必须换算成实际利率进行评价，否则会得出不正确的结论。

(3) 连续复利

前面介绍了间断计息的情形，当每期计息时间趋于无限小，则一年（利率周期常为一年）内计息次数趋于无限大，即 $m\to\infty$，此时可视没有时间间隔的计息方式为连续复利(Continuous Compounding)。则年实际利率为：

$$i_{\infty}=\lim_{m\to\infty}\left[\left(1+\frac{r}{m}\right)^{m}-1\right]=\mathrm{e}^{r}-1$$

e是自然对数的底，其值为2.71828。

将连续复利引入普通的利息公式得：

一次支付：连续复利终值公式 $F=P\times\mathrm{e}^{rn}$ (2-42)

连续复利现值公式 $P=F\times\mathrm{e}^{-rn}$ (2-43)

等额支付：连续复利终值公式 $F=A\left(\frac{\mathrm{e}^{rn}-1}{\mathrm{e}^{r}-1}\right)$ (2-44)

连续复利现值公式 $P=A\left(\frac{1-\mathrm{e}^{-rn}}{\mathrm{e}^{r}-1}\right)$ (2-45)

连续复利资金回收公式 $A=P\left(\frac{\mathrm{e}^{r}-1}{1-\mathrm{e}^{-rn}}\right)$ (2-46)

连续复利偿债基金公式 $A=F\left(\frac{\mathrm{e}^{r}-1}{\mathrm{e}^{rn}-1}\right)$ (2-47)

用连续复利计算的利息高于普通复利，故资金成本偏高，可以提醒工程项目决策者提高资金使用效率。

2.3 等值计算与应用

2.3.1 等值计算

前述已知，资金有时间价值。即使金额相同，因其发生在不同时点，其价值就不相同；反之，不同时点数值不等的资金在时间价值的作用下却可能具有相等的价值。这些

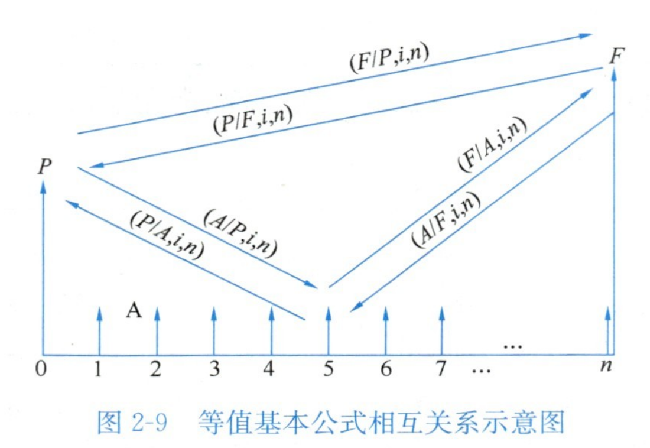

图 2-9 等值基本公式相互关系示意图

不同时期、不同数额但其“价值等效”的资金称为等值（Equivalence）。在工程经济分析中，等值是一个十分重要的概念，它为我们提供了一个计算某一经济活动有效性或者进行方案比较、优选的可能性。资金等值计算公式和复利计算公式的形式是相同的。等值基本公式相互关系如图 2-9 所示。

【例 2-11】 一位老人在祖先的遗物中找到一张 200 年前手写的存单，老祖宗在瑞士某银行存了 100 美元。老人去该银行驻美分行取钱，该行即报总行，总行经核对查到该笔存款的底单，年利率 $i=3.2\%$，复利计息。问这位老人现在应从这家瑞士银行兑现多少美元？

【解】 画出现金流量图，如图 2-10 所示，200 年末 100 美元的本利和 F 为：

$F=P\ (F/P,\ i,\ n)\ =100\ (F/P,\ 3.2\%,\ 200)\ =100\times\ (1+3.2\%)^{200}=100\times 544.427=54442.7$ 美元

影响资金等值的因素有三个：金额的多少，资金发生的时间，利率（或折现率）的大小。其中利率是一个关键因素，一般等值计算中是以同一利率为依据的。

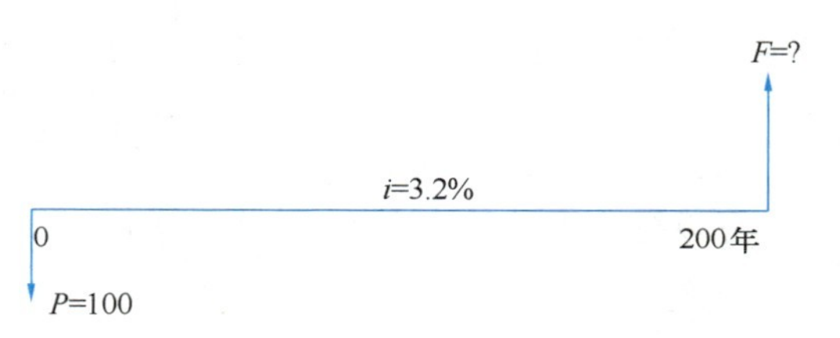

图 2-10 ［例 2-11］现金流量图

在工程经济分析中，在考虑资金时间价值的情况下，其不同时间发生的收入或支出因不具有时间的可比性是不能直接相加减的。而利用等值的概念，建立了时间可比条件，则可以把在不同时点发生的资金换算成同一时点的等值资金，然后再进行比较。所以，在工程经济分析中，方案比较都是采用等值概念来进行分析、评价和选定的。

2.3.2 计息周期小于（或等于）资金收付周期的等值计算

计息周期小于（或等于）资金收付周期的等值计算方法有二：

（1）按利率周期实际利率计算。

（2）按计息周期实际利率计算，即：

$$F=P\ (F/P,\ r/m,\ mn) \qquad (2\text{-}48)$$

$$P=F\ (P/F,\ r/m,\ mn) \qquad (2\text{-}49)$$

$$F=A\ (F/A,\ r/m,\ mn) \qquad (2\text{-}50)$$

$$P=A\ (P/A,\ r/m,\ mn) \qquad (2\text{-}51)$$

$$A=F\ (A/F,\ r/m,\ mn) \qquad (2\text{-}52)$$

$$A=P\ (A/P,\ r/m,\ mn) \qquad (2\text{-}53)$$

式中 r——利率周期名义利率；

m——一个利率周期中的计息次数；

n——利率周期数。

【例 2-12】某人现在存款 1000 元，年利率 10%，计息周期为半年，复利计息。问五年末存款金额为多少？

【解】现金流量如图 2-11 所示。

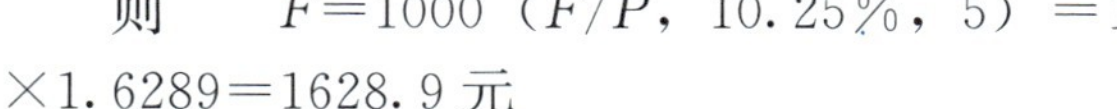

图 2-11 ［例 2-12］现金流量图

（1）按年实际利率计算

$i=(1+10\%/2)^2-1=10.25\%$

则 $F=1000(F/P, 10.25\%, 5)=1000\times1.6289=1628.9$ 元

（2）按计息周期利率计算

$F=1000(F/P, 10\%/2, 2\times5)=1000(F/P, 5\%, 10)=1000\times1.6289=1628.9$ 元

【例 2-13】每半年存款 1000 元，年利率 8%，每季计息一次，复利计息。问五年末存款金额为多少？

【解】现金流量如图 2-12 所示。

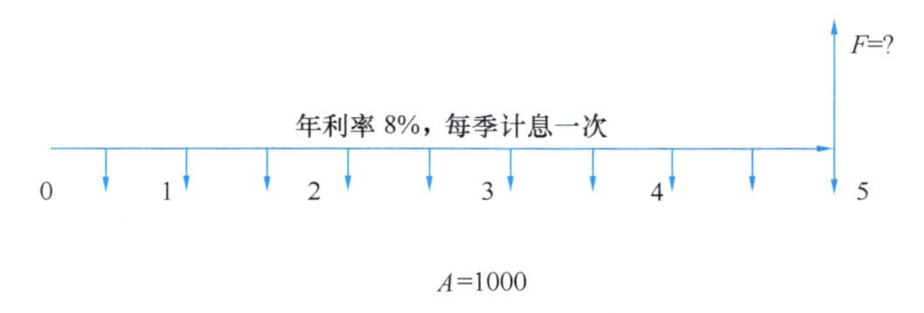

图 2-12 ［例 2-13］现金流量图

计息期利率 $i=r/m=8\%/4=2\%$

半年期实际利率 $i_{eff半}=(1+2\%)^2-1=4.04\%$

则 $F=1000(F/A, 4.04\%, 2\times5)=1000\times12.029=12029$ 元

2.3.3 计息周期大于资金收付周期的等值计算

计息周期大于资金收付周期时，计息周期间的收付常采用下列三种方法之一进行处理。

（1）不计息

计息期内资金收付不计息，其支出计入期初，其收益计入期末。

（2）单利计息

在计息期内的收付均按单利计息。其计算公式如下：

$$A_t=\sum A'_k\left[1+(m_k/N)\times i\right] \tag{2-54}$$

式中 A_t——第 t 计息期末净现金流量；

N——一个计息期内收付周期数；

A'_k——第 t 计息期内第 k 期收付金额；

m_k——第 t 计息期内第 k 期收付金额到达第 t 计息期末所包含的收付周期数；

i——计息期利率。

【例 2-14】 年利率为 4%，半年计息一次，复利计息。一年内资金付款情况如图 2-13 所示，单位：元。计息期内的收付款利息按单利计算。问年末金额多少？

【解】 计息期利率 $i=4\%/2=2\%$，由式（2-54）得：

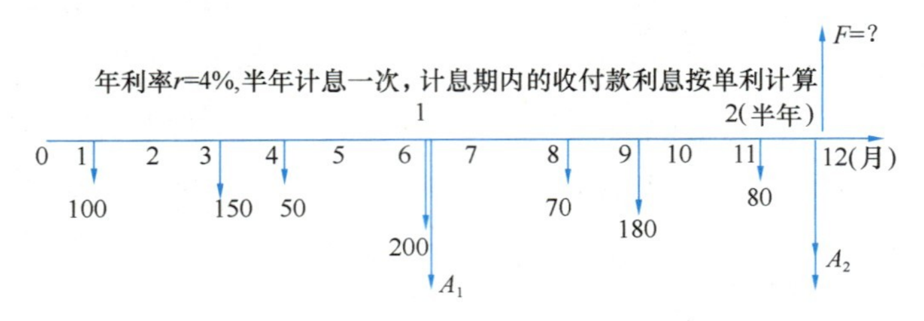

图 2-13 ［例 2-14］现金流量图

$A_1=100[1+(5/6)\times2\%]+150[1+(3/6)\times2\%]+50[1+(2/6)\times2\%]+200=503.51$ 元

$A_2=70[1+(4/6)\times2\%]+180[1+(3/6)\times2\%]+80[1+(1/6)\times2\%]=333$ 元

然后利用普通复利公式即可求出年末金额 F 为：

$F=503.51\ (1+2\%)\ +333=503.51\times1.02+333=846.58$ 元

（3）复利计息

在计息周期内的资金收付按复利计算。此时，计息期利率相当于“实际利率”，资金收付周期利率相当于“计息期利率”。收付周期利率的计算正好与已知名义利率去求解实际利率的情况相反。资金收付周期利率计算出来后即可按普通复利公式进行计算。

【例 2-15】 某人每月存款 100 元，期限一年，年利率 4%，每季计息一次。计息期内资金收付利息按复利计算。问年末他的存款金额有多少？

【解】 据题意绘制现金流量如图 2-14 所示：

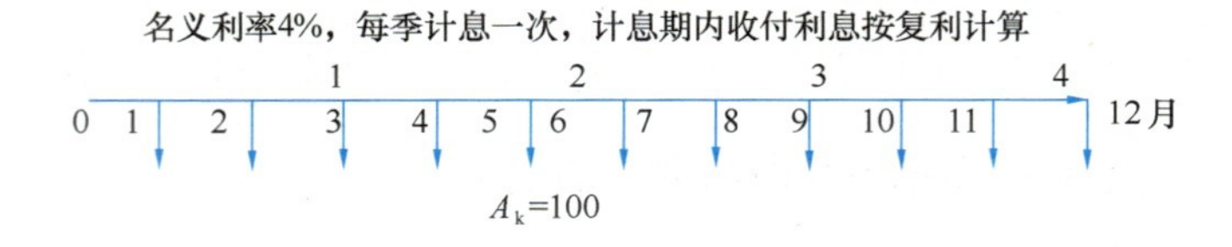

图 2-14 ［例 2-15］现金流量图

计息期利率（即季度实际利率）$i_{季}=4\%/4=1\%$

运用实际利率公式计算收付期利率如下：

$$i=\ (1+r/m)^{m}-1$$

$$i_{季}=\ (1+r_{季}/3)^{3}-1=1\%$$

解得季名义利率　　$r_{季}=0.9967\%$

则月实际利率 $i_{月}=0.9967\%/3=0.3322\%$，每月复利一次，这与季度利率 1%，季度复利一次是相同的。利用普通复利公式即可求出年末金额 F 为：

$$F=100\ (F/A,\ 0.3322\%,\ 12)\ =100\times12.2217=1222.17\text{ 元}$$

2.3.4 利用复利表计算未知利率、未知期（年）数

1. 计算未知利率（或投资收益率）

【例 2-16】 在我国国民经济和社会发展“九五”计划和 2010 年远景目标纲要中提出，到 2000 年我国国民生产总值在 1995 年 5.76 万亿元的基础上达到 8.5 万亿元；按 1995 年不变价格计算，在 2010 年实现国民生产总值在 2000 年的基础上翻一番。问“九五”期间我国国民生产总值的年增长率为多少？2000 年到 2010 年增长率又为多少？

【解】 据题意绘出现金流量图如图 2-15 所示。

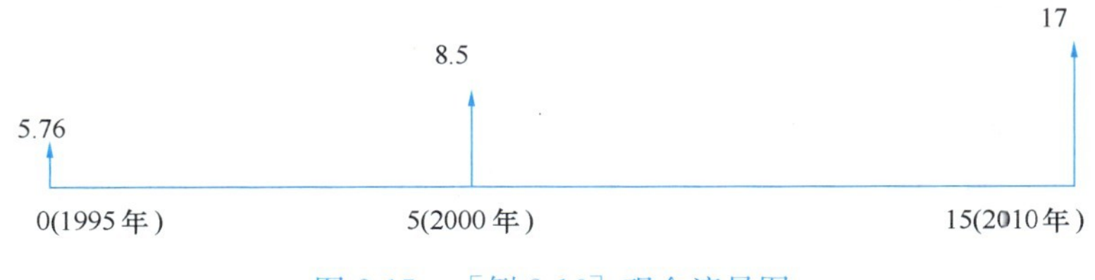

图 2-15 ［例 2-16］现金流量图

由 $F=P(1+i)^n$ 两边取对数即可解得 i。但计算较烦琐，一般不用，而是利用复利表计算。

由公式 $F=P(F/P, i, n)$，得 $(F/P, i, n)=F/P$，则：

（1）“九五”期间增长率 i_1

$(F/P, i_1, 5)=8.5/5.76=1.4757$

查复利表得：$(F/P, 8\%, 5)=1.4693$

$(F/P, 9\%, 5)=1.5386$

显然，所求 i_1 在 8%和 9%之间，利用线性内插法即可解得：

$$i_1=8\%+\frac{(1.4757-1.4693)}{(1.5386-1.4693)}(9\%-8\%)=8.09\%$$

（2）2000 年到 2010 年增长率 i_2

同理可得：$(F/P, i_2, 10)=17/8.5=2$

查表得：$(F/P, 7\%, 10)=1.9672$

$(F/P, 8\%, 10)=2.1589$

线性内插得：$i_2=7\%+\frac{(2-1.9672)}{(2.1589-1.9672)}(8\%-7\%)=7.17\%$

答：“九五”期间我国国民生产总值的年增长率为 8.09%，2000 年到 2010 年年增长率为 7.17%。

当然，采用线性内插法是有误差的，因为因子的数值与时间是呈指数关系。但由于线性内插是在极小的范围内进行的（一般不超过 2 个百分点），这种误差对方案评价来说影响甚微，不影响方案评价的结论。

2. 计算未知年数

【例 2-17】 某企业贷款 200 万元新建项目，第二年底建成投产，投产后每年收益 40 万元。若贷款利率与基准收益率均为 10%，问在投产后多少年能归还 200 万元的本息？

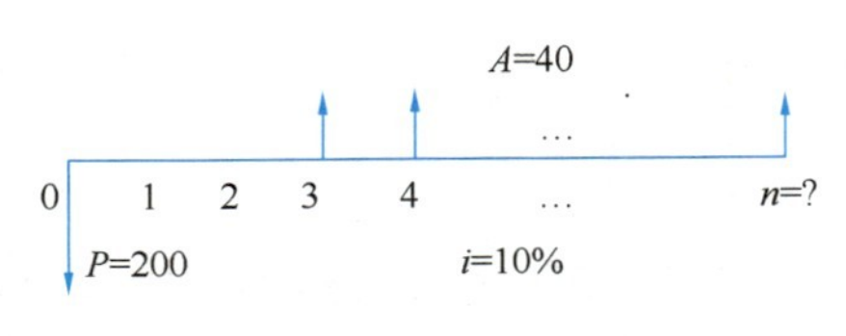

图 2-16 ［例 2-17］现金流量图

【解】（1）现金流量图如图 2-16 所示。

（2）以投产之日第二年底（即第三年初）为基准期，计算 F_P。

$F_P=200$（F/P，10%，2）$=200\times1.210=242$ 万元

（3）计算返本期。

由 $P=A$（P/A，i，n）得：

（P/A，i，$n-2$）$=P/A=242/40=6.05$

查复利表得：（P/A，10%，9）$=5.7590$

（P/A，10%，10）$=6.1446$

由线性内插法求得（$n-2$）$=9.7547$ 年

答：在投产后 9.7547 年才能返还投资。在投资后 11.7547 年才能返还投资。

案例分析

技术创新、经济增长周期对计息期利率的影响

计息期利率对复利计算有杠杆作用，经济增长周期与计息期利率关系密切，而技术创新对经济繁荣衰退有重要影响。经济学者熊彼特指出，全球经济的每一次长周期的变化都折射出重大科技革命不同阶段对经济增长的影响。每一次经济的周期性繁荣都得益于技术革命的推动。过去的两百余年来，全球经济的发展已经经历了五个分别以蒸汽机、铁路、电力、汽车以及信息通信等为阶段性显著技术特征的长周期。从 20 世纪 80 年代开始的第五个长周期带动全球经济以年均增速 3.5%高速增长。但是新技术对生产力推动的潜力逐渐耗尽之后，世界经济将进入衰退和调整阶段。德国劳动生产率增速从 20 世纪五六十年代的 3%左右下滑至 70 年代的 2%以下，近十多年更是下滑至 0.5%以下。法国、意大利、加拿大、日本等国家也经历了类似的过程。当前，以物联网、机器人技术、人工智能、3D 打印、新型材料等为典型的新一轮技术革命（产业革命）正在快速发展，由此而带来的新技术、新产业、产业态、新模式不断兴起，正在重塑全球的产业竞争和分工模式。在这个过程中，谁能把握机遇，谁就能获得比较优势。

［案例思考］

1. 德国的“工业 4.0”战略、美国的国家制造创新网络计划（NNMI）、中国的“中国制造 2025”、日本的“社会 5.0”战略推出的目的是什么，会对计算期利率产生什么影响？

2. 为什么主要发达国家的计息期利率反而没有发展中国家的高？

思考题

1. 什么是现金流量，财务现金流量与国民经济效益费用流量有何区别？
2. 构成现金流量的基本经济要素有哪些？

3. 绘制现金流量图的目的及主要注意事项是什么?
4. 在工程经济分析中是如何对时间因素进行研究的? 试举例说明。
5. 何谓资金的时间价值, 如何理解资金的时间价值?
6. 单利与复利的区别是什么? 试举例说明。
7. 什么是终值、现值、等值?
8. 什么是名义利率、实际利率?

习题

1. 现有一项目, 其现金流量为: 第一年末支付 1000 万元, 第二年末支付 1500 万元, 第三年收益 200 万元, 第四年收益 300 万元, 第五年收益 400 万元, 第六年到第十年每年收益 500 万元, 第十一年收益 450 万元, 第十二年收益 400 万元, 第十三年收益 350 万元, 第十四年收益 450 万元。每年收益均发生在年末, 设年利率为 6%, 求: (1) 现值; (2) 终值; (3) 第二年末项目的等值。

2. 利用复利公式或复利系数表确定下列系数值:

(1) (F/A, 11.5%, 10);　　(2) (A/P, 10%, 8.6);

(3) (P/A, 8.8%, 7.8);　　(4) (A/F, 9.5%, 4.5)。

3. 某设备价格为 55 万元, 合同签订时支付了 10 万元, 然后采用分期付款方式。第一年末付款 14 万元, 从第二年起每年的年中及年末付款 4 万元。设年利率为 5%, 每半年复利一次。问多少年能付清设备价款?

4. 某人每月末存款 100 元, 期限 5 年, 年利率 2.75%, 每半年复利一次。计息周期内存款试分别按单利和复利计算, 求第五年末可得本利和。

第3章 投资、成本、收入、税金与利润

引例

低成本的新技术引发产业变革

人类基因组测序是以人体来源基因组 DNA 为样本，针对不同个体进行的基因组测序，并以此为基础进行个体或群体水平的差异性分析。通过测序，研究者可以找到大量的单核苷核苷酸多态性位点、拷贝数变异、插入缺失、结构变异等变异位点。这在人类疾病研究方面具有重大的指导意义。例如，遗传病学家分析致病基因与致病位点；罕见病个体分析候选致病位点；肿瘤样本分析耐药原因；筛选新的用药指导标志物等。

摩尔定律是由英特尔（Intel）创始人之一戈登·摩尔（Gordon Moore）提出来的。其内容为：当价格不变时，集成电路上可容纳的元器件的数目，约每隔 18～24 个月便会增加一倍，性能将提升一倍。换言之，每一美元所能买到的电脑性能，将每隔 18～24 个月翻一倍以上。这一定律揭示了信息技术进步的速度。

与信息技术进步的“摩尔”定律相似，基因技术也在快速进步。2001 年至今，人类基因组测序成本已由 30 亿美元下降至 1000 美元，不到 20 年时间下降了 300 万倍。（资料来源：国务院发展研究中心课题组．百年大变局——国际经济格局新变化．北京：中国发展出版社，2018.）

启　示

以上基因技术突破的案例说明，人类认知飞跃的科学革命会引发人类实践手段或方式飞跃的技术革命，技术的不断进步使成本降低、效率提高，使批量规模生产或服务成为可能，新的建设项目被策划出来，又引发新的产业革命，从而引发国际、国内经济格局的变化。

本章知识结构图

在建设项目前期决策阶段，现金流量是工程经济分析人员进行项目经济评价和方案选优的基础，各种备选方案，以及每个备选方案的产品方案、工艺方案、环保方案、筹资方案、建设方案和经营方案等，都是通过预测或估算现金流量得到经济上具体展示的。就建设项目而言，其现金流量主要表现为建设投资、经营成本、营业收入等经济变量，而现金流量与投资、成本、收入、税金及利润密切相关。本章知识结构如下图所示。

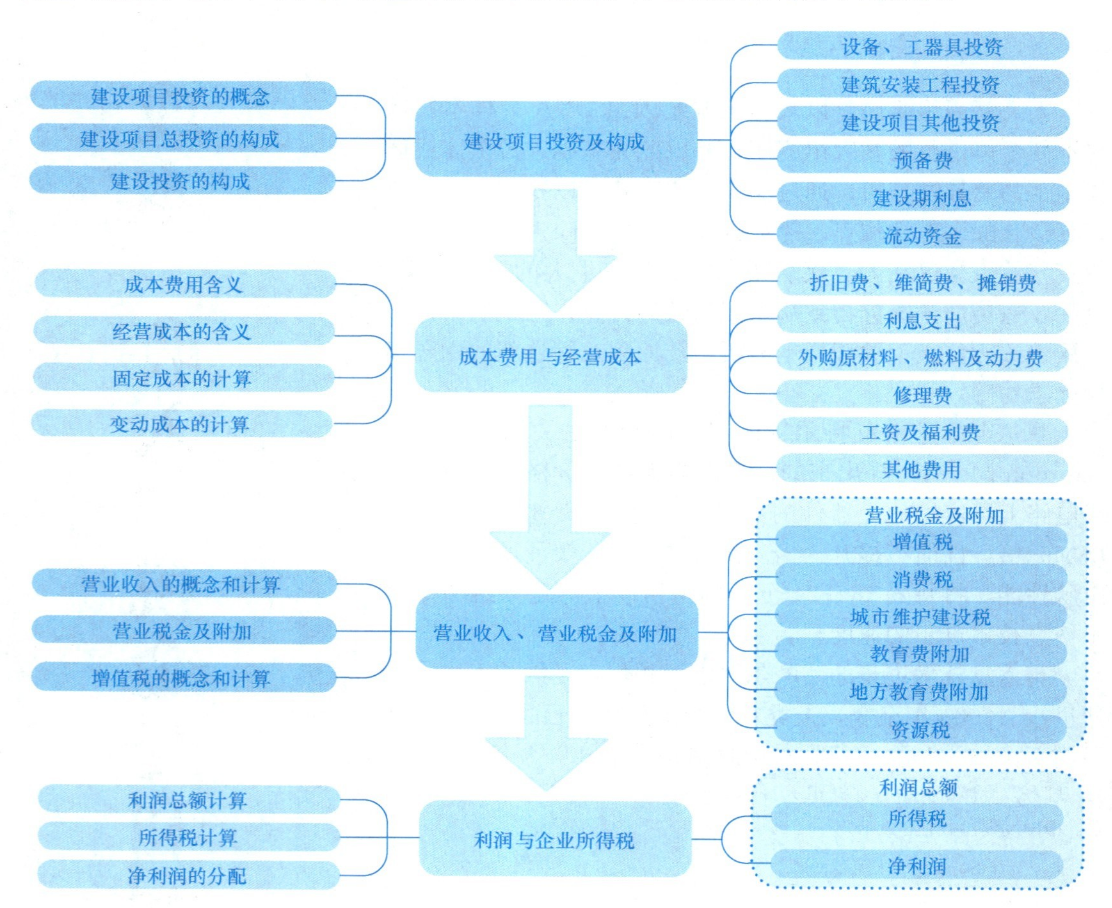

3.1 建设项目投资及构成

所谓建设项目投资，一般是指某项工程从筹建开始到全部竣工投产为止所发生的全部资金投入。建设项目总投资由建设投资、建设期利息和流动资金三部分组成，是建设项目现金流出的主要构成。建设投资由设备及工器具投资、建筑安装工程投资和工程建设其他投资组成；固定资产投资由建设投资和建设期利息组成，如图 3-1 所示。

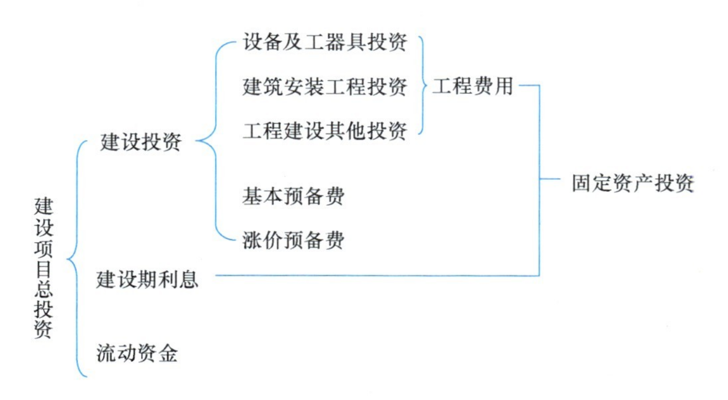

图 3-1　建设项目总投资构成图

3.1.1　设备、工器具投资

设备、工器具投资由设备购置费和工器具、生产家具购置费组成，如图 3-2 所示。

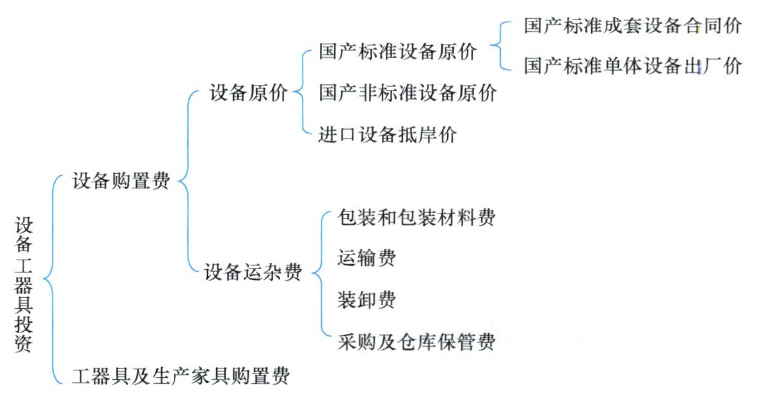

图 3-2　设备工器具投资构成图

设备购置费是指为建设项目购置或自制的达到固定资产标准的设备、工具、器具的费用。固定资产的标准是：使用年限在一年以上，单位价值在规定的限额以上。

工器具及生产家具购置费是指新建项目或扩建项目初步设计规定所必须购置的不够固定资产标准的设备、仪器、工卡模具、器具、生产家具和备品备件的费用。其一般计算公式为：

$$\text{工器具及生产家具购置费} = \text{设备购置费} \times \text{定额费率} \tag{3-1}$$

3.1.2　建筑安装工程投资

建筑安装工程投资由建筑工程费和安装工程费两部分组成。建筑安装工程投资的构成如图 3-3、图 3-4 所示。

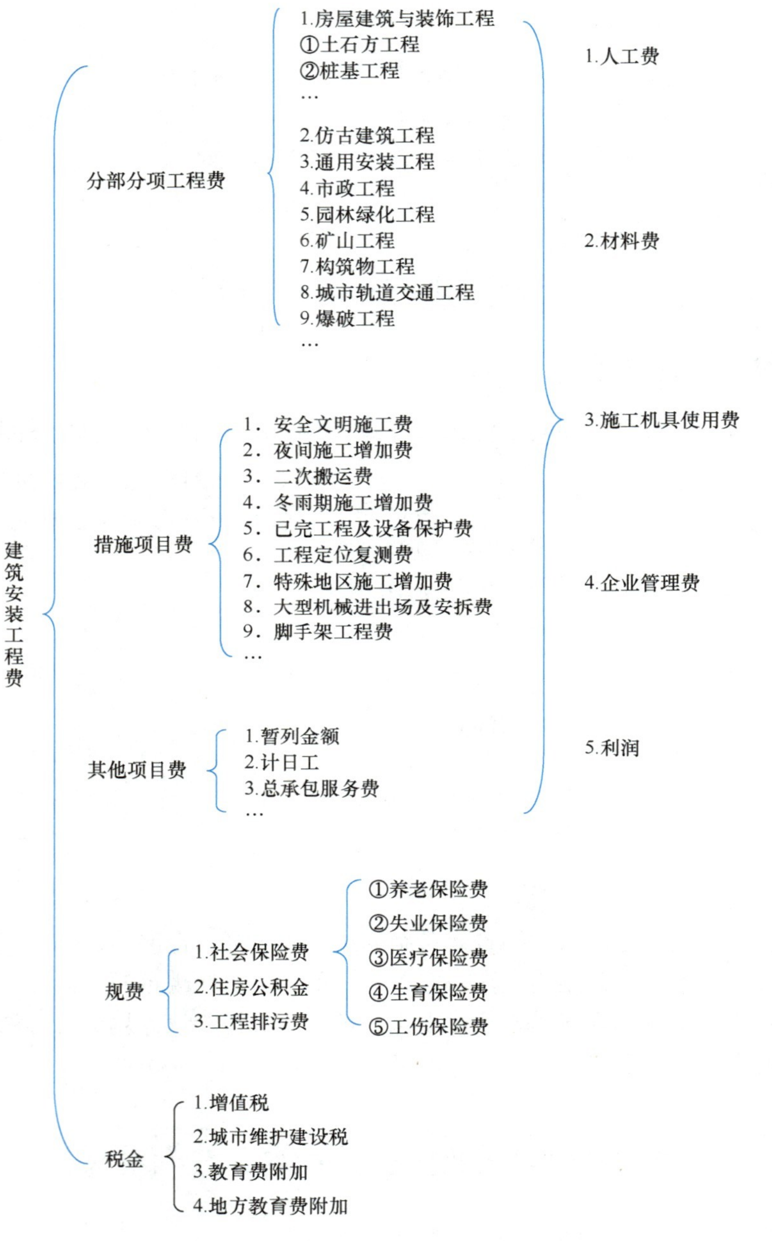

图 3-3 建筑安装工程投资构成图（按造价形成划分）

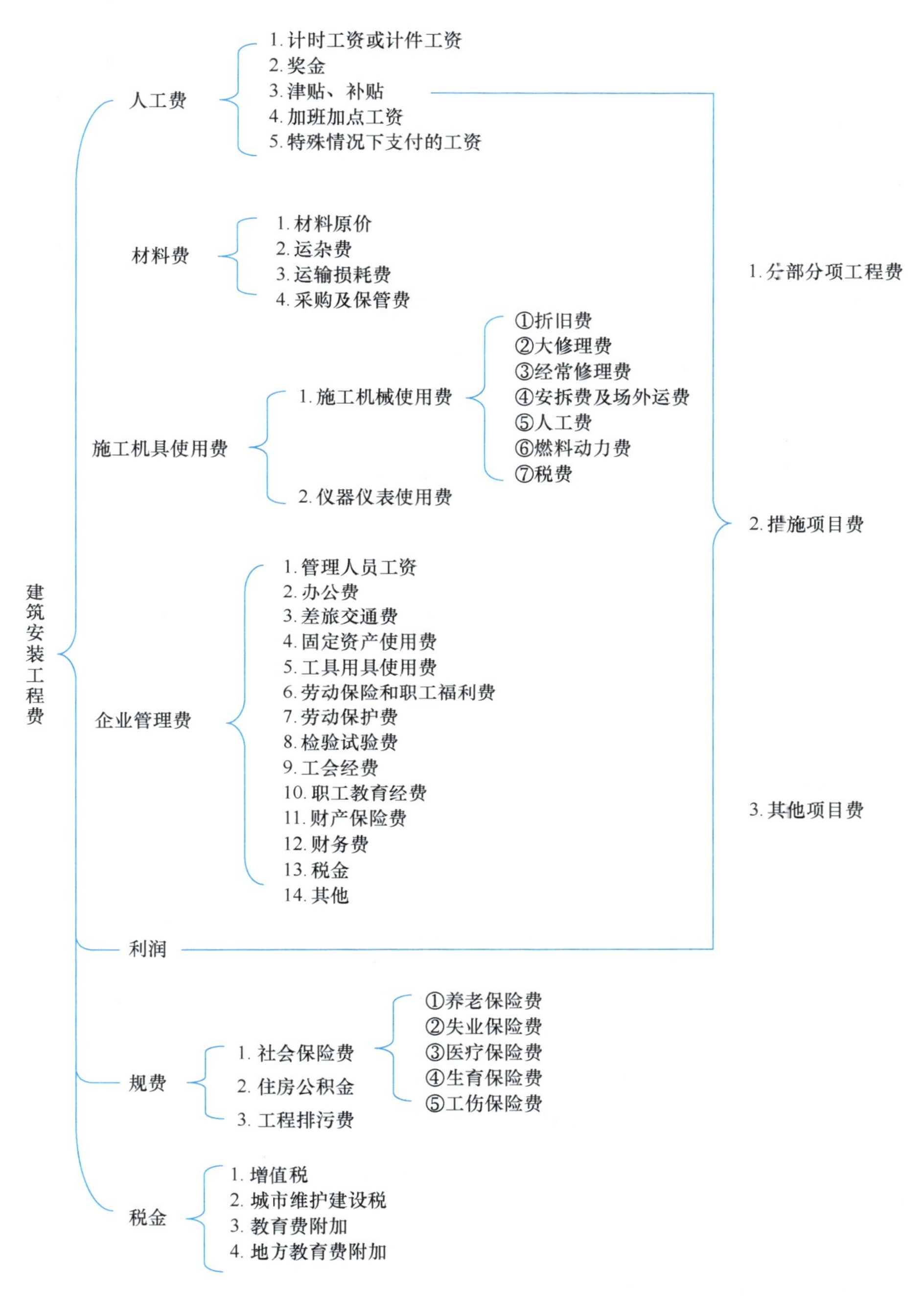

图 3-4 建筑安装工程投资构成图（按费用构成要素划分）

3.1.3 建设项目其他投资

建设项目其他投资，指属于整个建设项目所必需花费而又不能包括在单项工程建设投资中的费用，如征用土地及迁移补偿费、建设单位管理费、勘察设计费、科学研究试验费、样品样机购置费、引进技术和进口设备其他费、出国经费、场区绿化费、联合试运转费、生产职工培训费、办公及生活用具购置费等。此外，建设过程中的临时设施费、施工机构迁移费、远征工程增加费、劳保支出、技术装备费等也包括在工程建设其他投资中。

建设项目其他投资，按其内容大体可分为三类。第一类为土地费用；第二类为与项目建设有关的其他费用；第三类为与未来生产经营有关的费用，如图 3-5 所示。

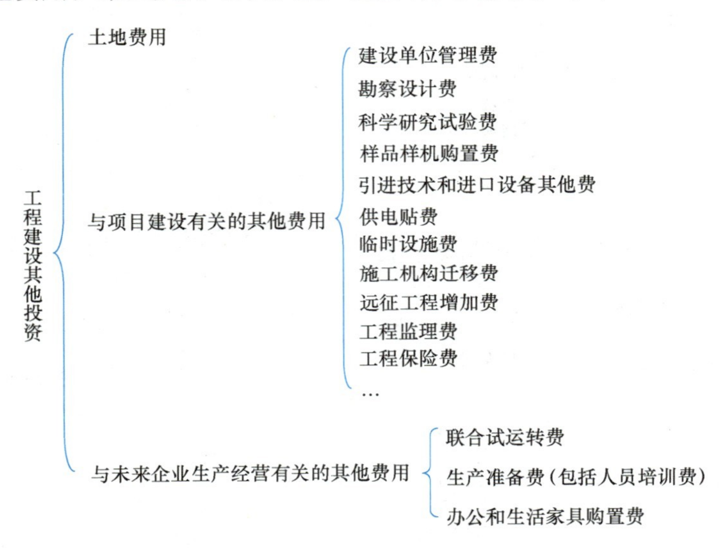

图 3-5 建设项目其他投资构成

3.1.4 预备费

按我国现行规定，预备费包括基本预备费和涨价预备费。

1. 基本预备费

基本预备费是指在项目实施中可能发生的难以预料的支出，又称工程建设不可预见费，主要指设计变更及施工过程中可能增加工程量的费用。费用内容包括：在批准的初步设计范围内，技术设计、施工图设计及施工过程中所增加的工程和费用；设计变更、局部地基处理等所增加的费用；一般自然灾害所造成的损失和预防自然灾害所采取措施的费用；竣工验收时为鉴定工程质量对隐蔽工程进行必要的挖掘和修复的费用。

$$\text{基本预备费}=(\text{设备及工器具购置费}+\text{建筑安装工程费}+\text{工程建设其他费})\times\text{基本预备费率} \tag{3-2}$$

2. 涨价预备费

涨价预备费是对建设工期较长的项目，由于在建设期内可能发生材料、设备、人工等价格上涨引起投资增加，工程建设其他费用调整，利率、汇率调整等，需要事先预留的费用，亦称价格变动不可预见费。

涨价预备费以建筑安装工程费、设备工器具购置费之和为计算基数。

3.1.5 建设期利息

1. 建设期利息构成

建设期利息是指项目在建设期内因使用债务资金而支付的利息。在项目投产后偿还债务资金时，建设期利息一般也作为本金，计算项目投入使用后各期的利息。建设投资借款的资金来源渠道不同，其建设期利息的计算方法也不同。

2. 建设期利息计算

在项目的经济分析中，无论各种债务资金是按年计息，还是按季、月计息，均可简化为按年计息，即将名义利率折算为年实际利率，其计算公式如（2-41）所示。

项目建设期，一般各种债务资金服从平均分布。在项目的经济分析中，可假定借款在年中支用，即当年借款支用额按半年计息，上年借款按全年计息。

当建设期用自有资金按期支付利息时，直接采用年名义利率按单利计算各年建设期利息。计算公式为：

$$\text{各年应计利息} = \left(\text{年初借款本金累计} + \frac{\text{本年借款额}}{2}\right) \times \text{年名义利率} \tag{3-3}$$

当建设期未能付息时，建设期各年利息采用复利方式计息，其计算公式为：

$$\text{各年应计利息} = \left(\text{年初借款本息累计} + \frac{\text{本年借款支用额}}{2}\right) \times \text{年实际利率} \tag{3-4}$$

$$I_j = (P_{j-1} + \frac{1}{2}A_j) \times i_{\text{eff}}$$

对有多种借款资金来源，每笔借款的年利率各不相同的项目，既可分别计算每笔借款的利息，也可先计算出各笔借款加权平均的年利率，并以加权平均利率计算全部借款的利息。

融资主体在贷款时要发生手续费、承诺费、管理费、信贷保险费等融资费用，原则上应按债权人的要求计算，并计入建设期利息。

对于分期建设的项目，应注意按各期投产时间，分别停止借款费用的资本化，即投产后继续发生的借款费用不作为建设期利息计入固定资产原值，而是作为运营利息计入总成本费用。

【例 3-1】某新建项目，建设期为 3 年，在建设期第一年借款 300 万元，第二年 400 万元，第三年 300 万元，每年借款平均支用，年实际利率为 5.6%。用复利法计算建设期借款利息。

【解】建设期各年利息计算如下：

$P_0=0$，$A_1=300$ 万元，$I_1=0.5\times300\times5.6\%=8.4$ 万元

$P_1=300+8.4=308.4$ 万元，$A_2=400$ 万元

$I_2=(308.4+0.5\times400)\times5.6\%=28.47$ 万元

$P_2=300+8.4+400+28.47=736.87$ 万元，$A_3=300$ 万元

$I_3=(736.87+0.5\times300)\times5.6\%=49.66$ 万元

到建设期末累计借款本利为 736.87+300+49.66=1086.53 万元，其中建设期利息为 86.53 万元。

3.2 成本费用与经营成本

建设项目投入使用后，即进入运营期。在运营期内，各年的成本费用由生产成本和期

间费用两部分组成。在工程经济分析中，了解成本费用主要是为了计算各年的另一个重要的现金流出项目：经营成本。

3.2.1 生产成本的构成

生产成本亦称制造成本，是指企业生产经营过程中实际消耗的直接材料费、直接工资、制造费用、其他直接支出和废品损失。其他直接支出是指直接从事产品生产人员的职工福利费等。其他直接支出和废品损失很少发生，在工程经济分析中一般可以忽略。

1. 直接材料费

直接材料费包括企业生产经营过程中实际消耗的原材料、辅助材料、设备零配件、外购半成品、燃料、动力、包装物、低值易耗品以及其他直接材料费。

2. 直接工资

直接工资包括企业直接从事产品生产人员的工资、奖金、津贴和补贴等。

3. 制造费用

制造费用是指企业各个生产单位（分厂、车间）为组织和管理生产所发生的各项费用，包括生产单位（分厂、车间）管理人员工资、职工福利费、折旧费、维简费、修理费、物料消耗、低值易耗品摊销、劳动保护费、水电费、办公费、差旅费、运输费、保险费、租赁费（不含融资租赁费）、设计制图费、试验检验费、环境保护费以及其他制造费用。

3.2.2 期间费用的构成

期间费用是指在一定会计期间发生的与生产经营没有直接关系和关系不密切的管理费用、财务费用和营业费用。期间费用不计入产品的生产成本，直接体现为当期损益。

1. 管理费用

管理费用是指企业行政管理部门为管理和组织经营活动发生的各项费用，包括：公司经费（工厂总部管理人员工资、职工福利费、差旅费、办公费、折旧费、修理费、物料消耗、低值易耗品摊销以及公司其他经费）、工会经费、职工教育经费、劳动保险费、董事会费、咨询费、顾问费、交际应酬费、税金（指企业按规定支付的房产税、车船税、印花税、城镇土地使用税等）、土地使用费（或海域使用费）、技术转让费、无形资产摊销、开办费摊销、研究发展费以及其他管理费用。

2. 财务费用

财务费用是指企业为筹集资金而发生的各项费用，包括运营期间的利息净支出、汇兑净损失、调剂外汇手续费、金融机构手续费以及在筹资过程中发生的其他财务费用等。

3. 营业费用

营业费用是指企业在销售产品、自制半成品和提供劳务等过程中发生的各项费用以及专设销售机构的各项经费，包括应由企业负担的运输费、装卸费、包装费、保险费、委托代销费、广告费、展览费、租赁费（不包括融资租赁费）和销售服务费用、销售部门人员工资、职工福利费、差旅费、办公费、折旧费、修理费、物料消耗、低值易耗品摊销以及其他经费等。

3.2.3 工程经济中成本费用的计算

为便于后续计算，在工程经济中将工资及福利费、折旧费、修理费、摊销费、利息支出进行归并后分别列出，另设一项“其他费用”将制造费用、管理费用、财务费用和营业费用中扣除工资及福利费、折旧费、修理费、摊销费、维简费、利息支出后的费用列入其中。这样，各年成本费用的计算公式为：

$$\text{年成本费用} = \text{外购原材料} + \text{外购燃料动力} + \text{工资及福利费} - \text{修理费} + \text{折旧费} + \text{维简费} + \text{摊销费} + \text{利息支出} + \text{其他费用} \tag{3-5}$$

1. 外购原材料成本计算

原材料成本是成本的重要组成部分，其计算公式如下：

$$\text{原材料成本} = \text{年产量} \times \text{单位产品原材料成本} \tag{3-6}$$

式中，年产量可根据测定的设计生产能力和投产期各年的生产负荷加以确定；单位产品原材料成本是依据原材料消耗定额和单价确定的。企业生产经营过程中所需要的原材料种类繁多，在计算时，可根据具体情况，选取耗用量较大的、主要的原材料为对象，依据有关规定、原则和经验数据进行估算。

2. 外购燃料动力成本计算

燃料动力成本计算公式为：

$$\text{燃料动力成本} = \text{年产量} \times \text{单位产品燃料和动力成本} \tag{3-7}$$

3. 工资及福利费计算

如前所述，工资及福利费包括在生产成本、管理费用、营业费用之中。为便于计算和进行经济分析，可将以上各项成本中的工资及福利费单独计算。

（1）工资

工资的计算可以采取以下两种方法：

一是按整个企业的职工定员数和人均年工资额计算年工资总额，其计算公式为：

$$\text{年工资成本} = \text{企业职工定员数} \times \text{人均年工资额} \tag{3-8}$$

二是按照不同的工资级别对职工进行划分，分别估算同一级别职工的工资，然后再加以汇总。一般可分为五个级别，即高级管理人员、中级管理人员、一般管理人员、技术工人和一般工人等。若有国外的技术人员和管理人员，应单独列出。

（2）福利费

福利费主要包括职工的保险费、医药费、医疗经费、职工生活困难补助以及按国家规定开支的其他职工福利支出，不包括职工福利设施的支出。一般可按职工工资总额的一定比例提取。

4. 折旧计算

如前所述，折旧费包括在制造费用、管理费用、营业费用中。为便于计算和分析，可将以上各项成本费用中的折旧费单独计算。

折旧（Depreciation）是指在固定资产的使用过程中，随着资产损耗而逐渐转移到产品成本费用中的那部分价值。将折旧费计入成本费用是企业回收固定资产投资的一种手段。按照国家规定，企业可把已发生的资本性支出转移到产品成本费用中去，然后通过产品的销售，逐步回收初始的投资费用。

根据我国财务会计制度的有关规定，计提折旧的固定资产范围包括：房屋、建筑物；在用的机器设备、仪器仪表、运输车辆、工具器具；季节性停用和在修理停用的设备；以经营租赁方式租出的固定资产；以融资租赁方式租入的固定资产。结合我国的企业管理水平，将固定资产分为三大部分，二十二类，按大类实行分类折旧。在进行工程项目的经济分析时，可分类计算折旧，也可综合计算折旧，要视项目的具体情况而定。我国现行的固定资产折旧方法，一般采用平均年限法、工作量法或加速折旧法。

(1) 平均年限法

平均年限法亦称直线法（Straight Line Method），即根据固定资产的原值、估计的净残值率和折旧年限计算折旧。房屋、建筑物和经常使用的机械设备可采用平均年限法计算折旧。

其计算公式为：

$$\text{年折旧费}=\frac{\text{原值}-\text{预计净残值}}{\text{折旧年限}}=\frac{\text{原值}\times(1-\text{预计净残值率})}{\text{折旧年限}} \tag{3-9}$$

上式中各项参数的确定方法如下：

1) 原值。固定资产原值中除建筑安装工程费、设备工器具购置费外，还包括建设期利息、预备费用以及工程建设其他费用中的土地费用。

2) 预计净残值。《中华人民共和国企业所得税法实施条例》第五十九条规定，企业应当根据固定资产的性质和使用情况，合理确定固定资产的预计净残值。固定资产的预计净残值一经确定，不得变更。

3) 折旧年限。《中华人民共和国企业所得税法实施条例》第六十条规定，固定资产计算折旧的最低年限如下：房屋、建筑物 20 年；飞机、火车、轮船、机器、机械和其他生产设备 10 年；与生产经营活动有关的器具、工具、家具等 5 年；飞机、火车、轮船以外的运输工具 4 年；电子设备 3 年。

(2) 工作量法

工作量法（France Workload Method），是指按实际工作量计提固定资产折旧额的一种方法。对于下列专用设备可采用工作量法计提折旧。

1) 交通运输企业和其他企业专用车队的客货运汽车，按照行驶里程计算折旧费，其计算公式如下：

$$\text{单位里程折旧费}=\frac{\text{原值}\times(1-\text{预计净残值率})}{\text{规定的总行驶里程}} \tag{3-10}$$

$$\text{年折旧费}=\text{单位里程折旧费}\times\text{年实际行驶里程} \tag{3-11}$$

2) 不经常使用的大型专用设备，可根据工作小时计算折旧费，其计算公式如下：

$$\text{每小时折旧费}=\frac{\text{原值}\times(1-\text{预计净残值率})}{\text{规定的总工作小时}} \tag{3-12}$$

$$\text{年折旧费}=\text{每工作小时折旧费}\times\text{年实际工作小时} \tag{3-13}$$

(3) 加速折旧法

加速折旧法（Accelerated Depreciation Method），又称递减折旧法，是指在固定资产使用初期提取折旧较多，在后期提取较少，使固定资产价值在使用年限内尽早得到补偿的折旧计算方法。加速折旧的根据是效用递减原理，即固定资产的效用随着其使用寿命的缩短而逐渐降低。因此，当固定资产处于陈旧状态时，效用低，产出小，而维修费用较高，所取得的现金流量较小。这样，按照配比原则的要求，折旧费用应当呈递减的趋势。加速折旧的方法很多，主要有双倍余额递减法和年数总和法。电子仪器、仪表以及配套的计算机可采用加速折旧法计算折旧。

1) 双倍余额递减法

双倍余额递减法（Double Declining Balance Method），是以平均年限法确定的折旧率的双倍乘以固定资产在每一会计期间的期初账面净值，从而确定当期应提折旧的方法。其计算公式为：

$$\text{年折旧率}=\frac{2}{\text{折旧年限}}\times 100\% \tag{3-14}$$

$$\text{年折旧费}=\text{年初固定资产账面原值}\times\text{年折旧率} \tag{3-15}$$

实行双倍余额递减法的固定资产，应当在其固定资产折旧年限到期前两年内，将固定资产净值扣除预计净残值后的净额平均摊销，即最后两年改用直线折旧法计算折旧。

2) 年数总和法

年数总和法（Sum of Years Digits Method），是以固定资产原值扣除预计净残值后的余额作为计提折旧的基础，按照逐年递减的折旧率计提折旧的一种方法。采用年数总和法的关键是每年都要确定一个不同的折旧率。其计算公式为：

$$\text{年折旧率}=\frac{\text{折旧年限}-\text{已使用年数}}{\text{折旧年限}\times(\text{折旧年限}+1)\div 2}\times 100\% \tag{3-16}$$

$$\text{年折旧费}=(\text{固定资产原值}-\text{预计净残值})\times\text{年折旧率} \tag{3-17}$$

在工程项目的经济分析中，一般采用平均年限法通过《固定资产折旧费估算表》计算折旧费。

5. 修理费计算

与折旧费相似，修理费也包括在制造费用、管理费用、营业费用之中。为便于计算和进行经济分析，可将以上各项成本中的修理费单独估算。修理费包括大修理费用和中小修理费用。

在估算修理费时，一般无法确定修理费具体发生的时间和金额，可按照折旧费的一定比率计算。该比率可参照同行业的经验数据确定。

6. 维简费计算

维简费是指采掘、采伐工业按生产产品数量（采矿按每吨原矿产量，林区按每立方米原木产量）提取的固定资产更新和技术改造资金，即维持简单再生产的资金，简称“维简费”。企业发生的维简费直接计入成本，其计算方法和折旧费相同。这类采掘、采伐企业不计提固定资产折旧。

7. 摊销费计算

摊销费是指无形资产和递延资产在一定期限内分期摊销的费用。计算摊销费采用直线法，并且不留残值。

无形资产是指企业能长期使用而没有实物形态的资产，包括专利权、非专利技术、商标权、商誉、著作权和土地使用权等。

递延资产是指应当在运营期内的前几年逐年摊销的各项费用，包括开办费和其他长期待摊费用（包括以经营租赁方式租入的固定资产改良工程支出等）。开办费是指企业在筹建期间所发生的各种费用，主要包括注册登记和筹建期间起草文件、谈判、考察等发生的各项支出，销售网的建立和广告费用以及筹建期间人员工资、办公费、培训费、差旅费、印刷费、律师费、注册登记费以及不计入固定资产和无形资产购建成本的汇兑损益和利息等项支出。其他长期待摊费用是指工程建设其他费用中的生产职工培训费、样品样机购置费、以经营租赁方式租入固定资产的改建支出等。

无形资产和递延资产应按规定期限分期摊销，法律、合同或协议规定有法定有效期和受益年限的，按照法定有效期或合同、协议规定的受益年限孰短的原则确定，如开办费一般 5 年，租入固定资产的改建支出一般按受益年限。

8. 运营期利息计算

利息支出是筹集债务资金而发生的费用，包括运营期间发生的利息净支出，即在运营期所发生的建设投资借款利息和流动资金借款利息之和。建设投资借款在运营期发生利息的计算公式为：

$$\text{每年支付利息} = \text{年初本金累计额} \times \text{年利率} \tag{3-18}$$

为简化计算，还款当年按年末偿还，全年计息。

流动资金的借款属于短期借款，利率较长期借款利率低，且利率一般为季利率，三个月计息一次。在工程经济分析中，为简化计算，一般采用年利率，每年计息一次。

流动资金借款利息计算公式为：

$$\text{流动资金利息} = \text{流动资金借款累计金额} \times \text{年利率} \tag{3-19}$$

需要引起注意的是，在运营期利息作为当期损益计入工程经济中成本费用，因而当年计算的利息不再参与以后各年利息的计算。

9. 其他费用计算

如前所述，其他费用是指在制造费用、管理费用、财务费用和营业费用中扣除工资及福利费、折旧费、修理费、摊销费和利息支出后的费用。

在工程项目经济分析中，其他费用一般可根据成本中的原材料成本、燃料和动力成本、工资及福利费、折旧费、修理费、维简费及摊销费之和的一定百分比计算，并按照同类企业的经验数据加以确定。将上述各项合计，即得出运营期各年的总成本。

10. 经营成本计算

经营成本是指项目从总成本费用中扣除折旧费、维简费、摊销费和利息支出以后的成本，即：

$$\text{经营成本} = \text{总成本费用} - \text{折旧费} - \text{维简费} - \text{摊销费} - \text{利息支出} \tag{3-20}$$

经营成本是工程建设项目现金流量中重要的现金流出项，是工程经济学特有的概念。

它涉及产品生产及销售、企业管理过程中的物料、人力和能源的投入费用，它反映企业的生产和管理水平。在工程项目的经济分析中，经营成本被应用于现金流量的分析。

计算经营成本之所以要从总成本中剔除折旧费、维简费、摊销费和利息支出，主要原因是：

（1）现金流量表反映项目在计算期内逐年发生的现金流入和流出。与常规会计方法不同，现金收支何时发生，就在何时计算，不作分摊。由于固定资产投资已按其发生的时间作为一次性支出被计入现金流出，所以不能再以折旧费、维简费和摊销费的方式计为现金流出，否则会发生重复计算。因此，作为经常性支出的经营成本中不包括折旧费和摊销费，同理也不包括维简费。

（2）因为全部投资现金流量表以全部投资作为计算基础，不分投资资金来源，利息支出不作为现金流出，而自有资金现金流量表中已将利息支出单列，因此经营成本中也不包括利息支出。

11. 固定成本与变动成本计算

从理论上讲，年成本费用可分为固定成本、变动成本和混合成本三大类。

（1）固定成本是指在一定的产量范围内不随产量变化而变动的成本，如按直线法计提的固定资产折旧费、计时工资及修理费等。

（2）变动成本是指随着产量的变化而变动的成本，如原材料费用、燃料和动力费用等。

（3）混合成本是指介于固定成本和变动成本之间，既随产量变化又不成正比例变化的成本，又被称为半固定和半变动成本，即同时具有固定成本和变动成本的特征。在线性盈亏平衡分析时，要求对混合成本进行分解，以区分出其中的固定成本和变动成本，并分别计入固定成本和变动成本总额之中。在工程项目的经济分析中，为便于计算和分析，可将总成本费用中的原材料费用及燃料和动力费用视为变动成本，其余各项均视为固定成本。之所以作这样的划分，主要目的就是为盈亏平衡分析提供前提条件。

经营成本、固定成本和变动成本根据《总成本费用估算表》直接计算（见第7章案例分析）。

3.3 营业收入、营业税金及附加

3.3.1 营业收入的概念及计算

1. 营业收入

建设项目的营业收入，是项目运营期内各年销售产品或提供劳务等所取得的主营业务收入和其他业务收入，是工程建设项目现金流量中重要的现金流入项。

营业收入是项目建成投产后收回投资、补偿成本、上缴税金、偿还债务、保证企业再生产正常进行的前提。它是估算利润总额、增值税的基础数据。营业收入的计算公式如下：

$$\text{年营业收入} = \text{产品销售单价} \times \text{产品年销售量} \tag{3-21}$$

在建设项目经济分析中，产品年销售量应根据市场行情，采用科学的预测方法确定。

产品销售单价一般采用出厂价格，也可根据需要选用送达用户的价格。

2. 销售价格的选择

估算营业收入，产品销售价格是一个很重要的因素。一般来讲，建设项目的经济效益对销售价格变化是最敏感的，一定要谨慎选择。一般可在以下三种价格中进行选择：

(1) 口岸价格

如果项目产品是出口产品，或者是替代进口产品，或者是间接出口产品，可以口岸价格为基础确定销售价格。出口产品和间接出口产品可选择离岸价格（*FOB*），替代进口产品可选择到岸价格（*CIF*）。

(2) 市场价格

如果同类产品或类似产品已在市场上销售，并且这种产品既与外贸无关，也不是计划控制的范围，则可选择现行市场价格作为项目产品的销售价格。当然，也可以现行市场价格为基础，根据市场供求关系上下浮动作为项目产品的销售价格。

(3) 根据预计成本、利润和税金确定价格

如果拟建项目的产品属于新产品，则可根据下列公式估算其出厂价格：

$$\text{出厂价格}=\text{产品计划成本}+\text{产品计划利润}+\text{产品计划税金} \tag{3-22}$$

其中：

$$\text{产品计划利润}=\text{产品计划成本}\times\text{产品成本利润率} \tag{3-23}$$

$$\text{产品计划税金}=\frac{(\text{产品计划成本}+\text{产品计划利润})}{1-\text{税率}}\times\text{税率} \tag{3-24}$$

以上几种情况，当难以确定采用哪一种价格时，可考虑以可供选择方案中价格最低的一种作为项目产品的销售价格。

3. 产品年销售量的确定

在工程经济分析中，应首先根据市场需求预测确定项目产品的市场份额，进而合理确定企业的生产规模，再根据企业的设计生产能力确定年产量。在现实经济生活中，产品年销售量不一定等于年产量，这主要是因市场波动而引起的产量与销售量的差别。但在工程项目经济分析中，难以准确地估算出由于市场波动引起的库存量变化。因此，在估算营业收入时，不考虑项目的库存情况，假设当年生产出来的产品当年全部售出。这样，就可以根据项目投产后各年的生产负荷确定各年的销售量。如果项目的产品比较单一，用产品单价乘产量即可得到每年的营业收入；如果项目的产品种类比较多，要根据营业收入和营业税金及附加估算表进行估算，即应首先计算每一种产品的年营业收入，然后汇总在一起，求出项目运营期各年的营业收入；如果产品部分销往国外，还应计算外汇收入，并按外汇牌价折算成人民币，然后再计入项目的年营业收入总额中。

3.3.2 营业税金及附加

营业税金主要有增值税、消费税、城市维护建设税、资源税等。附加是指教育费附加和地方教育费附加，其征收的环节和计费的依据类似于城市维护建设税。

1. 增值税

增值税是对我国境内销售货物、进口货物以及提供加工、修理修配劳务的单位和个人，就其取得货物的销售额、进口货物金额、应税劳务收入额计算税款，并实行税款抵扣制的一种流转税。

增值税是价外税。在工程经济分析中，增值税可作为价外税不出现在现金流量表中，也可作为价内税出现在现金流量表中。当现金流量表中不包括增值税时，产出物的价格不含有增值税中的销项税，投入物的价格中也不含有增值税中的进项税。目前，我国增值税率针对一般纳税人和小规模纳税人分别征收。

对一般纳税人而言，纳税人销售货物、劳务、有形动产租赁服务或者进口货物，适用基本税率13%。纳税人销售交通运输、邮政、基础电信、建筑、不动产租赁服务、与人民生活密切相关的基本生活用品、不动产、转让土地使用权，适用较低税率9%。纳税人销售服务、无形资产以及增值电信服务，除另有规定外，适用低税率6%。纳税人出口货物、劳务等，适用零税率。

一般纳税人缴纳增值税可按下列公式计算：

$$\text{增值税应纳税额}=\text{销项税额}-\text{进项税额} \tag{3-25}$$

上式中，销项税额是指纳税人销售货物或提供应税劳务，按照销售额和增值税率计算并向购买方收取的增值税额，其计算公式为：

$$\begin{aligned}\text{销项税额}&=\text{销售额}\times\text{增值税率}\\&=\text{营业收入(含税销售额)}\div(1+\text{增值税率})\times\text{增值税率}\end{aligned} \tag{3-26}$$

进项税额是指纳税人购进货物或接受应税劳务所支付或者负担的增值税额，其计算公式为：

$$\text{进项税额}=\text{外购原材料、燃料及动力费}\div(1+\text{增值税率})\times\text{增值税率} \tag{3-27}$$

由于小规模纳税人会计核算不健全，无法准确核算进项税额和销项税额，在增值税征收管理中，采用简便方式，按照其销售额与规定的征收率计算缴纳增值税，不准许抵扣进项税，其计算公式为：

$$\text{应纳税额}=\text{销售额}\times\text{征收率} \tag{3-28}$$

小规模纳税人在国内销售服务、无形资产，适用税率3%。一般纳税人销售不动产，小规模纳税人销售不动产及出租不动产可选择适用简易计税方法，征收率为5%。

2. 消费税

消费税是在普遍征收增值税的基础上，立足国家经济发展水平，根据消费政策、产业政策，有选择地对部分消费品征收的一种特殊的税种。目前，我国的消费税共设15个税目。消费税的税率有定额税率和比例税率两种。对供求基本平衡、价格差异不大、计量单位规范的消费品，选择计税简便的定额税率，如黄酒、啤酒、成品油等；对供求矛盾突出、价格差异较大、计量单位不规范的消费品，选择税价联动的比例税率，如烟、白酒、化妆品、鞭炮、焰火、贵重首饰及珠宝玉石、摩托车、小汽车等，税率为1%～40%不等。

消费税采用从价定率和从量定额两种计税方法计算应纳税额，一般以应税消费品的生产者为纳税人，于销售时纳税。应纳税额计算公式为：

实行从价定率办法计算的

$$应纳税额=应税消费品销售额\times比例税率=\frac{销售收入(含增值税)}{1+增值税率}\times比例税率$$
$$=组成计税价格\times比例税率$$

(3-29)

实行从量定额方法计算的

$$应纳税额=应税消费品销售数量\times定额税率 \quad (3-30)$$

应税消费品的销售额是指纳税人销售应税消费品向买方收取的全部价款和价外费用，不包括向买方收取的增值税税款。销售数量是指应税消费品数量。

【例 3-2】某化妆品生产企业为增值税一般纳税人，2019 年 7 月 5 日向某大型商场销售高档化妆品一批，开具增值税专用发票，取得不含增值税销售收入 100 万元；7 月 10 日向某单位销售普通化妆品一批，开具增值税普通发票，取得含增值税销售额 18 万元。该企业 7 月份应缴纳的消费税额是多少？

【解】高档化妆品适用消费税税率为 15%，普通化妆品不缴纳消费税，则：

应缴纳的消费税额=100×15%=15 万元

【例 3-3】某啤酒厂 2019 年 8 月销售啤酒 500t，每吨出厂价格 2800 元。该企业 8 月份应缴纳的消费税是多少？

【解】每吨售价在 3000 元以下的啤酒，适用单位税额为 220 元，则：

应缴纳的消费税额=500×220=110000 元

3. 城市维护建设税

城市维护建设税是以增值税和消费税额为计税依据征收的一种附加税。城市维护建设税按纳税人所在地区实行差别税率：项目所在地为市区的，税率为 7%；项目所在地为县城、镇的，税率为 5%；项目所在地为乡村的，税率为 1%。

城市维护建设税以纳税人实际缴纳的增值税和消费税额为计税依据，其应纳税额计算公式为：

$$应纳税额=(增值税+消费税)的实纳税额\times适用税率 \quad (3-31)$$

城市维护建设税是工程建设项目现金流量中的现金流出项。

4. 教育费附加

教育费附加是为了加快地方教育事业的发展，扩大地方教育经费的资金来源而开征的一种附加费。根据有关规定，凡缴纳消费税、增值税的单位和个人，都是教育费附加的缴纳人。教育费附加随消费税、增值税同时缴纳。教育费附加的计征依据是各缴纳人实际缴纳的消费税、增值税的税额，征收率为 3%。其计算公式为：

$$应纳教育费附加额=(增值税+消费税)的实纳税额\times3\% \quad (3-32)$$

教育费附加是工程建设项目现金流量中的现金流出项。

5. 地方教育费附加

地方教育费附加是为增加地方教育的资金投入，促进省教育事业发展，开征的一项政府基金。地方教育费附加征收标准统一为单位和个人实际缴纳的增值税和消费税税额的

2%。其计算公式为：

地方教育费附加 =（增值税 + 消费税）× 2%　　(3-33)

地方教育费附加是工程建设项目现金流量中的现金流出项。

【例 3-4】 某市区企业 2019 年 6 月实际缴纳增值税 50 万元、消费税 58 万元。试计算该企业应缴纳的教育费附加和地方教育费附加。

【解】 应缴纳的教育费附加和地方教育费附加=(50+58)×(3%+2%)=5.4 万元

6. 资源税

资源税是以原油、天然气、煤炭、金属或非金属矿、盐和水资源等各种应税自然资源为课税对象，为了调节资源级差收入并体现国有资源有偿使用而征收的一种税。资源税采用从价定率和从量定额征收，因此，其税率形式有比例税率和定额税率两种。目前，比例税率为 1%～27%不等。

从价定率征收资源税的应纳税额计算公式为：

应纳税额 = 销售额 × 适用税率　　(3-34)

从量定额征收资源税的应纳税额计算公式为：

应纳税额 = 课税数量 × 单位税额　　(3-35)

课税数量是指：纳税人开采或者生产应税产品用于销售的，以销售数量为课税数量；纳税人开采或者生产应税产品自用的，以自用数量为课税数量。

资源税是工程建设项目现金流量中的现金流出项。

3.4 利润与企业所得税

3.4.1 利润总额计算

利润总额是企业在一定时期内生产经营活动的最终财务成果。它集中反映了企业生产经营各方面的效益。在工程经济分析中，利润不是现金流量，是计算现金流出项企业所得税的依据。

现行会计制度规定，利润总额等于营业利润加上投资净收益、补贴收入和营业外收支净额的代数和。在对工程项目进行经济分析时，为简化计算，在估算利润总额时，假定不发生其他业务利润，也不考虑投资净收益、补贴收入和营业外收支净额，本期发生的总成本等于主营业务生产成本、管理费用、财务费用和营业费用之和。则利润总额的估算公式为：

利润总额 = 营业收入(含增值税) − 增值税及附加 − 总成本费用　　(3-36)

根据利润总额可计算所得税和净利润，在此基础上可进行净利润的分配。在工程项目的经济分析中，利润总额是计算一些静态指标的基础数据。

3.4.2 所得税计算及净利润的分配

1. 所得税计算

根据税法的规定，企业取得利润后，先向国家缴纳所得税，即凡在我国境内实行独立经营核算的各类企业或者组织者，其来源于我国境内、境外的生产、经营所得和其他所得，均应依法缴纳企业所得税。所得税是现金流出项。

企业所得税以应纳税所得额为计税依据。

纳税人每一纳税年度的收入总额减去准予扣除项目的余额，为应纳税所得额。

纳税人发生年度亏损的，可用下一纳税年度的所得弥补；下一纳税年度的所得不足弥补的，可以逐年延续弥补，但是延续弥补期最长不得超过5年。

企业所得税的应纳税额计算公式如下：

$$所得税应纳税额 = 应纳税所得额 \times 25\% \tag{3-37}$$

在工程项目的经济分析中，一般是按照利润总额作为企业所得，乘以25%税率计算所得税，即：

$$所得税应纳税额 = 利润总额 \times 25\% \tag{3-38}$$

2. 净利润的分配

净利润是指利润总额扣除所得税后的差额，计算公式为：

$$净利润 = 利润总额 - 所得税 \tag{3-39}$$

在工程项目的经济分析中，一般视净利润为可供分配的净利润，可按照下列顺序分配：

（1）提取盈余公积金。一般企业提取的盈余公积金分为两种：一是法定盈余公积金，在其金额累计达到注册资本的50%以前，按照可供分配的净利润的10%提取，达到注册资本的50%，可以不再提取；二是法定公益金，按可供分配的净利润的5%提取。

（2）向投资者分配利润（应付利润）。企业以前年度未分配利润，可以并入本年度向投资者分配。

（3）未分配利润，即未作分配的净利润。可供分配利润减去盈余公积金和应付利润后的余额，即为未分配利润。

营业收入、成本费用、税金和利润的关系如图3-6所示。

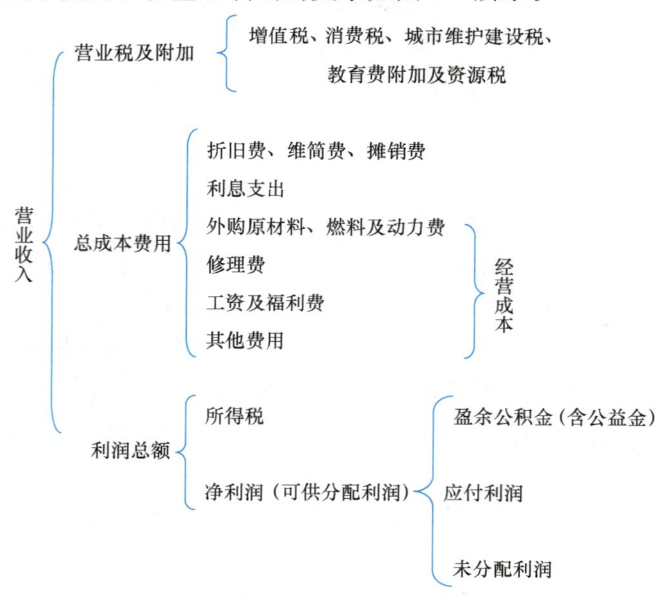

图3-6 营业收入、总成本费用、税金和利润的关系图

案例分析

某污水处理厂项目投资、成本估算

1. 项目概况

某西部城市污水处理厂项目设计日处理污水 10 万 t。项目计算期定为 22 年，其中建设期为 2 年，运营期为 20 年。运营期第一年负荷为 70%，第二年为 85%，第三年起为满负荷运转。

2. 投资估算

项目总投资由固定资产投资和铺底流动资金组成，其中：固定资产投资总额为 18933.3 万元，铺底流动资金为 500 万元，共计 19433.3 万元。项目资本金为 8290 万元，其中用于流动资金 100 万元，其余为银行贷款。于建设期第 2 年取得建设投资贷款 10380 万元，年利率为 7%；分别于运营期第 1 年和第 2 年取得流动资金贷款 120 万元和 280 万元，年利率为 6%。固定资产投资估算情况见案例分析表 3-1。

固定资产投资估算表　　案例分析表 3-1

序号	内容	百分比（%）	估算合价（万元）
1	建筑安装工程投资	36.13	6840
2	设备及工器具投资	35.60	6740
3	工程建设其他费用	25.93	4910
4	预备费	0.42	80
5	建设期利息	1.92	363.3
合计	18933.3		

3. 成本费用估算

（1）原材料、燃料、动力费

正常年份为 768.7 万元，该项目各年的原材料、燃料、动力费情况见案例分析表 3-4。

（2）工资及福利费估算

根据项目的规模，项目定员为 150 人，运营期每年的人均工资及福利为 8 万元，每年工资及福利费用总计 1200 万元。

（3）折旧计算

折旧费采用直线法计提，本项目无土地费用，固定资产原值由建筑安装工程费、设备及工器具购置费、建设期利息和预备费组成，总计为 14023.3 万元。固定资产预计净残值率为 10%，折旧年限为 20 年，采用直线折旧法，则每年固定资产折旧费为 631.05 万元。

（4）修理费

修理费按照年折旧费的 30%计提，每年修理费为 189.32 万元。

(5) 摊销费

该工程用地为划拨土地，无土地费用，工程建设其他投资均形成无形资产和递延资产。其中，无形资产为3910万元，采用平均年限法，按8年摊销，第3年～第10年每年无形资产摊销费为488.75万元，递延资产为1000万元，按5年摊销，第3年～第7年每年递延资产摊销费为200万元。该项目第3年～第7年每年摊销费为688.75万元，第8年～第10年每年摊销费为488.75万元。

(6) 运营期利息计算

该项目建设期贷款平均分布在建设期第2年。其余各年现金流量均发生在每年的年初。各年的资金投入情况见案例分析表3-2。

某污水处理厂资金投入表（万元） 案例分析表3-2

序号	项目＼年份		合计	1	2	3	4	5～22
1	建设投资	自有资金	8190	7428	762			
		贷款	10380		10380			
2	流动资金	自有资金	100			100		
		贷款	400			120	280	

建设投资贷款在项目运营期前8年（即第3年～第10年）按等额本金法偿还，即每年偿还等额的本金，并支付当年利息，流动资金贷款每年付息。

1) 建设投资贷款在生产期利息的计算

$$建设期贷款利息 = 10380 \times 0.5 \times 7\% = 363.3 万元$$

$$第3年 \sim 第10年每年应还本金 = (363.3 + 10380) \div 8 = 1342.91 万元$$

项目建设投资贷款还本付息情况见案例分析表3-3。

项目建设投资贷款还本付息表（万元） 案例分析表3-3

项目＼年份	合计	2	3	4	5	6	7	8	9	10
年初累计借款			10743.30	9400.39	8057.48	6714.57	5371.66	4028.75	2685.84	1342.93
本年新增借款	10380	10380								
本年应计利息	3747.45	363.30	752.03	658.03	564.02	470.02	376.02	282.01	188.01	94.01
本年应还本金	10743.3		1342.91	1342.91	1342.91	1342.91	1342.91	1342.91	1342.91	1342.93
本年应还利息	3384.15		752.03	658.03	564.02	470.02	376.02	282.01	188.01	94.01

2) 流动资金贷款利息的计算

流动资金贷款年利率为6%，当年发生贷款按全年计息。第3年利息为7.2万元，第4年～第22年为24万元。

(7) 其他费用

其他费用按照上述各项费用之和的3%记取。具体见案例分析表3-4。

4. 项目总成本费用

项目总成本费用分析如案例分析表3-4所示。

总成本费用和经营成本估算表（万元）　　　　案例分析表 3-4

年份 项目	合计	3	4	5	6	7	8	9	10	11～22
1. 原材料、燃料、动力费	15028.09	538.09	653.40	768.70	768.70	768.70	768.70	768.70	768.70	768.70
2. 工资及福利	24000.00	1200.00	1200.00	1200.00	1200.00	1200.00	1200.00	1200.00	1200.00	1200.00
3. 折旧费	12621.00	631.05	631.05	631.05	631.05	631.05	631.05	631.05	631.05	631.05
4. 修理费	3786.40	189.32	189.32	189.32	189.32	189.32	189.32	189.32	189.32	189.32
5. 摊销费	4910.00	688.75	688.75	688.75	688.75	688.75	488.75	488.75	488.75	
6. 运营期利息(7+8)	3847.35	759.23	682.03	588.02	494.02	400.02	306.01	212.01	118.01	24.00
7. 长期借款利息	3384.15	752.03	658.03	564.02	470.02	376.02	282.01	188.01	94.01	
8. 流动资金借款利息	463.20	7.20	24.00	24.00	24.00	24.00	24.00	24.00	24.00	24.00
9. 其他费用(1+2+3+4+5+6)×0.03	1925.79	120.19	121.34	121.98	119.16	116.34	107.51	104.69	101.87	84.39
10. 总成本费用(1+2+3+4+5+6+9)	66118.62	4126.63	4165.88	4187.81	4091.00	3994.18	3691.34	3594.52	3497.70	2897.46
11. 固定成本	50627.37	3581.14	3488.48	3395.11	3298.30	3201.48	2898.64	2801.82	2705.00	2104.76
12. 可变成本(1+8)	15491.29	545.29	677.40	792.70	792.70	792.70	792.70	792.70	792.70	792.70
13. 经营成本(10−3−5−6)	44740.27	2047.60	2164.05	2279.99	2277.18	2274.36	2265.53	2262.71	2259.89	2242.41

[案例思考]

1. 折旧的计算除了平均年限法还有什么方法，本案例还可以采用何种折旧方法？
2. 计算经营成本时是否应该从总成本费用中减去修理费？为什么？

思考题

1. 试述我国工程项目投资构成。
2. 我国现行建筑安装工程费是如何构成的？
3. 设备工器具购置费是如何构成的？
4. 工程建设其他投资由哪些项目组成？
5. 什么是成本费用，什么是经营成本？
6. 固定资产折旧的计算方法有哪些，工作量法的适用范围是什么？
7. 试述利润总额、净利润及未分配利润的关系。

习题

1. 设备原值价值为 60000 元，使用年限为 8 年，残值为 2000 元，试用双倍余额递减法计算各年的折旧额。

2. 某种设备的原值为2.4万元，预计净残值为0.2万元，折旧年限确定为7年，试采用年数总和法计算各年的折旧额。

3. 某公司以5000万元建造一栋商业大楼，其中90%形成固定资产。假定这座建筑的折旧期为40年（残值为零）。试分别采取以下方法计算第10年的折旧费及其第10年末该固定资产的账面价值：(1) 年数总和法；(2) 双倍余额递减法。

4. 某一工厂建设项目，取得专利权及商标权花费180万元，该项目在建设期间的开办费为50万元。无形资产摊销期限为10年，递延资产摊销期限为5年，试求运营期第3年和第9年这两项的摊销费。

5. 某洗衣机厂某月向某商业批发公司销售洗衣机500台，每台销售价950元（不含税）；向某零售商店销售洗衣机，营业收入150000元；外购机器设备1台，含税价格为200000元；外购洗衣机零配件支付50000元（含税）。增值税税率为13%，试求该洗衣机厂当月应缴纳的增值税税额。

6. 位于市区内的某汽车轮胎生产企业12月份销售汽车轮胎销售收入400000元，该企业当月允许抵扣的进项税额为4000元，已知汽车轮胎适用的消费税为3%，增值税税率为13%。试求该企业12月要缴纳的增值税金及附加。

7. 某项目建设期2年，建设期内每年贷款1000万元，贷款分年度均衡发放。若在运营期第1年末偿还800万元，在运营期第2年至第6年年末等额偿还剩余贷款本息。在贷款年利率为7%的情况下，试求运营期第2年到第6年每年年末应还本付息额。

8. 某新建项目，建设期3年。建设期贷款分年度均衡发放，且只计息不还款，第1年贷款500万元，第2年贷款1000万元，第3年贷款800万元，年利率6%，按季度计息，则到建设期末该项目的建设期利息为多少？

9. 甲建筑公司承包某市市区的一项工程，工程总造价为15000万元，该公司将其中价值5000万元的工程转包给乙公司。由于该工程提前竣工，建设单位支付给甲建筑公司提前竣工奖600万元。甲建筑公司将提前竣工奖200万元支付给乙公司。此外，甲建筑公司当期还取得其他工程结算收入700万元，取得建筑施工机械出租收入20万元。建筑业增值税税率为3%，租赁业的增值税率为5%。试求甲建筑公司自身要缴纳的增值税、城乡维护建设税和教育费附加。本题提及的价格均为不含税价，计算增值税时选择简易计税办法。

第4章 经济评价方法

引例

智能互联技术与传统产业链技术的比较

传统产业链技术是有形产品的投入产出，产业链整合表现为线性的资产关联的“产品链”。而智能互联技术主要是知识的关联，这时的产业链可以看作一个知识链，一个创造“递增报酬”的网络价值链。

当前，以物联网、互联网、云计算、大数据、人工智能为代表的新一轮科技革命蓬勃兴起，正在开启以万物互联、高速供传输、先进计算、智能分析等为特征的智能互联新时代。智能互联技术将传统产业链从线性产业链变为智能生态群，群内各主体间形成双向互动的网络关系，呈现出以下三个特点：智能互联扩大了交易地域和供需匹配范围。海量主体聚集在少数平台上，形成“赢者通吃”格局。二是基于数据的智能化。万物互联产生了大数据，叠加人工智能技术，让隐性经验固化为显性知识，为效率提升和业务创新打开了新空间。三是基于产业融合的服务化。未来产品都将嵌入智能模块，企业可远程提供服务，用户从购买向租赁转变、从消费者向产销者转变，制造与服务呈现深度融合趋势。

（资料来源：马骏，张永伟，袁东明等．万物互联和智能化趋势下的企业变革、产业变革及制度供给．北京：中国发展出版社，2018.）

启　示

智能互联技术对产业和企业决策带来革命性变化：企业边界柔性模糊化，不再受自有资产、产业属性、产能条件、人力资源等硬性约束，可通过网络灵活整合资源和产出。因此，在运用评价方法时应对建设项目环境和条件进行更大范围的关联性分析。

本章知识结构图

在工程经济研究中，经济评价是在拟订的建设项目方案、投资估算和融资方案的基础上，对建设项目方案计算期内各种有关技术经济因素和方案投入与产出的有关财务、经济资料数据进行调查、分析、预测，对建设项目方案的经济效果进行计算、评价。

经济评价是工程经济分析的核心内容。其目的在于确保决策的正确性和科学性，避免或最大限度地减少建设项目投资的风险，明了建设方案投资的经济效果水平，最大限度地提高建设项目投资的综合经济效益。本章知识结构如下图所示。

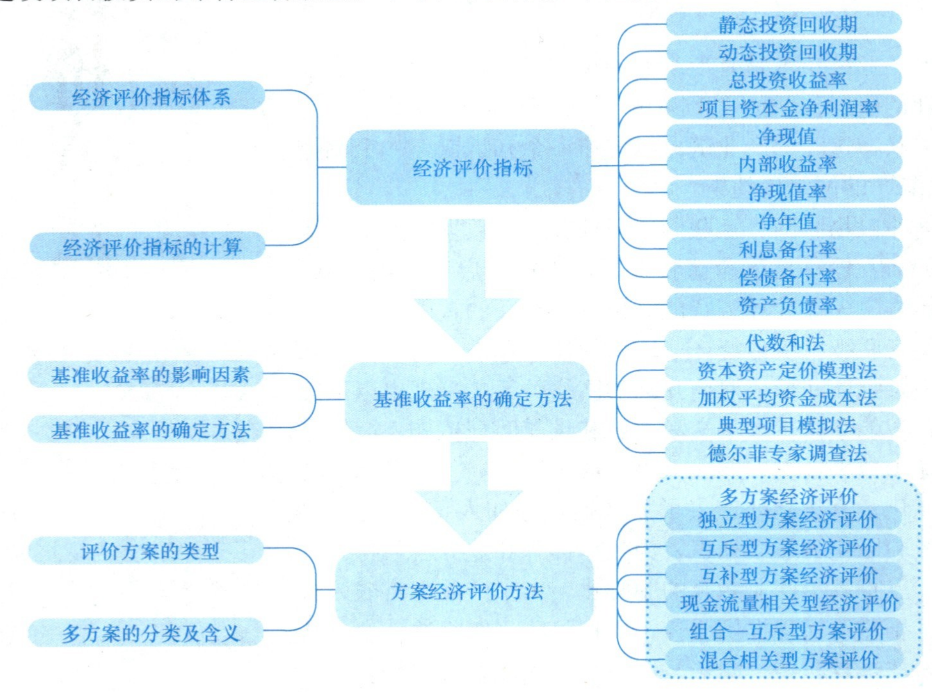

4.1 经济评价指标

4.1.1 经济评价指标体系

在工程项目经济评价中，按计算评价指标时是否考虑资金的时间价值，将评价指标分为静态评价指标和动态评价指标，如图 4-1 所示。

静态评价指标，是在不考虑时间因素对货币价值影响的情况下，通过投入和产出的比较计算出来的经济评价指标。静态评价指标的最大特点是计算简便。它适于评价短期投资项目和逐年收益大致相等的项目。另外，进行建设项目规划、机会研究、项目建议书编制时的概略经济评价也常采用静态评价指标。

动态评价指标，是在分析项目或方案的经济效益时，要对发生在不同时点的现金流量进行等值化处理后得到的评价指标。动态评价指标能较全面地反映投资方案整个计算期的

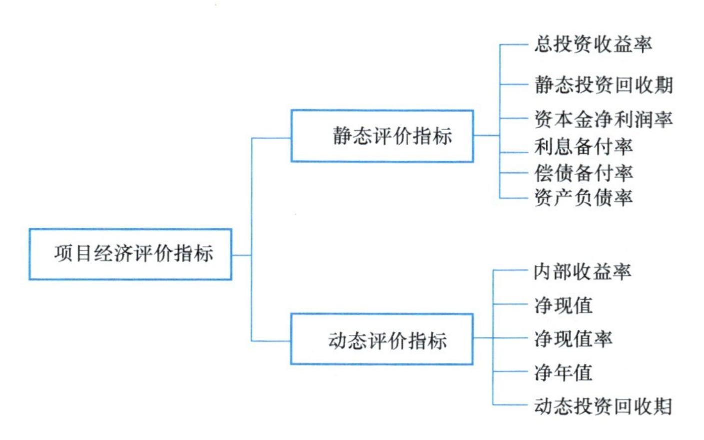

图 4-1 项目经济评价指标体系（一）

经济效果，适用于对项目整体效益评价的融资前分析，或对计算期较长以及处在终评阶段的技术方案进行评价。

在建设项目评价中，根据评价指标的性质，也可将评价指标分为盈利能力分析指标、清偿能力分析指标和财务生存能力分析指标，如图 4-2 所示。

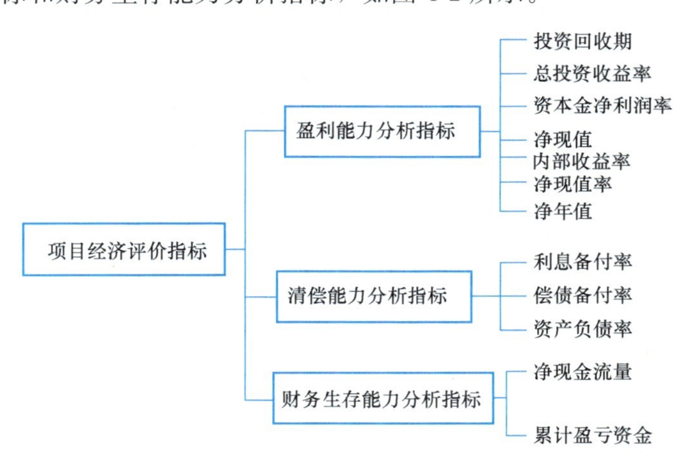

图 4-2 项目经济评价指标体系（二）

在建设项目方案经济评价时，应根据评价深度要求、可获得资料的多少以及建设项目方案本身所处的条件，选用多个指标，从不同侧面反映建设项目的经济效果。

4.1.2 经济评价指标计算

1. 盈利能力分析指标

（1）静态投资回收期（P_t）

投资回收期也称返本期，是反映投资方案盈利能力的指标。

静态投资回收期（Static Payback Period），是在不考虑资金时间价值的条件下，以项目投入运营后的净现金流量回收项目总投资所需的时间。静态投资回收期可以从项目建设开始年算起，也可以从项目投产年开始算起，但应予注明。如果投入和产出现金流量均服从年末习惯法，自建设开始年算起，静态投资回收期 P_t（以年表示）的计算公式如下：

$$\sum_{t=1}^{P_t}(CI-CO)_t=0 \tag{4-1}$$

式中　P_t——静态投资回收期（年）；

CI——现金流入量；

CO——现金流出量；

$(CI-CO)_t$——第 t 年的净现金流量。

静态投资回收期可根据项目现金流量表计算。其具体计算又分以下两种情况。

1）项目建成投产后各年的净现金流量均相同，则静态投资回收期的计算公式如下：

$$P_t=\frac{I}{A} \tag{4-2}$$

式中　I——项目投入的总投资；

A——项目投产后各年的净现金流量，即 $A=(CI-CO)_t$。

2）项目建成投产后各年的净现金流量不相同，则静态投资回收期可根据项目投资现金流量表计算累计净现金流量求得（图 4-3），也就是在现金流量表中累计净现金流量由负值变为零的时点。其计算公式为：

$$P_t=（累计净现金流量出现正值或零的年数-1）+\frac{上一年份累计净现金流量的绝对值}{出现正值年份的净现金流量} \tag{4-3}$$

或

$$P_t=T-1+\frac{\left|\sum_{t=1}^{T-1}(CI-CO)_t\right|}{(CI-CO)_T}$$

式中　T——各年累计净现金流量首次为正值或零的年数。

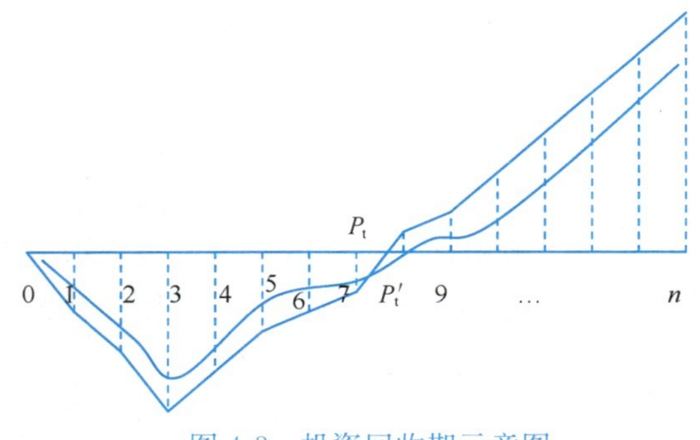

图 4-3　投资回收期示意图

将计算出的静态投资回收期 P_t 与所确定的基准投资回收期 P_c 进行比较。若 $P_t \leqslant P_c$，表明项目投入的总资金能在规定的时间内收回，则项目可以考虑接受；若 $P_t > P_c$，则项目不可行。

（2）动态投资回收期（P'_t）

动态投资回收期（Dynamic Payback Period），是在计算回收期时考虑了资金的时间价值。如果投入与产出的现金流量均服从年末习惯法，自建设开始年算起，其表达式为：

$$\sum_{t=1}^{P'_t}(CI-CO)_t(1+i_c)^{-t}=0 \tag{4-4}$$

式中　P'_t——动态投资回收期（年）；

i_c——基准收益率。

判别准则：设基准动态投资回收期为 P'_c，若 $P'_t<P'_c$，项目可行；否则，应予拒绝。

动态投资回收期更为实用的计算公式是：

$$P'_t=(\text{累计折现值出现正值或零的年数}-1)+\frac{\text{上个年份累计折现值的绝对值}}{\text{出现正值年份的折现值}} \tag{4-5a}$$

或

$$P'_t=T'-1+\frac{\left|\sum_{t=1}^{T'-1}(CI-CO)_t(1+i_c)^{-t}\right|}{(CI-CO)_{T'}(1+i_c)^{-T'}} \tag{4-5b}$$

式中　T'——各年累计净现金流量的折现值首次为正值或零的年数。

【例 4-1】 对于表 4-1 中某项目净现金流量系列，求该项目的静态和动态投资回收期。$i_c=10\%$，$P_c=12$ 年。现金流量服从年末习惯法，建设期 3 年，投资回收期自建设开始年算起。

［例 4-1］净现金流量表（万元）　　表 4-1

年数	净现金流量	累计净现金流量	折现系数	折现值	累计折现值
1	−180	−180	0.9091	−163.64	−163.64
2	−250	−430	0.8264	−206.60	−370.24
3	−150	−580	0.7513	−112.70	−482.94
4	84	−496	0.6830	57.37	−425.57
5	112	−384	0.6209	69.54	−356.03
6	150	−234	0.5645	84.68	−271.35
7	150	−84	0.5132	76.98	−194.37
8	150	66	0.4665	69.98	−124.39
9	150	216	0.4241	63.62	−60.77
10	150	366	0.3855	57.83	−2.94
11	150	516	0.3505	52.57	+49.63
12～20	150	1866	2.018	302.78	352.41

【解】 各年份累计净现金流量和累计折现值列于表 4-1 中，根据式（4-4）和式（4-5）计算得：

$$P_t=8-1+(84\div150)=7.56\text{ 年}$$

$$P'_t=11-1+(2.94\div52.57)=10.06\text{ 年}$$

由于静态投资回收期和动态投资回收期均小于 12 年，则项目可行。

容易推断一般建设项目的动态投资回收期大于静态投资回收期，如图 4-3 所示。

静态投资回收期和动态投资回收期适用于项目融资前的盈利能力分析。

(3) 总投资收益率(ROI)

总投资收益率(Return on Investment,ROI),是指工程项目达到设计生产能力时的一个正常年份的年息税前利润或运营期内年平均息税前利润与项目总投资的比率。其计算公式如下:

$$ROI=\frac{EBIT}{TI}\times 100\% \tag{4-6}$$

式中 ROI——总投资收益率;

$EBIT$(Earnings Before Interest and Tax)——项目达到设计能力后正常年份的年息税前利润或运营期内年平均息税前利润;

TI——项目总投资。

当营业收入计算采用含增值税价格时:

EBIT= 年营业收入 − 年营业税金及附加 − 年总成本费用 + 利息

= 利润总额 + 利息

年营业税金及附加= 年增值税 + 年消费税 + 年资源税 + 年城乡维护建设税

+ 教育费附加 + 地方教育附加

项目总投资=建设投资+建设期利息+流动资金

ROI 是静态指标。$EBIT$ 和 TI 都不是现金流量,需分别计算。

当计算出的总投资收益率高于行业收益率参考值时,认为该项目盈利能力满足要求。

(4) 项目资本金净利润率(ROE)

项目资本金净利润率(Return on Equity,ROE)是静态评价指标,表示项目资本金(Equity)的盈利水平,系指项目达到设计能力后正常年份的年净利润或运营期内年平均净利润与项目资本金的比率。其计算公式如下:

$$ROE=\frac{NP}{EC}\times 100\% \tag{4-7}$$

式中 ROE——项目资本金净利润率;

NP(Net Profit)——项目达到设计能力后正常年份的年净利润或运营期内年平均净利润,NP 等于正常经营年份的年净现金流量减折旧;

EC——项目资本金,包括原有股东增资扩股+吸收新股东投资+发行股票+政府投资+股东直接投资,EC 是项目资本金现金流量表的现金流出项。

当计算出的资本金净利润率高于行业净利润率参考值时,表明用项目资本金净利润率表示的盈利能力满足要求。

总投资收益率和资本金净利润率指标常用于项目融资后盈利能力分析。

(5) 净现值(NPV)

净现值(Net Present Value,NPV),是反映投资方案在计算期内获利能力的动态评价指标。投资方案的净现值是指用一个预定的基准收益率 i_c,分别把整个计算期间内各年所发生的净现金流量都折现到建设期初的现值之和。

当各年现金流量有明确的年初或年末发生时点时,净现值 NPV 计算公式为:

$$NPV=\sum_{t=0}^{n}(CI-CO)_t(1+i_c)^{-t} \tag{4-8a}$$

当各年现金流量没有明确的发生时点时，可假设各年现金流量发生在年末，则净现值 NPV 计算公式为：

$$NPV=\sum_{t=1}^{n}(CI-CO)_t(1+i_c)^{-t} \tag{4-8b}$$

式中 NPV——净现值；

$(CI-CO)_t$——第 t 年或时点的净现金流量（应注意“+”“−”号）；

i_c——基准收益率；

n——方案计算期。

净现值（NPV）是评价项目盈利能力的绝对指标。其评价判据是：当 $NPV>0$ 时，说明该项目除了满足基准收益率要求的盈利之外，还能得到超额收益，故该项目可行；当 $NPV=0$ 时，说明该项目基本能满足基准收益率要求的盈利水平，项目勉强可行或有待改进；当 $NPV<0$ 时，说明该项目不能满足基准收益率要求的盈利水平，该项目不可行。

净现值（NPV）指标的优点是，考虑了资金的时间价值，并全面考虑了项目在整个计算期内的经济状况；经济意义明确，能够直接以货币额表示项目的盈利水平；评价标准容易确定，判断直观。净现值适用于项目融资前整体盈利能力分析。

净现值指标的不足之处是，必须慎重考虑项目互斥方案的寿命，如果互斥方案寿命不等，必须构造一个相同的研究期，才能进行项目各个方案之间的比选；净现值不能反映项目投资中单位投资的使用效率，不能直接说明在项目运营期间各年的经营成果。

对具有常规现金流量（即在计算期内，开始时有支出而后才有收益，且方案的净现金流量序列 A 的符号只改变一次）的项目投资方案，其净现值的大小与基准收益率的高低直接相关。净现值与基准收益率的函数表达式如下：

$$NPV(i)=\sum_{t=0}^{n}(CI-CO)_t(1+i_c)^{-t} \tag{4-9a}$$

$$NPV(i)=\sum_{t=1}^{n}(CI-CO)_t(1+i_c)^{-t} \tag{4-9b}$$

i_c 为基准收益率，工程经济中常规投资项目的净现值函数曲线在 $-1<i_c<\infty$ 内（对大多数工程经济实际问题来说是 $0\leqslant i_c<\infty$）。设 A_t 表示第 t 年的净现金流量，考虑常规投资项目的简单情形为：$A_0<0$，而其他 $A_t>0$，则当 $-1<i_c<\infty$ 时，有：

$$NPV(i_c)=A_0+\frac{A_1}{(1+i_c)}+\frac{A_2}{(1+i_c)^2}+\cdots+\frac{A_n}{(1+i_c)^r}$$

若 i_c 在区间 $-1<i_c<\infty$ 内是连续的，则 NPV（i_c）是 i_c 的连续函数，可以求导。NPV（i_c）的一阶导数与二阶导数分别为：

$$\frac{\mathrm{d}NPV(i_c)}{\mathrm{d}i}=-\left[\frac{A_1}{(1+i)^2}+\frac{2A_2}{(1+i)^3}+\cdots+\frac{nA_n}{(1+i)^{n+1}}\right]\leqslant 0$$

$$\frac{\mathrm{d}^2NPV(i)}{\mathrm{d}i^2}=\left[\frac{2A_1}{(1+i)^3}+\frac{2\times 3A_2}{(1+i)^4}+\cdots+\frac{n(n+1)A_n}{(1+i)^{n+2}}\right]\geqslant 0$$

因此可知，这个简单的常规投资项目的净现值函数曲线是单调下降的，且递减率逐渐减小。即随着基准收益率的逐渐增大，净现值将由大变小，由正变负。NPV 与 i_c 之间的关系一般如图 4-4 所示。

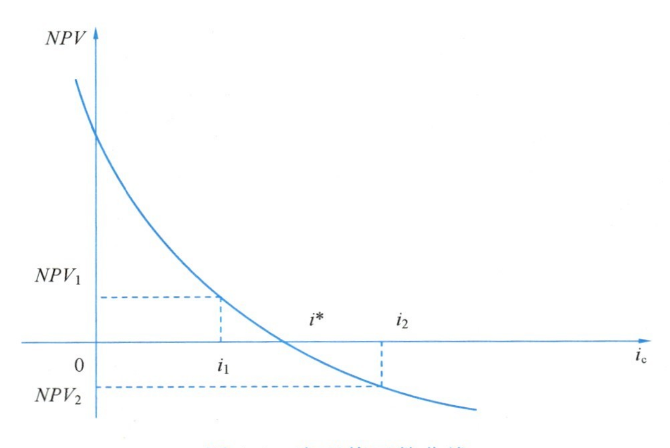

图 4-4 净现值函数曲线

图 4-4 所示的 NPV（i_c）曲线是在 $A_0<0$ 且其他 $A_t>0$ 的条件下得出的，是净现值函数的典型图形。实际上，NPV（i_c）并不总是 i_c 的单调递减函数，而是要根据 A_t的大小和符号及项目寿命 n 来定。不过，对常规投资项目而言，NPV（i_c）的总趋势是随着 i_c 的增大而减小。

按照净现值的评价准则，只要 NPV（i_c）$\geqslant 0$，项目方案就可接受。但由于 NPV（i_c）是 i_c 的递减函数，故基准收益率定得越高，方案被接受的可能性越小。很明显，i_c 可以大到使 NPV（i_c）$=0$。这时 NPV（i_c）曲线与横轴相交，i_c 达到了其临界值 i^*。可以说 i^* 是净现值评价准则的一个分水岭，将 i^* 称为内部收益率。由此可见，基准收益率确定得合理与否，对投资方案经济效果的评价结论有直接的影响，定得过高或过低都会导致投资决策的失误。

（6）内部收益率（IRR）

由图 4-4 可知，内部收益率（Internal Rate of Return，IRR），是使投资方案在计算期内各年净现金流量的现值累计等于零时的折现率。也就是说，在这个折现率时，项目的现金流入的现值和等于其现金流出的现值和。

内部收益率容易被人误解为是项目初期投资的收益率。事实上，内部收益率的经济含义是投资方案占用的尚未回收资金的获利能力，它取决于项目内部。举例说明如下。

【例 4-2】某投资方案的现金流量见表 4-2 所列，其内部收益率 $IRR=20\%$，试分析内部收益率的经济含义。

［例 4-2］现金流量（元） 表 4-2

时点	0	1	2	3	4	5	6
现金流量 A_t	−1000	300	300	300	300	300	307

【解】由于已提走的资金是不能再生息的，因此，设 F_t 为 t 时点尚未回收的投资余额。特殊地，F_0即是项目计算期初的投资额 A_0。从而时点 t 未回收投资余额为：

$$F_t = F_{t-1}(1+i) + A_t \tag{4-10}$$

将 $i=IRR=20\%$代入式（4-10），计算出表 4-3 所示项目的未回收投资在计算期内的恢复过程。与表 4-3 相应的现金流量图如图 4-5 所示。

［例 4-2］未回收投资在计算期内的恢复过程表（元） 表 4-3

时点	0	1	2	3	4	5	6
现金流量 A_t	−1000	300	300	300	300	300	307
第 t 期初未回收投资 F_{t-1}	—	−1000	−900	−780	−636	−463.20	−255.84
第 t 期末的利息 $i\times F_{t-1}$	—	−200	−180	−156	−127.2	−92.64	−51.168
第 t 期末未回收投资 F_t	−1000	−900	−780	−636	−463.2	−255.84	0

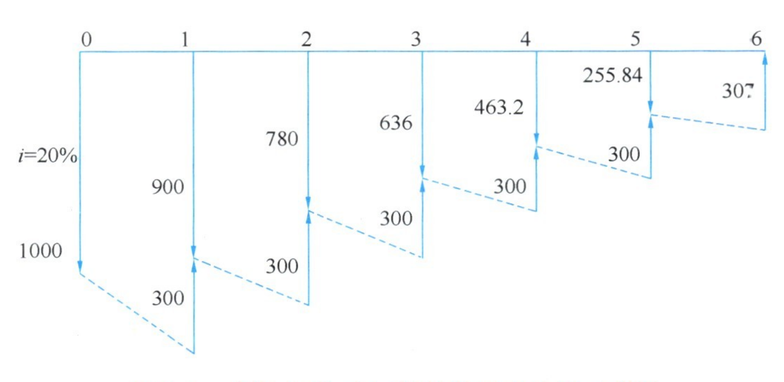

图 4-5 ［例 4-2］未回收投资现金流量示意图

由此可见，项目的内部收益率是项目到计算期末正好将未收回的资金全部收回来的折现率，也可以理解为项目对贷款利率的最大承担能力。

从上述项目现金流量在计算期内的演变过程可发现，在整个计算期内，未回收投资 F_t 始终为负，只有计算期末的未回收投资 $F_n=0$。因此，可将内部收益率定义为：在项目整个计算期内，如果按利率 $i=i^*$ 计算，始终存在未回收投资，且仅在计算期终时，投资才恰被完全收回，那么 i^* 便是项目的内部收益率。这样，内部收益率的经济含义就是，使未回收投资余额及其利息恰好在项目计算期末完全收回的一种利率。

在项目计算期内，项目始终处于“偿付”未被收回投资的状况，内部收益率指标正是项目占用的尚未回收资金的获利能力，能反映项目自身的盈利能力，其值越高，方案的经济性越好。因此，在工程经济分析中内部收益率是考察项目盈利能力的主要动态评价指标。

由于内部收益率不只是初始投资在整个计算期内的盈利率，因而它不仅受项目初始投资规模的影响，而且受项目计算期内各年净收益大小的影响。

对常规投资项目，内部收益率就是净现值为零时的收益率。其数学表达式为：

$$NPV(IRR)=\sum_{t=0}^{n}(CI-CO)_t(1+IRR)^{-t}=0 \tag{4-11a}$$

$$NPV(IRR)=\sum_{t=1}^{n}(CI-CO)_t(1+IRR)^{-t}=0 \tag{4-11b}$$

内部收益率是一个未知的折现率，由式（4-11）可知，求方程式中的折现率需解高次方程，不易求解。在实际工作中，一般是用试算法确定内部收益率 IRR（也可通过计算机直接计算）。试算法的基本原理如下：

首先，试用 i_1 计算 NPV_1（实际工作中 i_1 的确定，往往是根据给出的基准收益率 i_c，作为第一步试算依据）。若得 $NPV_1>0$，再试用 i_2（$i_2>i_1$）计算 NPV_2；如果 $NPV_2>0$，再用 i_3来计算；依此类推，直到 $NPV<0$ 时为止。若 $NPV_2<0$，则 $NPV=0$ 时的 IRR 一定在 i_2至 i_1之间，如图 4-6 所示。此时，即可用线性内插公式式（4-12）求出 IRR 的近似值。

$$IRR=i_1+\frac{NPV_1}{NPV_1+|NPV_2|}(i_2-i_1) \tag{4-12}$$

式中 NPV_1——折现率 i_1时的财务净现值（正）；

NPV_2——折现率 i_2时的财务净现值（负）。

采用线性内插法计算 IRR 时，其计算精度与（i_2-i_1）的差值大小有关，因为折现率与净现值不是线性关系，如图 4-6 所示。i_2与 i_1之间的差距越小，则计算结果就越精确；反之，结果误差就越大。故为保证 IRR 的精度，i_2与 i_1之间的差距一般以不超过 2%为宜，最大不宜超过 5%。

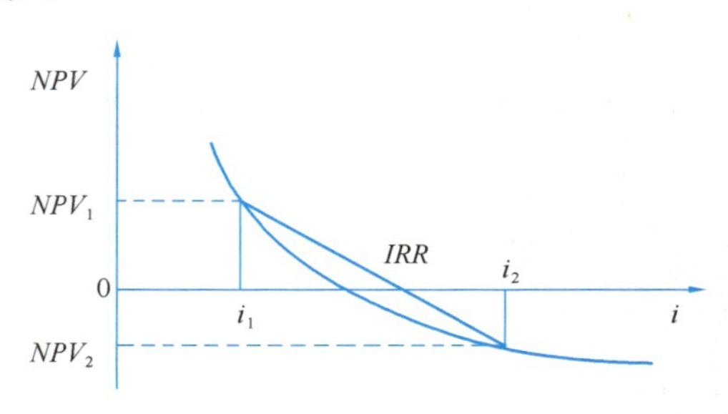

图 4-6 内部收益率线性内插法示意图

采用线性内插法计算 IRR 只适用于具有常规现金流量的投资方案。而对于具有非常规现金流量的方案，由于其内部收益率的存在可能不是唯一的，因此线性内插法就不太适用。为了解决这个问题，需要对投资项目按投资的净现金流量分布特点进行分类。

1）常规投资项目：指计算期内净现金流量的正负号只变化一次，即所有负现金流量都出现在正现金流量之前，且现金流量系列 $\{A_t \mid t=0, 1, 2, \cdots, n\}$ 满足式（4-13）的投资项目。

$$A_t(i^*)<0 \qquad (t=1,2,\cdots,k) \tag{4-13a}$$

$$A_t(i^*)>0 \qquad (t=k+1,k+2,\cdots,n) \tag{4-13b}$$

2）非常规投资项目：指项目在计算期内，带负号的净现金流量不仅发生在建设期（或生产初期），而且分散在带正号的净现金流量之中，即在计算期内净现金流量 A_t变更多次正负号。在此情况下，式（4-11）的解是否就是内部收益率？弄清这些问题对于正确运用内部收益率是非常重要的。

内部收益率的定义可严格地表述为：当 $i=i^*$ 同时满足式（4-14a）和式（4-14b）条件时，则 $i^*=IRR$，即 i^* 是项目的内部收益率。

$$F_t(i^*)\leqslant 0 \quad (t=1,2,3,\cdots,n-1) \tag{4-14a}$$

$$F_t(i^*)=0 \quad (t=n) \tag{4-14b}$$

式中 F_t——第 t 期尚未回收的投资余额。

式（4-14b）只是使 $i^*=IRR$ 的必要条件，还不充分，也就是说，仅仅使净现值为零的利率不一定是内部收益率，只有加上式（4-14a）的条件，才能保证 i^* 一定是内部收益率。

我们把具有满足式（4-14a）和式（4-14b）条件的内部收益率的投资项目称为纯投资项目；把仅满足式（4-14b）条件的内部收益率的项目称为混合投资项目，即在项目计算期内，有可能某一年或某几年出现 F_t（IRR）>0，这时项目投资不仅全部回收，而且还有余额。

仅满足式（4-14b），不满足式（4-14a），意味着计算期内有如 F_t（i^*）>0 的情形，它表示项目不仅在 $t<n$ 的某时点回收完投资支出，而且有盈余。因此，即使有 $i=i^*$ 为式（4-14b）的解，i^* 也不是项目的内部收益率。换言之，混合投资项目不能使用内部收益率指标考察其经济效果，即内部收益率法失效。

通过分析不难得出，常规投资项目都是纯投资项目，式（4-11）有唯一的正数解 i^*，且 $i^*=IRR$；而对于非常规投资项目，由式（4-11）得出的解可能不止一个，如果其中有解 i^* 满足式（4-14a）和式（4-14b），则该解是内部收益率，否则该项目无内部收益率。所以，非常规投资项目既可能是纯投资项目，也可能是混合投资项目。其间关系如图 4-7 所示。

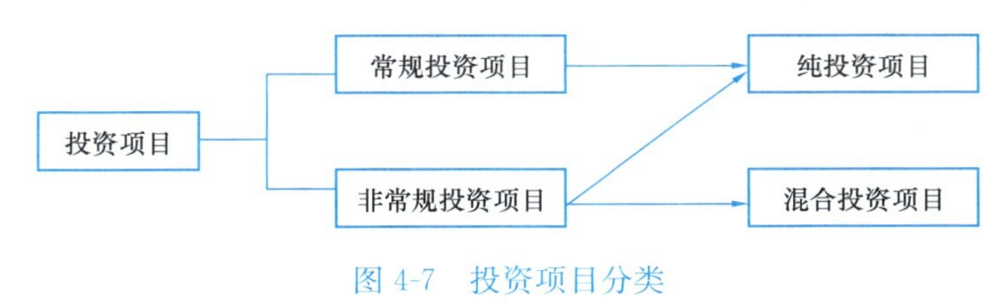

图 4-7　投资项目分类

内部收益率计算出来后，要与基准收益率进行比较。其评价判据是：若 $IRR>i_c$，则项目或方案在经济上可以接受；若 $IRR=i_c$，项目或方案在经济上勉强可行；若 $IRR<i_c$，则项目或方案在经济上应予拒绝。但需注意：项目投资财务内部收益率、项目资本金内部收益率、投资各方财务内部收益率和经济内部收益率可有不同的判别基准。

内部收益率（IRR）指标的优点是，考虑了资金的时间价值以及项目在整个计算期内的经济状况。而且内部收益率值取决于项目的净现金流量系列的分布情况，这种项目内部决定性，使它在应用中具有一个显著的优点，即避免了净现值指标需事先确定基准收益率这个难题，而只需要知道基准收益率的大致范围即可。当要对一个项目进行开发，而未来的情况和未来的折现率都带有高度的不确定性时，采用内部收益率对项目进行评价，往往能取得满意的效果。内部收益率的不足是，对于非常规现金流量的项目来讲，内部收益率可能无解。

（7）净现值率（$NPVR$）

净现值率（Net Present Value Rate，$NPVR$）是在 NPV 的基础上计算，可作为 NPV 的一种补充。净现值率是项目净现值与项目全部投资现值之比。其经济含义是单位投资现值所能带来的净现值，是一个考察项目单位投资盈利能力的指标。由于净现值不直接考察项目投资额的大小，故为考察投资的利用效率，常用净现值率作为净现值的辅助评价指标。净现值率（$NPVR$）计算式如下：

$$NPVR=\frac{NPV}{I_P} \tag{4-15}$$

$$I_P=\sum_{t=0}^{m} I_t(P/F,i_c,t) \tag{4-16}$$

式中　I_P——投资现值；

I_t——t 时点投资额；

m——建设期年数。

应用 $NPVR$ 评价方案时，应使 $NPVR \geqslant 0$，项目方案才能接受。而且在评价时应注意：

1）投资现值与净现值的研究期应一致，即净现值的研究期是 n 期，则投资现值也是研究期为 n 期的投资；

2）计算投资现值与净现值的折现率应一致。

（8）净年值（NAV）

净年值（Net Annual Value，NAV），又叫等额年值、等额年金，是以基准收益率将项目计算期内净现金流量等值换算而成的等额年值。它与净现值（NPV）的相同之处是，两者都要在给出的基准收益率的基础上进行计算；不同之处是，净现值把投资过程的现金流量折算为基准期的现值，而净年值则是把该现金流量折算为等额年值。净年值的计算公式为：

$$NAV = \left[\sum_{t=1}^{n}(CI - CO)_t(1 + i_c)^{-t}\right](A/P, i_c, n) \tag{4-17a}$$

或

$$NAV = NPV(A/P, i_c, n) \tag{4-17b}$$

式中 $(A/P, i, n)$——资本回收系数。

由于净现值是项目在计算期内获得的超过基准收益率水平的收益现值，而净年值则是项目在计算期内每期的等额超额收益，净年值与净现值仅差一个资本回收系数，而且 $(A/P, i_c, n) > 0$，依式（4-17b），NAV 与 NPV 总是同为正或负，故 NAV 与 NPV 在评价同一个项目时的结论总是一致的。其评价准则是：若 $NAV \geqslant 0$，则项目在经济上可以接受；若 $NAV < 0$，则项目在经济上应予拒绝。

2. 清偿能力指标

工程项目清偿能力分析是项目融资后分析的重要内容，是项目融资主体和债权人共同关心的指标。

（1）利息备付率（ICR）

利息备付率（Interest Coverage Ratio，ICR），也称已获利息倍数，指项目在借款偿还期内各年可用于支付利息的息税前利润与当期应付利息费用的比值。其表达式为：

$$ICR = \frac{EBIT}{PI} \tag{4-18}$$

式中 ICR——利息备付率；

$EBIT$——息税前利润；

PI——计入总成本费用的应付利息。

$$\text{税息前利润} = \text{利润总额} + \text{计入总成本费用的利息} \tag{4-19}$$

利息备付率分年计算时，当期应付利息是指计入总成本费用的当期全部利息。利息备付率在借款偿还期内按总额计算时，当期应付利息是指借款期内应付利息总和。利息备付率越高，表明利息偿付的保障程度越高。

利息备付率表示使用项目利润偿付利息的保证倍率。参考国际经验和国内行业的具体情况，根据我国企业历史数据统计分析，利息备付率应大于1，并满足债权人的要求。

（2）偿债备付率（*DSCR*）

偿债备付率（Debt Service Coverage Ratio，*DSCR*），指项目在借款偿还期内，各年可用于还本付息的资金与当期应还本付息金额的比值。其计算公式为：

$$DSCR = \frac{EBITDA - T_{AX}}{FD} \tag{4-20}$$

式中 $DSCR$——偿债备付率；

$EBITDA$——息税前利润加折旧和摊销；

T_{AX}——企业所得税；

$EBITDA - T_{AX}$——可用于还本付息资金；

FD——应还本付息金额。

可用于还本付息的资金包括：可用于还款的折旧和摊销，成本中列支的利息费用，可用于还款的所得税后利润等。

当期应还本付息金额包括当期应还贷款本金额及计入成本的全部利息。融资租赁的本息和运营期内的短期借款本息也应纳入还本付息金额。

偿债备付率应分年计算，也可在借款偿还期内按总额计算。偿债备付率高，表明可用于还本付息的资金保障程度高。

偿债备付率表示可用于还本付息的资金偿还借款本息的保证倍率。偿债备付率应大于1，并满足债权人的要求。

（3）资产负债率（*LOAR*）

资产负债率（Liability on Asset Ratio，*LOAR*）指各期末负债总额同资产总额的比率。其计算公式为：

$$LOAR = \frac{TL}{TA} \times 100\% \tag{4-21}$$

式中 $LOAR$——资产负债率；

TL——期末负债总额；

TA——期末资产总额。

适度的资产负债率，表明企业经营安全、稳健，具有较强的筹资能力，也表明企业和债权人的风险较小。对该指标的分析，应结合国家宏观经济状况、行业发展趋势、企业所处竞争环境等具体条件判定。项目财务分析中，在长期债务还清后，可不再计算资产负债率。

4.2 基准收益率的确定方法

4.2.1 基准收益率的影响因素

基准收益率（Minimum Attractive Rate of Return），是企业或行业或投资者确定的投资项目最低标准收益水平。它表明投资决策者对项目资金时间价值的估价，是投资应当获得的最低盈利率水平，是评价和判断项目在经济上是否可行的依据，是一个重要的经济参数。对于竞争性项目，财务评价时基准收益率的确定一般以行业的平均收益率为基础，同时综合考虑资金成本、投资风险、通货膨胀以及资金限制等影响因素。对于国家投资项目，进行经济评价时使用的基准收益率是由国家组织测定并发布的社会基准收益率；非国家投资项目，由投资者自行确定，但应考虑以下因素：

（1）资金成本或机会成本（i_1）

资金成本（Capital Cost），是为取得资金使用权所支付的费用。项目投资后所获利润额必须能够补偿资金成本，然后才能有利可言。因此，基准收益率最低限度不应小于资金成本，否则便无利可图。

机会成本（Opportunity Cost），是指投资者将有限的资金用于除拟建项目以外的其他投资机会所能获得的最好收益。换言之，由于资金有限，当把资金投入拟建项目时，将失去从其他最好的投资项目中获得收益的机会。显然，基准收益率应不低于单位资金成本和单位投资的机会成本中的最大值，这样才能使资金得到最有效的利用。这一要求可用下式表达：

$$i_c \geqslant i_1 = \max\{\text{单位资金成本,单位投资机会成本}\} \tag{4-22}$$

如建设项目完全由企业自有资金投资建设，可参考行业基准收益率确定项目基准收益率，这时可将机会成本等同于行业基准收益率；假如建设项目资金来源包括自有资金和贷款时，最低收益率不应低于行业基准收益率与贷款利率的加权平均收益率。如果有好几种贷款时，贷款利率应为加权平均贷款利率。

（2）风险贴补率（i_2）

在整个项目计算期内，存在着发生不利于项目的环境变化的可能性，这种变化难以预料，即投资者要冒着一定风险作决策。所以，在确定基准收益率时，仅考虑资金成本、机会成本因素是不够的，还应考虑风险因素。通常，以一个适当的风险贴补率 i_2 来提高 i_c 值。就是说，以一个收益水平增量补偿投资者所承担的风险，风险越大，贴补率越高。为此，投资者自然就要求获得较高的利润，否则他是不愿去冒风险的。为了限制对风险大、盈利低的项目进行投资，可以采取提高基准收益率的办法来进行项目经济评价。

一般说来，从客观上看项目的风险，资金密集的高于劳动密集的；资产专用性强的高于资产通用性强的；以降低生产成本为目的的低于以扩大产量、扩大市场份额为目的的。从主观上看，资金雄厚的投资主体的风险低于资金拮据者。

（3）通货膨胀率（i_3）

通货膨胀（Inflation），指因货币供给大于货币实际需求，导致货币贬值，而引起的一段时间内物价持续而普遍地上涨现象。为反映和评价出拟建项目在未来的真实经济效果，在确定基准收益率时，应以一个收益水平增量 i_3 补偿投资者所承担的通货膨胀风险。

通货膨胀率主要表现为物价指数的变化，即通货膨胀率 i_3 约等于物价指数变化率。由于通货膨胀年年存在，因此，通货膨胀的影响具有复利性质。一般每年的通货膨胀率是不同的，但为了便于研究，常取一段时间的平均通货膨胀率，即在所研究的计算期内，通货膨胀率可以视为固定的。

（4）资金限制

资金越少，越需要精打细算，使之利用得更加有效。为此，在资金短缺时，应通过提高基准收益率的办法进行项目经济评价，以便筛选掉盈利能力较低的项目。

（5）环境影响程度

项目对生态环境破坏程度越大，越应该提高基准收益率，增高项目准入门槛。

4.2.2 基准收益率的确定方法

基准收益率的测定可采用代数和法、资本资产定价模型法、加权平均资金成本法、典型项目模拟法、德尔菲专家调查法等方法，也可同时采用多种方法进行测算，将不同方法测算的结果互相验证，经协调后确定。

1. 代数和法

若项目现金流量是按当年价格预测估算的，则应以年通货膨胀率 i_3 修正 i_c 值。基准收益率可近似地用单位投资机会成本、风险贴补率、通货膨胀率之代数和表示，即：

$$i_c=(1+i_1)(1+i_2)(1+i_3)-1\approx i_1+i_2+i_3 \tag{4-23}$$

若项目的现金流量是按基年不变价格预测估算的，预测结果已排除通货膨胀因素的影响，就不再重复考虑通货膨胀的影响。即：

$$i_c=(1+i_1)(1+i_2)-1\approx i_1+i_2 \tag{4-24}$$

上述近似计算的前提条件是 i_2、i_3的值较小。

2. 资本资产定价模型法

采用资本资产定价模型法（Capital Asset Pricing Model，*CAPM*）测算行业财务基准收益率的公式为：

$$k=K_f+\beta\times(K_m-K_f) \tag{4-25}$$

式中 k——权益资金成本；

K_f——市场无风险收益率；

β——风险系数；

K_m——市场平均风险投资收益率。

式（4-25）中的风险系数，是反映行业特点与风险的重要数值，也是测算工作的重点和基础。应在行业内抽取有代表性的企业样本，以若干年企业财务报表数据为基础测算。

式（4-25）中的市场无风险收益率，一般可采用政府发行的相应期限的国债利率；市场平均风险投资收益率可依据国家有关统计数据测定。

由式（4-25）测算出的权益资金成本，可作为确定财务基准收益率的下限，再综合比对采用其他方法测算得出的行业财务基准收益率后，确定基准收益率的取值。

3. 加权平均资金成本法

采用加权平均资金成本法（Weighted Average Cost of Capital，*WACC*）测算基准收益率的公式为：

$$WACC=K_e\frac{E}{E+D}+K_d\frac{D}{E+D} \tag{4-26}$$

式中 $WACC$——加权平均资金成本；

K_e——权益资金成本；

K_d——债务资金成本；

E——股东权益；

D——企业负债。

根据式（4-26）测算出的行业加权平均资金成本，可作为全部投资行业财务基准收益率的下限，再综合考虑其他方法得出的基准收益率进行调整后，确定全部投资行业财务基准收益率的取值。

4. 典型项目模拟法

采用典型项目模拟法测算基准收益率，应在合理时间区段内，选择一定数量的具有行业代表性的已进入正常生产运营状态的典型项目，采集实际数据，计算项目的财务内部收益率，对结果进行必要的分析，并综合各种因素后确定基准收益率。

5. 德尔菲专家调查法

采用德尔菲（Delphi）专家调查法测算行业财务基准收益率，应统一设计调查问卷，征求一定数量的熟悉本行业情况的专家，依据系统的程序，采用匿名发表意见的方式，通过多轮次调查专家对本行业建设项目财务基准收益率取值的意见，逐步形成专家的集中意见，对调查结果进行必要的分析，并综合各种因素后确定基准收益率。

4.3 方案经济评价方法

4.3.1 评价方案类型

要想采用经济评价指标正确分析建设项目方案的经济性，仅凭对评价指标的计算及判别是不够的，还必须了解建设项目方案所属的类型，从而按照方案的类型确定适合的评价指标，作为最终的科学依据。所谓建设项目方案类型是指一组备选方案之间所具有的相互关系。这种关系类型一般有单一方案和多方案两类，如图 4-8 所示。单一方案可以直接采用经济评价指标及其评价判据进行分析。而多方案中的互斥型、互补型、现金流量相关型、组合—互斥型和混合相关型五种类型就要具体问题具体分析了。

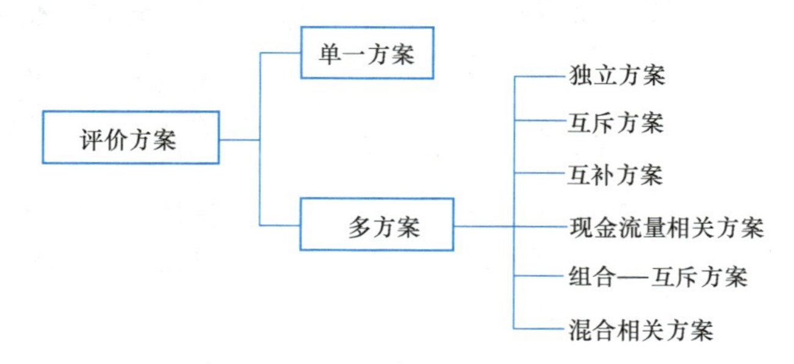

图 4-8 评价方案的分类

1. 独立方案

指多方案间互不干扰、在经济上互不相关的方案，即这些方案是彼此独立无关的，选择或放弃其中一个方案，并不影响对其他方案的选择。显然，单一方案是独立方案的特例。

2. 互斥方案（又称排他方案）

在若干备选方案中，各个方案彼此可以相互代替，因此方案具有排他性，选择其中任何一个方案，则其他方案必然被排斥。这种择此就不能择彼的若干方案，就叫互斥方案或排他型方案。在工程建设中，互斥方案还可按以下因素进行分类。

（1）按服务寿命长短不同，投资方案可分为：

1）相同服务寿命的方案，即参与对比或评价方案的服务寿命均相同；

2）不同服务寿命的方案，即参与对比或评价方案的服务寿命部分或全部不相同；

3）无限寿命的方案，在工程建设中永久性工程即可视为无限寿命的工程，如大型水利工程、铁道工程等。

（2）按规模不同，投资方案可分为：

1）相同规模的方案，即参与对比或评价的项目方案具有相同的产出量或容量，在满足相同功能的数量方面具有一致性和可比性；

2）不同规模的方案，参与评价的项目方案具有不同的产出量或容量，在满足相同功能的数量方面不具有一致性和可比性。

项目互斥方案比较，是工程经济评价工作的重要组成部分，也是寻求合理决策的必要手段。

3. 互补方案

在多方案中，出现技术经济互补的方案称为互补型方案。根据互补方案之间相互依存的关系，互补方案可能是对称的，如建设一个大型非坑口电站，必须同时建设铁路、电厂，它们无论在建成时间、建设规模上都要彼此适应，缺少其中任何一个项目，其他项目就不能正常运行，它们之间是互补的，又是对称的。此外，还存在着大量不对称的经济互补，如建造一座建筑物 A 和增加一个太阳能系统 B，建筑物 A 本身是有用的，增加太阳能系统 B 后使建筑物 A 更节能，但采用建筑物 A 的同时不一定要采用系统 B。

4. 现金流量相关方案

现金流量相关是指各方案的现金流量之间存在着相互影响。即方案间不完全独立，任一方案的取舍会导致其他方案现金流量的变化，这些方案被称为现金流量相关。例如，一过江交通项目，有两个考虑方案，一个是建桥方案 A，另一个是轮渡方案 B，两个方案都是收费的。此时任一方案的实施或放弃都会影响另一方案的现金流量。

5. 组合—互斥方案

在若干可采用的独立方案中，如果有资源约束条件，比如受资金、劳动力、材料、设备及其他资源拥有量限制，则只能从中选择一部分方案实施。例如，现有独立方案 A、B、C、D，所需的投资分别为 10000 万元、6000 万元、4000 万元、3000 万元。现若资金总额限量为 10000 万元时，除 A 方案具有完全的排他性，而其他方案由于所需金额不大，可以互相组合。这样，可能选择的互斥方案共有：A、B、C、D、$B+C$、$B+D$、$C+D$ 等七个组合方案。因此，当受某种资源约束时，独立方案可以组成多种组合方案，这些组合方案之间是互斥或排他的。

6. 混合相关方案

在方案众多的情况下，方案间的相关关系可能包括多种类型，称之为混合相关型。

在经济效果评价前，分清工程项目方案属于何种类型是非常重要的，因为方案类型不同，其评价和选择方法不同。否则会产生错误的评价结果。

4.3.2 独立方案经济评价

独立方案评价的实质是在“做”与“不做”之间进行选择。因此，独立方案在经济上是否可接受，取决于方案自身的经济性，即方案的经济效果是否达到或超过了预定的评价标准。欲知这一点，只需通过计算方案的经济效果指标，并按照指标的判据加以检验就可做到。这种对方案自身经济性的检验叫做“绝对经济效果检验”。对独立方案而言，若方案通过了绝对经济效果检验，就认为方案在经济上是可行的；否则，应予拒绝。

1. 静态评价

对单一方案进行经济效果静态评价，主要是对项目方案的总投资收益率或静态投资回收期 P_t 指标进行计算，并与确定的行业投资收益率参考值或基准投资回收期 P_c 进行比较，以此判断方案经济效果的优劣。若方案的投资收益率大于行业平均投资收益率，方案可行；或者投资方案的投资回收期 $P_t \leqslant P_c$，表明方案投资能在规定的时间内收回，方案可接受。

2. 动态评价

对单一方案进行动态经济评价，主要应用净现值 NPV 和内部收益率 IRR 指标进行评价。

应用净现值 NPV 评价时，首先依据现金流量表和确定的基准收益率计算方案的净现值 NPV；根据净现值 NPV 的评价判据，当 $NPV \geqslant 0$，方案可行。

应用内部收益率 IRR 时，首先依据现金流量表求出 IRR，然后与基准收益率 i_c 进行比较，最后选择方案。项目的内部收益率越大，显示投资方案的经济效果越好。

对常规投资项目，从图 4-6 可知：

当 $IRR > i_1 = i_c$ 时，根据 IRR 的原理，方案可接受；从图中可见，i_1 对应的 NPV（$i_1 = i_c$）>0，根据 NPV 原理，方案也可接受。

当 $IRR < i_2 = i_c$ 时，根据 IRR 原理，方案不能接受；i_2 对应的 NPV（$i_2 = i_c$）<0，根据 NPV 原理，方案也不能接受。

由此可见，对常规投资项目来说，用 NPV、IRR 分别评价独立方案，其评价结论是一致的。

4.3.3 互斥型方案经济评价

方案的互斥性，使我们在若干方案中只能选择一个方案实施。为使资金发挥最大的效益，选出的方案应是若干备选方案中经济性最优的。为此，就需要进行方案间相对经济效果评价，也就是任一方案都必须与其他所有方案一一进行比较。但仅此还不充分，因为某方案相对最优并不能证明该方案在经济上一定可行，即不能排除“矮中拔高”的情况（即从若干都不可行的方案中选较优者）。因此，互斥方案经济效果评价包含两部分内容：一是考察各个方案自身的经济效果，即进行绝对效果检验；二是考察哪个方案相对经济效果最优，即相对效果检验。两种检验的目的和作用不同，通常缺一不可。但需要注意的是，在进行相对经济效果评价时，必须满足方案可比条件。

1. 互斥方案静态评价

互斥方案常用增量投资收益率、增量静态投资回收期、年折算费用、综合总费用等评价方法进行相对经济效果的静态评价。

（1）增量投资收益率法

增量投资收益率法，就是通过计算互斥方案增量投资收益率，以此判断互斥方案相对经济效果，据此选择方案。

现有甲、乙两个互斥方案，其生产规模相同或基本相同时，如其中一个方案的投资额和总成本费用都为最小，则该方案就是最理想的方案。但是实践中往往达不到这样的要求。

经常出现的情况是，某一个方案的投资额小，但总成本费用却较高；而另一方案正相反，其投资额较大，但总成本费用却较省。这样，投资大的方案与投资小的方案就形成了增量的投资，但投资大的方案正好总成本费用较低，它比投资小的方案在总成本费用上又带来了节约。

增量投资所带来的总成本费用上的节约与增量投资之比就叫增量投资收益率。

现设 I_1、I_2 分别为甲、乙方案的投资额，C_1、C_2 为甲、乙方案的总成本费用。

如 $I_2>I_1$，$C_2<C_1$，则增量投资收益率 R（2-1）为：

$$R(2-1)=\frac{C_1-C_2}{I_2-I_1}\times 100\% \tag{4-27a}$$

对比方案年总成本费用之差，也可用年利润总额之差表示。当相对比的两个方案生产能力相同时，即年收入相同时，它们年总成本费用的节约额，实质上就是它们年利润总额之差。

以 O 表示年产量，P 表示单位售价，$O\times P$ 为年收入；C_1、C_2 分别表示 1、2 方案的年总成本费用；A_1、A_2 分别表示 1、2 方案的年利润总额。

$$A_1=O\times P-C_1, A_2=O\times P-C_2$$

$$A_2-A_1=(O\times P-C_2)-(O\times P-C_1)=C_1-C_2$$

式（4-27a）即可写为：

$$R(2-1)=\frac{C_1-C_2}{I_2-I_1}\times 100\%=\frac{A_2-A_1}{I_2-I_1}\times 100\% \tag{4-27b}$$

若计算出来的增量投资收益率大于基准投资收益率，则投资大的方案可行，它表明投资的增量（I_2-I_1）完全可以由总成本费用的节约（C_1-C_2）或增量利润总额（A_2-A_1）来得到补偿。反之，投资小的方案为最优方案。

前述式（4-27a）、式（4-27b），仅适用于对比方案的产出量（或生产率、年营业收入）相同或区别不大的情形。当对比方案的生产率（或产出量）不同时，则先要作产量等同化处理，然后再计算追加投资利润率。产量等同化处理的方法有两种：

1）用单位生产能力投资和单位产品总成本费用计算

即用方案 1、2 的产量 O_1、O_2，分别除对应的投资或总成本费用，得到单位能力投资或单位产品总成本费用。R（2-1）的计算公式如下：

$$R(2-1)=\frac{\left(\frac{C_1}{O_1}-\frac{C_2}{O_2}\right)}{\left(\frac{I_2}{O_2}-\frac{I_1}{O_1}\right)}\times 100\%=\frac{\left(\frac{A_2}{O_2}-\frac{A_1}{O_1}\right)}{\left(\frac{I_2}{O_2}-\frac{I_1}{O_1}\right)}\times 100\% \tag{4-28a}$$

2）用扩大系数计算

以两个方案年产量的最小公倍数作为方案的年产量，这样达到产量等同化。

$$R(2-1)=\frac{(C_1b_1-C_2b_2)}{(I_2b_2-I_1b_1)}\times 100\%=\frac{(A_2b_2-A_1b_1)}{(I_2b_2-I_1b_1)}\times 100\% \tag{4-28b}$$

式中 b_1、b_2——方案 1、方案 2 年产量扩大的倍数。

b_1、b_2必须满足：$O_1b_1=O_2b_2$，即 $O_1/O_2=b_2/b_1$。

以上两种产量等同化处理方法均假设投资和总成本费用与产量成正比。

当两个对比方案不是同时投入使用时，其增量投资利润率 R'（2-1）的计算公式如下：

$$R'(2-1)=\frac{(C_1-C_2)}{(I_2-I_1\pm\Delta k)}\times 100\%=\frac{(A_2-A_1)}{(I_2-I_1\pm\Delta k)}\times 100\% \tag{4-29}$$

式中 Δk——某一方案提前投入使用的投资补偿额。

当 $C_1>C_2$、$I_2>I_1$ 时，第 1 方案提前投入使用时的投资补偿额为（$O_1\times P-C_1$）T_1；第 2 方案提前投入使用时的投资补偿额为（$O_2\times P-C_2$）T_2。T_1、T_2为第 1、第 2 方案提前投入使用时间（以年计）。因此，当第 1 方案提前使用时，取$+\Delta k$；第 2 方案提前使用时，取$-\Delta k$。

（2）增量投资回收期法

当互斥方案的产量相等时，增量投资回收期就是用经营成本的节约或增量净现金流量来补偿其增量投资的年限。

当各年经营成本的节约（C_1-C_2）或增量净现金流量（A_2-A_1）基本相同时，其计算公式为：

$$P_t(2-1)=\frac{I_2-I_1}{C_1-C_2}=\frac{I_2-I_1}{A_2-A_1} \tag{4-30a}$$

当各年经营成本的节约（C_1-C_2）或增量净现金流量（A_2-A_1）差异较大时，其计算公式为：

$$(I_2-I_1)=\sum_{t=1}^{P_t(2-1)}(A_2-A_1) \tag{4-30b}$$

计算出来的增量投资回收期，若小于基准投资回收期，则投资大的方案可行。反之，选投资小的方案。

当两个对比方案不是同时投入使用时，增量投资回收期为：

$$P_t(2-1)=\frac{(I_2-I_1\pm\Delta k)}{(C_1-C_2)}=\frac{(I_2-I_1\pm\Delta \mathrm{k})}{(A_2-A_1)} \tag{4-31}$$

当互斥方案的产量不同时，增量投资回收期为：

$$P_t(2-1)=\frac{\left(\frac{I_2}{O_2}-\frac{I_1}{O_1}\right)}{\left(\frac{A_2}{O_2}-\frac{A_1}{O_1}\right)} \tag{4-32a}$$

$$P_t(2-1)=\frac{(I_2b_2-I_1b_1)}{(A_2b_2-A_1b_1)} \tag{4-32b}$$

（3）年折算费用法

当互斥方案个数较多且产量相同时，可用年折算费用法评价互斥方案，即将投资额用基准投资回收期分摊到各年，再与各年的年经营成本相加。年折算费用计算公式如下：

$$Z_j = \frac{I_j}{P_c} + C_j \tag{4-33}$$

式中 Z_j——第 j 方案的年折算费用；

I_j——第 j 方案的总投资；

P_c——基准投资回收期；

C_j——第 j 方案的年经营成本。

在多方案比较时，以方案的年折算费用大小作为评价准则，选择年折算费用最小的方案为最优方案。这与增量投资收益法的结论是一致的。

（4）综合总费用法

当互斥方案个数较多且产量相同时，也可用综合总费用法评价互斥方案。方案的综合总费用是方案的投资与基准投资回收期内年经营成本的总和。计算公式如下：

$$S_j = I_j + P_c \times C_j \tag{4-34}$$

式中 S_j——第 j 方案的综合总费用。

很显然，$S_j = P_c \times Z_j$。故方案的综合总费用即为基准投资回收期内年折算费用的总和。

在方案评选时，综合总费用最小的方案，即 $\min\{S_j\}$ 为最优方案。

2. 互斥方案动态评价

动态评价是通过等值计算，将不同时点的净现金流量，换算到同一时点，从而消除方案时间价值上的不可比。常用的互斥方案动态评价方法有净现值 NPV、内部收益率 IRR、净年值 NAV、净现值率 $NPVR$ 等几种。

（1）计算期相同时互斥方案动态评价

1）净现值（NPV）法

对互斥方案评价，首先分别计算各个方案的净现值，剔除 $NPV<0$ 的方案，即进行方案的绝对效果检验；然后对所有 $NPV \geqslant 0$ 的方案比较其净现值，选择净现值最大的方案为最佳方案。净现值评价互斥方案的判据是：净现值不小于零且为最大的方案是最优可行方案。

很容易证明，按方案净现值的大小直接进行比较，可同时满足对互斥方案绝对效果评价和相对效果评价的要求。如果各年现金流量服从年末习惯法，则：

$$\begin{aligned}
NPV &= \sum_{t=1}^{n}(CI-CO)_t(1+i_c)^{-t} = \sum_{t=0}^{n}A_t(P/F,i_c,t) \\
NPV(2-1) &= \sum_{t=1}^{n}(A_2-A_1)_t(P/F,i_c,t) \\
&= \sum_{t=1}^{n}A_{2t}(P/F,i_c,t) - \sum_{t=1}^{n}A_{1t}(P/F,i_c,t) \\
&= NPV(2) - NPV(1)
\end{aligned} \tag{4-35}$$

当目标是使净现值最大时，如果 $NPV(2) \geqslant NPV(1)$，则 $NPV(2-1)$ 一定是正的。由此可见，两者结论是一致的。但直接用净现值的大小来比较更为方便。

在工程经济分析中，对方案所产生的效益相同（或基本相同），但效益无法或很难用货币直接计量的互斥方案进行比较时，常用费用现值 PW 比较替代净现值进行评价，以费用现值较低的方案为最佳。如各年现金流量服从年末习惯法，其表达式为：

$$PW=\sum_{t=1}^{n}CO_t(1+i_c)^{-t}=\sum_{t=1}^{n}CO_t(P/F,i_c,t) \tag{4-36}$$

净现值法是评价互斥方案时最常用的方法。有时我们在采用不同的评价指标对方案进行比选时，会得出不同的结论，这时往往以净现值指标为最后衡量的标准。

2）增量内部收益率（ΔIRR）法

应用内部收益率（IRR）对互斥方案评价，能不能直接按各互斥方案的内部收益率（$IRR_j \geqslant i_c$）的高低来选择方案呢？答案是否定的。因为内部收益率不是项目初始投资的收益率，而且内部收益率受现金流量分布的影响很大，净现值相同的两个分布状态不同的现金流量，会得出不同的内部收益率。因此，直接按各互斥方案的内部收益率的高低来选择方案并不一定能选出净现值（基准收益率下）最大的方案，即 IRR（2）$>IRR$（1）$\geqslant i_c$并不意味着一定有 IRR（2-1）$=\Delta IRR>i_c$。

【例 4-3】现有两互斥方案，其净现金流量见表 4-4 所列。设基准收益率为 10%，试用净现值和内部收益率评价方案。

［例 4-3］现金流量表（万元） 表 4-4

方 案	各时点净现金流量				
	0	1	2	3	4
1 方案	−7000	1000	2000	6000	4000
2 方案	−4000	1000	1000	3000	3000

【解】（1）净现值 NPV 计算

$NPV(1)=-7000+1000(P/F,10\%,1)+2000(P/F,10\%,2)+6000(P/F,10\%,3)+4000(P/F,10\%,4)=2801.7$ 万元

$NPV(2)=-4000+1000(P/F,10\%,1)+1000(P/F,10\%,2)+3000(P/F,10\%,3)+3000(P/F,10\%,4)=2038.4$ 万元

（2）内部收益率 IRR 计算

由 $NPV(IRR_1)=-7000+1000(P/F,IRR_1,1)+2000(P/F,IRR_1,2)+6000(P/F,IRR_1,3)+4000(P/F,IRR_1,4)=0$

解得：$IRR_1=23.67\%$

由 $NPV(IRR_2)=-4000+1000(P/F,IRR_2,1)+1000(P/F,IRR_2,2)+3000(P/F,IRR_2,3)+3000(P/F,IRR_2,4)=0$

解得：$IRR_2=27.29\%$

从以上情况可知，1 方案的内部收益率低，净现值高；而 2 方案则内部收益率高，净现值低。如图 4-9 所示。

从计算结果或图 4-9 可看出，$IRR_1<IRR_2$，如果以内部收益率为评价准则，2 方案优于 1 方案；而以净现值为评价准则，基准收益率为 $i_c=10\%$时，NPV（1）$>NPV$（2），方案 1 优于方案 2。这就产生了矛盾。到底哪个指标作评价准则得出的结论正确呢？

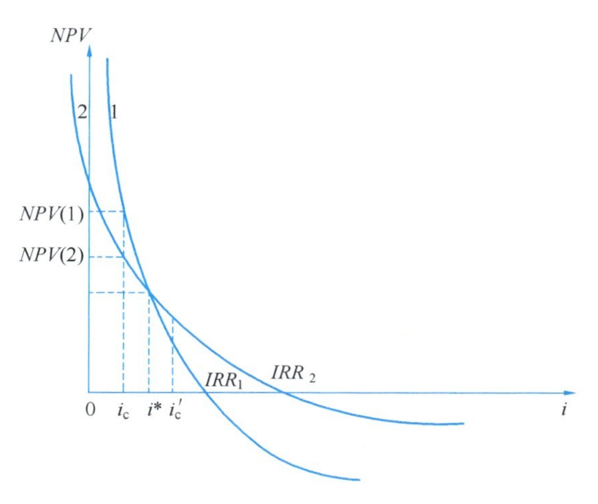

图 4-9 互斥方案净现值函数示意图

由于净现值是相对效果和绝对效果合二而一的指标，评价结果有效。而用内部收益率评价互斥方案，仅有了绝对效果，还要看相对效果评价结果，即增量投资内部收益率 ΔIRR 是否大于基准收益率 i_c，若 $\Delta IRR>i_c$，投资大的方案 1 优于方案 2；若 $\Delta IRR<i_c$，则投资小的方案 2 优于方案 1。

增量投资内部收益率 ΔIRR 是两方案各年净现金流量差额的现值之和等于零时的折现率，其表达式为：

$$\Delta NPV(\Delta IRR)=\sum_{t=0}^{n}(A_{1t}-A_{2t})(1+\Delta IRR)^{-t}=0 \text{ 或 }$$
$$\Delta NPV(\Delta IRR)=\sum_{t=1}^{n}(A_{1t}-A_{2t})(1+\Delta IRR)^{-t}=0 \tag{4-37a}$$

$$\sum_{t=0}^{n}A_{1t}(1+\Delta IRR)^{-t}=\sum_{t=0}^{n}A_{2t}(1+\Delta IRR)^{-t}\text{ 或 }$$
$$\sum_{t=1}^{n}A_{1t}(1+\Delta IRR)^{-t}=\sum_{t=1}^{n}A_{2t}(1+\Delta IRR)^{-t} \tag{4-37b}$$

式中 ΔIRR——增量投资内部收益率；

$A_{1t}=(CI-CO)_{1t}$——初始投资大的方案年净现金流量；

$A_{2t}=(CI-CO)_{2t}$——初始投资小的方案年净现金流量。

从式（4-37b）可看出，增量投资内部收益率就是 NPV（1）$=NFV$（2）时的折现率。计算本例增量投资内部收益率$\Delta IRR=18.80\%$。增量投资内部收益率大于基准收益率 10%，投资大的方案 1 优于方案 2，与净现值评价准则的结论一致，与内部收益率直接比较的结论矛盾。若基准收益率为 $i'_c=20\%$，如图 4-9 所示，则 NPV'（1）$<NPV'$（2），$IRR_2>IRR_1$，$\Delta IRR<i'_c$，无论以哪个指标为评价准则，得出的结论完全一致，方案 2 优于方案 1。所以，采用内部收益率评价互斥方案的绝对效果后，再采用增量投资内部收益率评价互斥方案的相对效果的结果，可与按净现值指标评价结果保持一致。

增量投资内部收益率也是两互斥方案等额年金相等的折现率。

增量内部收益率法也可用于仅有费用现金流量的互斥方案比选。在这种情况下，实际上是把增量投资所导致的对其他费用的节约看成是增量收益。

应用内部收益率 *IRR* 评价互斥方案经济效果的基本步骤如下：

① 计算各备选方案的 IRR_j，分别与基准收益率 i_c 比较，IRR_j 小于 i_c 的方案，即予淘汰。

② 将 $IRR_j \geqslant i_c$ 的方案按初始投资额由小到大依次排列。依次用初始投资大的方案的现金流量减去初始投资小的方案的现金流量，所形成的增量投资方案的现金流量是常规投资形式，处理起来较为方便。

③ 按初始投资额由小到大依次计算相邻两个方案的增量内部收益率 ΔIRR，若 $\Delta IRR > i_c$，则说明初始投资大的方案优于初始投资小的方案，保留投资大的方案；反之，则保留投资小的方案。直至全部方案比较完毕，保留的方案就是最优方案。

3）净年值（*NAV*）法或年成本（*AC*）法

前述已知，净年值与净现值是等价的（或等效的）。同样，在互斥方案评价时，只需按方案净年值的大小直接进行比较即可得出最优可行方案。在具体应用净年值评价互斥方案时，常根据应用的条件不同，分为净年值法与年成本法两种情况。

第一种情况，当给出“＋”“－”现金流量时，分别计算各方案的净年值。凡净年值小于 0 的方案，先行淘汰；在余下方案中，选择净年值大者为优。若各方案的净年值均为“－”，且必须从中选择一方案时，择其绝对值小者为优。

第二种情况，当各方案所产生的效益相同，或者当各方案所产生的效益无法或很难用货币直接计量时，可以用等额年成本（Annual Cost，*AC*）替代净年值（*NAV*）进行评价，以年成本（*AC*）较低的方案为最佳。其表达式为：

$$AC = \sum_{t=0}^{n} CO_t (P/F, i_c, t)(A/P, i_c, n) \tag{4-38a}$$

$$AC = \sum_{t=1}^{n} CO_t (P/F, i_c, t)(A/P, i_c, n) \tag{4-38b}$$

采用年成本（*AC*）法或净年值（*NAV*）法进行评价所得出的结论是完全一致的，因此在实际互斥方案评价应用中，视互斥方案的实际情况任意选择其中的一种方法即可。

4）净现值率（*NPVR*）法

单纯用净现值最大为标准进行方案选优，往往导致评价人趋向于选择投资大、盈利多的方案，而忽视盈利额较小，但投资更少，经济效果更好的方案。因此，在互斥方案经济效果实际评价中，当资金无限制时，用净现值（*NPV*）法评价；当有资金限制时，可以考虑用净现值率（*NPVR*）法进行辅助评价。

净现值率大小说明方案单位投资所获得的超额净效益大小。用 *NPVR* 评价互斥方案，当对比方案的投资额不同，且有明显的资金总量限制时，先行淘汰 $NPVR<0$ 的方案，对余下 $NPVR \geqslant 0$ 的方案，选净现值率较大的方案。

应当指出，用净现值率 *NPVR* 评价方案所得的结论与用净现值 *NPV* 评价方案所得的结论并不总是一致的。

（2）计算期不同的互斥方案经济效果的评价

以上所讨论的都是对比方案的计算期相同的情形。然而，现实中很多方案的计算期往往是不同的。这时必须消除计算期的不可比性，使计算期不等的互斥方案能在一个共同的计算期基础上进行比较，以保证结论的合理性。

1）净年值（NAV）法

用净年值进行寿命不等的互斥方案经济效果评价，实际上隐含着这样一种假定：各备选方案在其寿命结束时均可按原方案重复实施或以与原方案经济效果水平相同的方案接续。净年值是以“年”为时间单位比较各方案的经济效果，如果不考虑通货膨胀和技术进步的影响，一个方案无论重复实施多少次，其净年值是不变的，从而使寿命不等的互斥方案间具有可比性。

评价判据：以各备选方案净现金流量的净年值 $NAV \geqslant 0$ 且 NAV 最大者为最优方案。

由于可不考虑计算期的不同，在对寿命不等的互斥方案进行比选时，净年值是比内部收益率 IRR 和净现值 NPV 更为简便的方法。

2）净现值（NPV）法

前述已知，净现值（NPV）是价值型指标，其用于互斥方案评价时必须考虑时间的可比性，即在相同的计算期下比较净现值（NPV）的大小。常用方法有最小公倍数法和研究期法。

① 最小公倍数法（又称方案重复法）

是以各备选方案计算期的最小公倍数作为方案比选的共同计算期，并假设各个方案均在这样一个共同的计算期内重复进行，即各备选方案在其计算期结束后，均可按与其原方案计算期内完全相同的现金流量系列周而复始地循环下去直到共同的计算期。在此基础上计算出各个方案的净现值，以净现值最大的方案为最佳方案。

最小公倍数法解决了寿命不等的方案之间净现值的可比性问题。但这种方法所依赖的方案可重复实施的假定不是在任何情况下都适用的。对于某些不可再生资源开发型项目，或者寿命原本较长的项目，在进行计算期不等的互斥方案比选时，方案可重复实施的假定不再成立，这种情况下就不能用最小公倍数法确定计算期。

② 研究期法

针对上述最小公倍数法的不足，对计算期不相等的互斥方案，可采用另一种确定共同计算期的方法——研究期法。这种方法是根据对市场前景的预测，直接选取一个适当的分析期作为各个方案共同的计算期。

研究期的确定一般以互斥方案中年限最短或最长方案的计算期作为互斥方案评价的共同研究期。当然也可取所期望的计算期为共同研究期。通过比较各个方案在该研究期内的净现值来对方案进行比选，以净现值最大的方案为最佳方案。

对于计算期短于共同研究期的方案，仍可假定其计算期完全相同地重复延续，也可按新的现金流量序列延续。需要注意的是：对于计算期（或者是计算期加其延续）比共同研究期长的方案，要对其在研究期以后的现金流量余值进行估算，并回收余值。该项余值估算的合理性及准确性，对方案比选结论有重要影响。

③ 无限计算期法

如果评价方案的最小公倍数计算期很大，上述计算非常麻烦，则可取无穷大计算期法计算 NPV，取其最大者为最优方案。即：

$$NPV = NAV(P/A, i_c, n) = NAV\frac{(1+i)^n - 1}{i(1+i)^n}$$

当 $n \to \infty$，即工程项目计算期为无限大时，有：

$$NPV = \frac{NAV}{i} \tag{4-39}$$

3）增量内部收益率（ΔIRR）法

用增量内部收益率进行寿命不等的互斥方案评价，需要首先对各备选方案进行绝对效果检验，然后再对通过绝对效果检验（NPV、NAV 不小于零，IRR 不小于基准收益率）的方案用计算增量内部收益率的方法进行比选。

求解寿命不等的互斥方案间增量内部收益率的方程可用令两方案净年值相等的方式建立：

$$\begin{aligned}&\sum_{t=0}^{n_A} A_{At}(P/F,\Delta IRR,t)(A/P,\Delta IRR,n_A)\\&=\sum_{t=0}^{n_B} A_{Bt}(P/F,\Delta IRR,t)(A/P,\Delta IRR,n_B)\\&\sum_{t=1}^{n_A} A_{At}(P/F,\Delta IRR,t)(A/P,\Delta IRR,n_A)\\&=\sum_{t=1}^{n_B} A_{Bt}(P/F,\Delta IRR,t)(A/P,\Delta IRR,n_B)\end{aligned} \tag{4-40a}$$

$$\begin{aligned}&\sum_{t=0}^{n_A} A_{At}(P/F,\Delta IRR,t)(A/P,\Delta IRR,n_A)\\&-\sum_{t=0}^{n_B} A_{Bt}(P/F,\Delta IRR,t)(A/P,\Delta IRR,n_B)=0\\&\sum_{t=1}^{n_A} A_{At}(P/F,\Delta IRR,t)(A/P,\Delta IRR,n_A)\\&-\sum_{t=1}^{n_B} A_{Bt}(P/F,\Delta IRR,t)(A/P,\Delta IRR,n_B)=0\end{aligned} \tag{4-40b}$$

在 ΔIRR 存在的情况下，若 $\Delta IRR > i_c$，则初始投资大的方案为优；

若 $0 < \Delta IRR < i_c$，则初始投资小的方案为优。

对于仅有或仅需计算费用现金流量的寿命不等的互斥方案，求解方案间增量内部收益率的方程可用令两方案费用年值相等的方式建立，如式（4-40c）所示。

$$\begin{aligned}&\sum_{t=0}^{n_A} CO_{At}(P/F,\Delta IRR,t)(A/P,\Delta IRR,n_A)\\&-\sum_{t=0}^{n_B} CO_{Bt}(P/F,\Delta IRR,t)(A/P,\Delta IRR,n_B)=0\\&\sum_{t=1}^{n_A} CO_{At}(P/F,\Delta IRR,t)(A/P,\Delta IRR,n_A)\\&-\sum_{t=1}^{n_B} CO_{Bt}(P/F,\Delta IRR,t)(A/P,\Delta IRR,n_B)=0\end{aligned} \tag{4-40c}$$

在 ΔIRR 存在的情况下，若 $\Delta IRR > i_c$，则初始投资大的方案为优；

若 $0 < \Delta IRR < i_c$，则初始投资小的方案为优。

【例 4-4】 已知表 4-5 中数据，试用 NPV、AW、IRR 指标进行方案比较。设 $i_c=10\%$。

[例 4-4] 数据（万元） 表 4-5

	方案 A	方案 B
总投资（0 年发生）	3500	5000
年净现金流量（年末发生）	1255	1117
估计寿命（年）	4	8

【解】（1）绘制现金流量图

如图 4-10 所示。

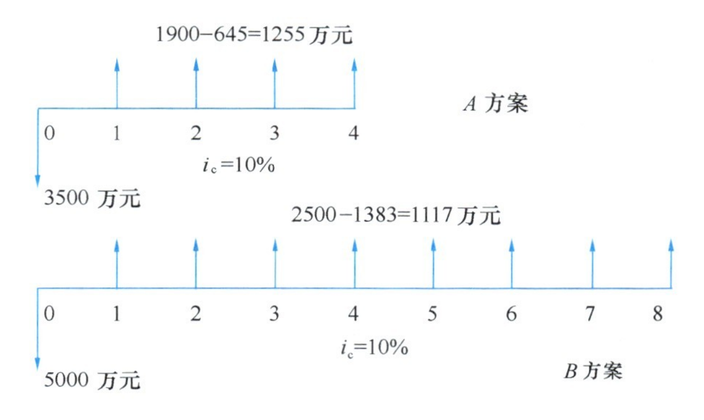

图 4-10 [例 4-4] 现金流量图

（2）评价

1）净现值评价

① 利用各方案研究期的最小公倍数计算（图 4-11）。本例即为 8 年的研究期。

$$NPV(A) = -3500[1+(P/F,10\%,4)]+1255(P/A,10\%,8)$$
$$= -3500(1+0.6830)+1255\times 5.3349 = 804.80 \text{ 万元}$$

$$NPV(B) = -5000+1117(P/A,10\%,8) = -5000+1117\times 5.3349 = 959.08 \text{ 万元}$$

选择 B 方案。

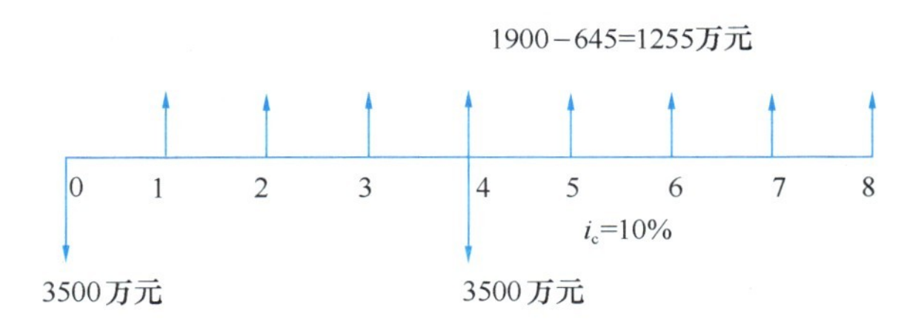

图 4-11 [例 4-4] A 方案 NPV 最小公倍数评价法现金流量图

② 取年限短的方案计算期作为共同的研究期。本例为 4 年。

$$NPV(A) = -3500+1255(P/A,10\%,4) = -3500+1255\times 3.1699 = 478.22 \text{ 万元}$$

设方案 B 固定资产在第 4 年末的回收余值为投资的 30%，期末流动资金回收 200 万元，则：

$$NPV(B)=-5000+1117(P/A,10\%,4)+(5000\times30\%+200)(P/F,10\%,4)$$
$$=-5000+1117\times3.1699+1700\times0.683=-298.12\text{ 万元}$$

故选择 A 方案。

由此看出，当产品寿命周期为 8 年时，选择方案 B；当产品寿命周期为 4 年时，应选择方案 A。

2）年值（AW）评价

当产品寿命期为 8 年时，

$$AW(A)=-3500(A/P,10\%,4)+1255=-3500\times0.3155+1255=150.75\text{ 万元}$$
$$AW(B)=-5000(A/P,10\%,8)+1117=-5000\times0.1875+1117=180.00\text{ 万元}$$

故选择方案 B。

当产品寿命期为 4 年时，

$$AW(A)=-3500(A/P,10\%,4)+1255=-3500\times0.3155+1255=150.75\text{ 万元}$$
$$AW(B)=-5000(A/P,10\%,4)+1117+1700\times(A/F,10\%,4)$$
$$=-5000\times0.3155+1117+1700\times0.2155=-94.15\text{ 万元}$$

故选择方案 A。

3）设产品寿命期为 8 年，用内部收益率（IRR）评价

① 计算各方案自身内部收益率。

$$NPV(A)=-3500+1255(P/A,IRR_A,4)=0$$
$$i_1=15\%,NPV(A)=-3500+1255\times2.855=83.03\text{ 万元}$$
$$i_2=17\%,NPV(A)=-3500+1255\times2.7432=-57.28\text{ 万元}$$
$$IRR_A=15\%+83.03(17\%-15\%)/(83.03+57.28)=16.18\%>i_c=10\%$$

故 A 方案可行。

$$NPV(B)=-5000+1117(P/A,IRR_B,8)=0$$
$$i_1=15\%,NPV(B)=-5000+1117\times4.4873=12.31\text{ 万元}$$
$$i_2=17\%,NPV(B)=-5000+1117\times4.2072=-300.56\text{ 万元}$$
$$IRR_B=15\%+12.31\ (17\%-15\%)/(12.31+300.56)=15.08\%>i_c=10\%$$

B 方案可行。

② 计算增量投资内部收益率。

$$AW(B-A)=-5000(A/P,\Delta IRR,8)+3500(A/P,\ \Delta IRR,4)+(1117-1255)=0$$
$$i_1=12\%,AW(B-A)=-5000\times0.2013+3500\times0.3292-138=7.805\text{ 万元}$$
$$i_2=13\%,AW(B-A)=-5000\times0.20839+3500\times0.33619-138=-3.285\text{ 万元}$$
$$\Delta IRR=12\%+7.805(13\%-12\%)/(7.805+3.285)=12.7\%>i_c=10\%$$

选择初始投资大的 B 方案。

4.3.4 其他多方案经济评价

其他多方案评价，包括互补方案、现金流量相关方案、组合—互斥方案和混合相关方案等方案类型的评价。

1. 互补方案经济评价

经济上互补而又对称的方案可以结合在一起作为一个“综合体”来考虑；经济上互补而不对称的方案，如建筑物 A 和空调 B 则可把问题转化为对有空调的建筑物方案 C 和没有空调的建筑物方案 A 这两个互斥方案的经济比较。

2. 现金流量相关方案经济评价

对现金流量相关方案，不能简单地按照独立方案或互斥方案的评价方法来分析，而应首先确定方案之间的相关性，对其现金流量之间的相互影响作出准确的估计，然后根据方案之间的关系，把方案组合成互斥方案。如跨江收费项目的建桥方案 A 或轮渡方案 B，可以考虑的方案组合是方案 A、方案 B 和 AB 混合方案。在 AB 混合方案中，方案 A 的收入将因另一方案 B 的存在而受到影响。最后，按照互斥方案的评价方法对组合方案进行比选。

3. 组合—互斥方案——有资金限制的独立方案的评价

在若干独立方案比较和选优过程中，最常见的约束是资金的约束。对于独立方案的比选，如果没有资金的限制，只要方案本身的 $NPV \geqslant 0$ 或 $IRR \geqslant i_c$，方案就可行。但在有明确的资金限制时，受资金总拥有量的约束，不可能采用所有经济上合理的方案，只能从中选择若干个方案实施，这就出现了资金合理分配问题。此时，独立方案在约束条件下成为相关方案。几个独立方案组合之间就变成了互斥关系。

有资金约束条件下的独立方案选择，其根本原则在于使有限的资金获得最大的经济利益。具体评价方法有独立方案组合法和净现值率排序法。

（1）独立方案组合法

在有资金约束条件下，由于每个独立方案都有两种可能——选择或者拒绝，故 N 个独立方案可以构成 2^N 个组合方案。每个方案组合可以看成是一个满足约束条件的互斥方案，这样按互斥方案的经济评价方法可以选择一个符合评价准则的可行方案组合。因此，有约束条件的独立方案的选择可以通过方案组合转化为互斥方案的比选。评价基本步骤如下：

1）分别对各独立方案进行绝对效果检验。即剔除 $NPV<0$ 或 $IRR<i_c$ 的方案。

2）对通过绝对效果检验的方案，列出不超过总投资限额的所有组合投资方案，则这些组合方案之间具有互斥的关系。

3）将各组合方案按初始投资额大小顺次排列，按互斥方案的比选原则，选择最优的方案组合，即分别计算各组合方案的净现值或增量投资内部收益率，以净现值最大的组合方案为最佳方案组合，或者以增量投资内部收益率判断准则选择最佳方案组合。由于增量投资内部收益率与净现值评价结论是一致的，为简化有资金约束的独立方案的评价，一般仅用净现值最大作为最优的方案组合选择准则。

在有资金约束条件下运用独立方案组合法进行比选，其优点是在各种情况下均能保证获得最佳组合方案；缺点是在方案数目较多时，其计算比较烦琐。

（2）净现值率排序法

净现值率大小说明该方案单位投资所获得的超额净效益大小。应用 $NPVR$ 评价方案时，将净现值率不小于零的各个方案按净现值率的大小依次排序，并依此次序选取方案，直至所选取的方案组合的投资总额最大限度地接近或等于投资限额为止。

按净现值率排序原则选择项目方案，其基本思想是单位投资的净现值越大，在一定投资限额内所能获得的净现值总额就越大。

在有明显的资金总量限制，且各项目占用资金远小于资金总拥有量时，适宜用净现值率进行方案选优。

净现值率排序法的优点是计算简便；缺点是由于方案投资的不可分性，一个方案只能作为一个整体被接受或放弃，经常会出现资金没有被充分利用的情况，因而不一定能保证获得最佳组合方案。

【例 4-5】 现有八个独立方案，其初始投资、净现值、净现值率的计算结果已列入表4-6，试在投资预算限额为 12000 万元内，用净现值率排序法确定其投资方案的最优组合。

［例 4-5］有关数据表　　表 4-6

方案	*A*	*B*	*C*	*D*	*E*	*F*	*G*	*H*
投资额（万元）	4000	2400	800	1800	2600	7200	600	3000
NPV（万元）	2400	1080	100	450	572	1296	84	1140
NPVR	0.6	0.45	0.13	0.25	0.22	0.18	0.14	0.38
NPVR 大小	1	2	8	4	5	6	7	3

【解】 最佳方案组合投资：$A+B+H+E=4000+2400+3000+2600=12000$ 万元

最佳方案组合净现值：$A+B+H+E=2400+1080+1140+572=5192$ 万元

4. 混合相关方案评价

对混合相关方案评价，不管项目间是独立的或是互斥的或是有约束的，它们的解法都一样，即把所有的投资方案的组合排列出来，然后进行排序和取舍。

综上分析，进行多方案经济比选基本思路就是先变相关为互斥，再用互斥方案的评价方法来评价。评价时应注意如下问题：

（1）方案经济评价，应遵循效益与费用计算口径对应一致的原则，注意各方案的可比性。

（2）在方案不受资金约束的情况下，一般采用增量内部收益率、净现值和净年值等指标评价方案。当有资金限制时，且各方案占用资金远低于资金总拥有量时，一般宜采用净现值率评价方案。

（3）对计算期不同的方案进行比选时，宜采用净年值和年费用等指标。如果采用增量内部收益率、净现值率等方法进行比较时，则应对各方案的计算期进行适当处理。

（4）对效益相同或效益基本相同但难以具体估算的方案进行比较时，可采用最小费用法，包括费用现值比较法和年费用比较法。

案例分析

某纳米材料项目盈利能力分析

某项目为新建年产 30 万 t 纳米材料项目。项目建设期 2 年，运营期 14 年，计算期为16 年。项目总投资 95016 万元，其中建设投资 68634 万元，建设期借款利息 3332 万元，流动资金23050万元。

项目形成固定资产68066万元，无形资产原值3300万元，其他资产600万元。固定资产残值为零。该项目期第1年建设投资为32369万元，第2年建设投资为36265万元。项目第3年投产，于第3年、第4年初分别投入流动资金16135万元和6915万元。

项目产品年产销量为30万t，预测销售价格为10650元/t，项目正常年份的营业收入为319500万元。增值税税率为13%，城市维护建设税、教育费附加、地方教育费附加分别按增值税的7%、3%和2%计。项目正常年份的进项税为33543万元，项目正常年份的经营成本为272486万元。

投产的第1年生产能力仅为设计生产能力的70%，这一年的营业收入、经营成本和进项增值税均按照正常年份的70%估算。投产的第2年及其以后的各年生产均达到设计生产能力。该项目各年的营业收入、经营成本及增值税金及附加均在年末发生。该行业的基准静态投资回收期为6年，基准动态投资回收期为8年，基准收益率为10%。以下是对该项目的经济评价过程。

首先，根据企业的投资、成本、营业收入和增值税金及附加情况编制现金流量表，见案例分析表4-1所列。

现金流量表（万元） 案例分析表4-1

项目＼时点	合计	建设期		生产经营期					
		0	1	2	3	4	5～12	13～15	16
现金流入	4400200				223650	319500	319500	319500	342550
营业收入	4377150				223650	319500	319500	319500	319500
回收固定资产余值									
回收流动资金	23050								23050
现金流出	3838501	32369	36265	16135	198326	273445	273445	273445	273445
建设投资	68634	32369	36265						
流动资金	23050			16135	6915				
经营成本	3733058				190740	272486	272486	272486	272486
增值税金及附加	13136				671	959	959	959	959
净现金流量	562322	−32369	−36265	−16135	25324	46055	46055	46055	69150
累计净现金流量		−32369	−68634	−84769	−59445	−13390	355051	493217	562322

1. 静态投资回收期计算

根据案例分析表4-1中的数据，按以下公式计算项目的静态投资回收期：

静态投资回收期＝累计净现金流量首次出现正值的年份－1＋出现正值年份上一年累计净现金流量的绝对值÷出现正值年份当年的净现金流量

$$静态投资回收期=5-1+(|-13390|\div 46055)=4.29年$$

2. 动态投资回收期计算

根据案例分析表4-1中的数据，计算各年现金流量折现值和累计折现值，计算情况见案例分析表4-2。

净现金流量计算表（万元） 案例分析表 4-2

项目 \ 时点	0	1	2	3	4	5
净现金流量	−32369	−36265	−16135	25324	46055	46055
折现值	−32369	−32968.18	−13334.71	19026.30	31456.18	28596.53
累计折现值	−32369	−65337.18	−78671.89	−59645.59	−28189.41	407.12

按以下公式计算项目的动态投资回收期：

动态投资回收期＝累计折现值首次出现正值的年份−1＋上年累计折现值的绝对值÷当年净现金流量的折现值

动态投资回收期＝5−1＋(|−28189.41|÷28596.53)＝4.99 年

3. 净现值的计算

根据案例分析表 4-1 中的数据，求该项目财务净现值：

$$NPV=\sum_{t=0}^{n}(CI-CO)(1+14\%)^{-t}$$

$$=-32369-36265(P/F,14\%,1)-16135(P/F,14\%,2)+25324(P/F,14\%,3)$$
$$+46055(P/A,14\%,12)(P/F,14\%,3)+69105(P/F,14\%,15)$$
$$=124944.97 \text{ 万元}$$

4. 内部收益率计算

如果试算结果满足：$NPV_1>0$，$NPV_2<0$，且满足精度要求，可采用插值法计算出拟建项目的内部收益率 IRR。

当 $i_1=33\%$时，$NPV_1=350.06$，当 $i_2=34\%$时，$NPV_2=-2419.38$，则可以采用插值法计算拟建项目的内部收益率 IRR。即：

$$IRR=i_1+\frac{NPV_1}{NPV_1+|NPV_2|}(t_2-t_1)$$

$$=33\%+\frac{350.06}{350.06+|-2419.38|}\times(34\%-33\%)=33.12\%$$

根据以上经济评价指标的计算结果可以得出以下结论：项目净现值为 192659.84 万元，大于零；内部收益率为 33.12%，大于行业基准收益率 10%；息税前投资回收期为 4.29 年，静态投资回收期为 4.29 年，动态投资回收期为 4.99 年，均小于行业基准投资回收期。因此，该项目的财务盈利能力可满足要求。

[案例思考]

1. 财务盈利能力分析的全部现金流量表中，固定资产投资为什么不包括建设期贷款利息？

2. 应用线性内插法计算内部收益率时要注意什么？

思考题

1. 影响基准收益率的因素主要有哪些？
2. 内部收益率的经济含义是什么？

3. 投资方案有哪几种类型？试举例说明。

习题

1. 某方案的现金流量见习题表4-1所列，基准收益率为10%，试计算：(1) 投资回收期；(2) 净现值 NPV；(3) 内部收益率。

现金流量表（万元） 习题表4-1

年份	1	2	3	4	5	6
现金流量	−2000	450	550	650	700	800

2. 某公共事业拟订一个15年规划，分三期建成，期初投资60000元，5年后再投资50000元，10年后再投资40000元。每年的保养费均发生在年末，前5年每年1500元，次5年每年2500元，最后5年每年3500元，15年年末残值为8000元，试用8%的基准收益率计算该规划的费用现值和费用年值。

3. 某投资方案初始投资为120万元，年营业收入为100万元，寿命为6年，残值为10万元，年经营费用为50万元。投资发生在年初，其余现金流量的发生遵循年末习惯法。试求该投资方案的内部收益率。

4. 建一个临时仓库需8000元，一旦拆除即毫无价值，假定仓库每年净收益为1360元。

(1) 使用8年时，其内部收益率为多少？

(2) 若希望得到10%的收益率，则该仓库至少使用多少年才值得投资？

5. 已知方案 A、B、C 的有关资料见习题表4-2所列，基准收益率为10%，试分别用净现值法与内部收益法对这三个方案选优。

方案相关资料表（万元） 习题表4-2

方案	初始投资	年收入	年支出	经济寿命
A	3000	1800	800	5年
B	3650	2200	1000	5年
C	4500	2600	1200	5年

6. 某施工机械有两种不同型号，其有关数据见习题表4-3所列，利率为10%，试问购买哪种型号的机械比较经济？

相关数据（元） 习题表4-3

方案	初始投资	年经营收入	年经营费	残值	寿命（年）
A	120000	70000	6000	20000	10
B	90000	70000	8500	10000	8

7. 为修建某河的大桥，经考虑有 A、B 两处可供选点，在 A 地建桥，其投资为1200万元，年维护费2万元，水泥桥面每10年翻修一次需5万元；在 B 地建桥，预计投资1100万元，年维护费8万元，该桥每3年粉刷一次3万元，每10年整修一次4万元。若年利率为10%，试比较两个方案哪个为最优。

8. 有4个独立方案，其数据见习题表4-4所列，若预算资金为30万元，各方案寿命均为8年，基准收益率为10%，应选择哪些方案？

方案数据（万元）　　习题表 4-4

方案	A	B	C	D
初始投资	15	14	13	17
年净收益	5	4	3.5	5.5

9. 有 6 个方案的数据见习题表 4-5 所列，设定资金限额为 30 万元，基准收益率为 10%，寿命为 5 年。现已知 A_1、A_2互斥，B_1、B_2互斥，C_1、C_2互斥；B_1、B_2从属于 A_1，C_1从属于 A_2，C_2从属于 B_1，试选择最优的投资组合方案。

方案数据（万元）　　习题表 4-5

方案	A_1	A_2	B_1	B_2	C_1	C_2
初始投资	12	16	9	7	8	7
年净收益	4	5	3	2.5	3	2.5

第5章 风险与不确定性分析

引例

来自发达国家的限制风险

2018 年 4 月 16 日，美国商务部工业与安全局（BIS）以中兴通讯对涉及历史出口管制违规行为的某些员工未及时扣减奖金和发出惩戒信，并在 2016 年 11 月 30 日和 2017 年 7 月 20 提交给美国政府的两份函件中对此作了虚假陈述为由，作出了激活对中兴通讯和中兴康讯公司拒绝令的决定。

美国商务部下令拒绝中国电信设备制造商中兴通讯的出口特权，禁止美国公司向中兴通讯出口电信零部件产品，期限为 7 年。此外，美国商务部工业与安全局还对中兴通讯处以 3 亿美元罚款。这部分罚款可暂缓支付，主要视中兴在未来 7 年执行协议的情况而定。

中兴通讯占全球电信设备市场 10%的市场份额，占中国电信设备市场 30%的市场份额。中兴有 1～2 月的零部件存货，若不能尽快达成和解，会影响相关业务，可能导致中兴通讯进入休克状态，同时对当前全球和中国的运营商网络建设带来一定影响，并有可能影响未来 5G 网络的推进。

（资料来源：赵昌文等．新工业革命的中国战略。北京：中国发展出版社，2018.）

启　示

近年来，中国高技术产业发展迅速，与发达国家从互补关系转向了竞争关系，并对发达国家造成了威胁，这必然导致发达国家开始对中国的产业发展进行限制和约束，从而使高技术产业发展的风险加大。这就更需要我国进一步提高关键核心技术的原创性和产业基础发展的均衡性，取得更大的国际竞争优势。

本章知识结构图

建设项目投资决策是面对未来，项目评价所采用的数据大部分来自估算和预测，有一定程度的不确定性和风险。为了尽量避免投资决策失误，有必要进行风险与不确定性分析。本章的不确定分析包括盈亏平衡分析与敏感性分析。本章知识结构如下图所示。

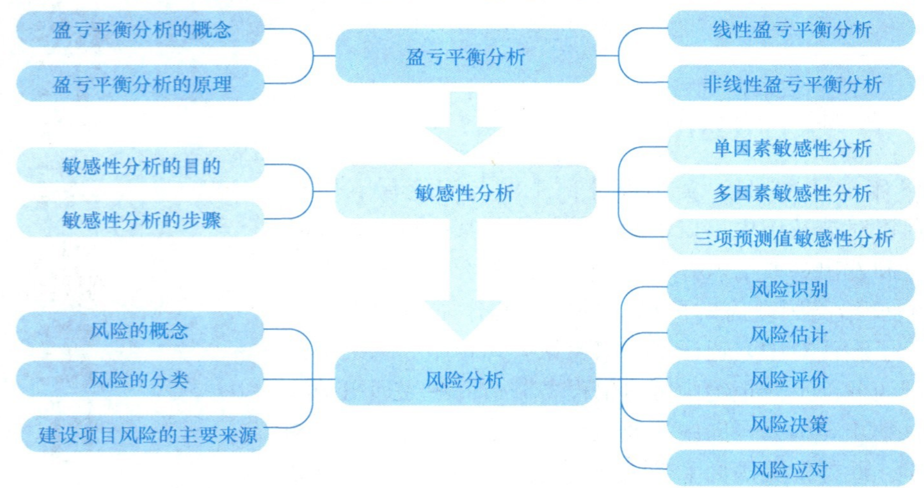

5.1 盈亏平衡分析

盈亏平衡分析是在完全竞争或垄断竞争的市场条件下，研究建设项目特别是制造业项目产品成本费用、产销量与盈利的平衡关系的方法。对于一个建设项目而言，随着产销量的变化，盈利与亏损之间一般至少有一个转折点，我们称这种转折点为盈亏平衡点 BEP (Break Even Point)，在这点上，营业收入与成本费用相等，既不亏损也不盈利。盈亏平衡分析就是要找出项目方案的盈亏平衡点。一般说来，对建设项目有市场前景的生产能力而言，盈亏平衡点越低，项目盈利的可能性就越大，对不确定因素变化所带来风险的承受能力就越强。盈亏平衡分析只适用于财务评价。

盈亏平衡分析的基本方法是建立利润与成本费用、产量、营业收入、税金之间的函数关系，以便找出盈亏平衡点。

5.1.1 线性盈亏平衡分析

线性盈亏平衡分析的基本公式如下。

年营业收入方程：

$$R = P \cdot Q \tag{5-1}$$

年总成本费用方程：

$$C = F + V \cdot Q + T \cdot Q \tag{5-2}$$

年利润方程：

$$B = R - C = (P - V - T)Q - F \tag{5-3}$$

式中 R——年总营业收入；

P——单位产品销售价格；

Q——项目设计生产能力或年产量；

C——年总成本费用；

F——年总成本中的固定成本；

V——单位产品变动成本；

T——单位产品增值税和城市维护建设税及附加（当销售价格中含增值税时）；

B——年利润。

当盈亏平衡时，$B=0$，

则：年产量的盈亏平衡点：

$$BEP_{\mathrm{Q}}=\frac{F}{P-V-T} \tag{5-4}$$

当采用不含增值税价格时，T 中应扣除增值税。

营业收入的盈亏平衡点：

$$BEP_{\mathrm{R}}=P\left(\frac{F}{P-V-T}\right) \tag{5-5}$$

盈亏平衡点的生产能力利用率：

$$BEP_{\mathrm{Y}}=\frac{BEP_{\mathrm{Q}}}{Q}=\frac{F}{(P-V-T)Q} \tag{5-6}$$

经营安全率：

$$BEP_{\mathrm{S}}=1-BEP_{\mathrm{Y}} \tag{5-7}$$

盈亏平衡点的生产能力利用率一般不应大于 75%；经营安全率一般不应小于 25%。

产品销售价格的盈亏平衡点：

$$BEP_{\mathrm{p}}=\frac{F}{Q}+V+T \tag{5-8}$$

单位产品变动成本的盈亏平衡点：

$$BEP_{\mathrm{V}}=P-T-\frac{F}{Q} \tag{5-9}$$

以上分析如图 5-1 所示。

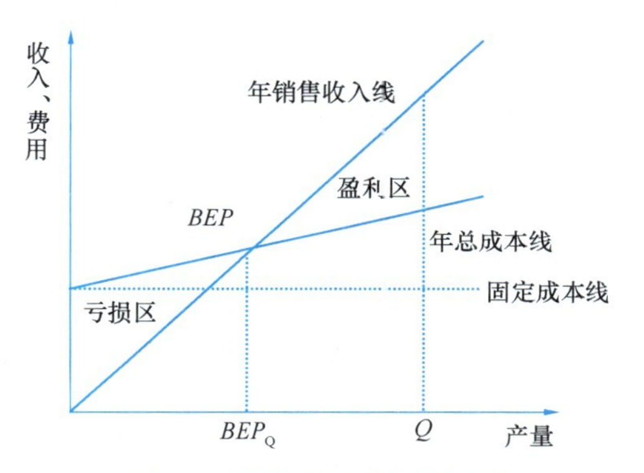

图 5-1 线性盈亏平衡分析图

【例 5-1】 某传统服装加工项目设计方案年产量为 12 万标准件，已知每标准件产品的含税销售价格为 600 元，每标准件产品缴付的增值税金及附加为 150 元，单件可变成本为 230 元，年总固定成本费用为 1250 万元，试求用产量表示的盈亏平衡点、盈亏平衡点的生产能力利用率、盈亏平衡点的售价。

【解】 $R=600\times Q$

$$C=1250+(230+150)\times Q$$

$$BEP_Q = 1250 \div (600 - 230 - 150) = 5.68 \text{ 万件}$$
$$BEP_Y = 5.68 \div 12 \times 100\% = 47.33\%$$
$$BEP_P = 1250 \div 12 + 230 + 150 = 484.17 \text{ 元}/t$$

如果在大数据时代，同类服装加工企业自主研发了电子商务定制平台——C2M (Customer-to-Manufacturer)，这种“按需生产”的零库存模式一方面让企业生产成本大大降低，另一方面也使消费者不必承担传统零售模式下的流通、店面、人工和库存成本。假如行业成本降低使销售价格从 600 元降为 520 元，单位可变成本降为 200 元，每标准件产品的增值税金及附加为 100 元，则该企业的盈亏平衡点仍为 5.68 万件，平衡点的生产能力利用率仍为 47.33%，小于 75%。经营安全率为 52.67%，大于 25%。

5.1.2 非线性盈亏平衡分析

在垄断竞争条件下，随着项目产品销量的增加，市场上该产品的售价就要下降，因而营业收入与产销量之间是非线性关系；同时，企业增加产量时原材料价格可能上涨，同时要多支付一些加班费、奖金以及设备维修费，使产品的单位可变成本增加，从而总成本与产销量之间也成非线性关系；这种情况下，盈亏平衡点可能不止一个，如图 5-2 所示。

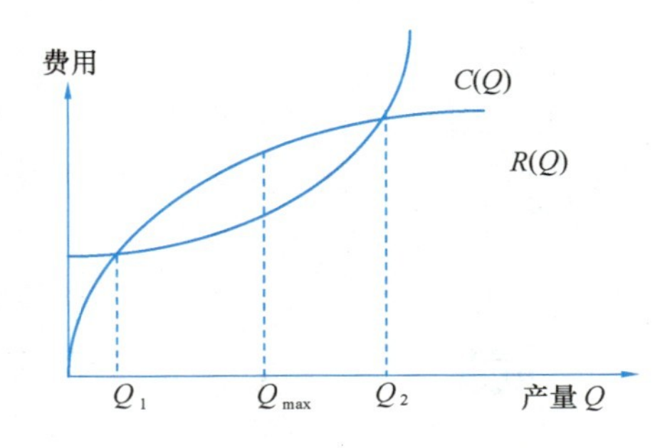

图 5-2 非线性盈亏平衡分析

【例 5-2】 某项目投产以后，年固定成本为 66000 元，单位产品变动成本为 28 元，由于原材料整批购买，每多生产一件产品，单位变动成本可降低 0.001 元；售价为 55 元，销量每增加一件产品，售价下降 0.0035 元。售价中不含增值税，城市维护建设税及附加忽略不计。试求盈亏平衡点及最大利润时的销售量。

【解】 产品的售价为：

$$(55 - 0.0035Q)$$

单位产品的变动成本为：

$$(28 - 0.001Q)$$

(1) 求盈亏平衡点的产量 Q_1 和 Q_2

$$C(Q) = 66000 + (28 - 0.001Q)Q = 66000 + 28Q - 0.001Q^2$$
$$R(Q) = 55Q - 0.0035Q^2$$

根据盈亏平衡原理：

$$C(Q) = R(Q)$$
$$66000 + 28Q - 0.001Q^2 = 55Q - 0.0035Q^2$$
$$0.0025Q^2 - 27Q + 66000 = 0$$

$$Q_1 = \frac{27 - \sqrt{27^2 - 4 \times 0.0025 \times 66000}}{2 \times 0.0025} = 3470 \text{ 件}$$

$$Q_2 = \frac{27 + \sqrt{27^2 - 4 \times 0.0025 \times 66000}}{2 \times 0.0025} = 7060 \text{ 件}$$

（2）求最大利润时的产量 Q_{max}

由 $B=R-C$，得：

$$B=-0.0025Q^2+27Q-66000$$

令 $B'(Q)=0$，得：

$$-0.005Q+27=0$$

$$Q_{max}=\frac{27}{0.005}=5400\text{ 件}$$

如果一个企业生产多种产品，可换算成单一产品，或选择其中一种不确定性最大的产品进行分析。

运用盈亏平衡分析，在方案选择时应优先选择平衡点较低者，盈亏平衡点越低意味着项目的抗风险能力越强，越能承受意外的变化。

5.1.3 互斥方案的盈亏平衡分析

在需要对若干个互斥方案进行比选的情况下，如果有某一个共有的不确定因素影响这些方案的取舍，可以先求出两方案的盈亏平衡点，再根据盈亏平衡点进行方案取舍。

【例 5-3】某产品有两种生产方案，方案 A 初始投资为 70 万元，预期年净现金流量 15 万元；方案 B 初始投资 170 万元，预期年净现金流量 35 万元。该项目产品的市场寿命具有较大的不确定性，如果给定基准收益率为 10%，不考虑期末资产残值，试就项目寿命期分析两方案的临界点。

【解】设项目寿命期为 n：

$$NPV_A=-70+15(P/A,10\%,n)$$
$$NPV_B=-170+35(P/A,10\%,n)$$

当 $NPV_A=NPV_B$时，有：

$$-70+15(P/A,10\%,n)=-170+35(P/A,10\%,n)$$
$$(P/A,10\%,n)=5$$

查复利系数表，得两方案寿命期的临界点 $n=7.25$年，如图 5-3 所示。

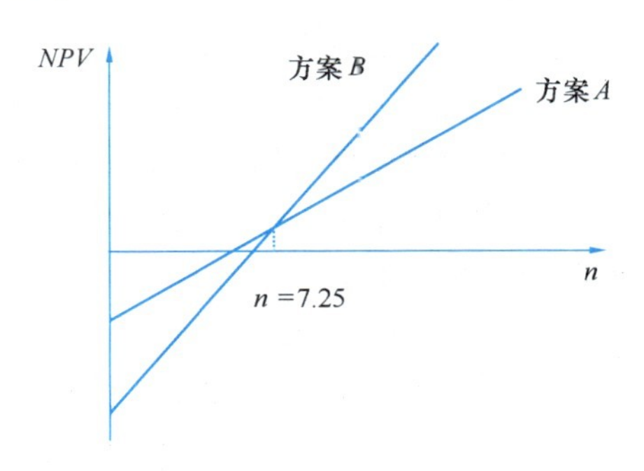

图 5-3 ［例 5-3］盈亏平衡分析图

7.25 年是以项目寿命期为共有变量时方案 A 与方案 B 的盈亏平衡点。由于方案 B 年净现金流量比较高，项目寿命期延长对方案 B 有利。故可知：如果根据市场预测项目寿命期小于 7.25 年，应采用方案 A；如果寿命期在 7.25 年以上，则应采用方案 B；当项目实际寿命期为 7.25 年时，A 方案与 B 方案无差异。

【例 5-4】拟建某项目，有三种技术方案可供采纳，每一方案的产品成本见表 5-1 所列，试比较三个方案的优劣。

【解】设 Q 为预计产量，各方案的成本费用方程为：

$$C=VQ+F$$
$$C_A=50Q+1500$$

$$C_B = 20Q + 4500$$
$$C_C = 10Q + 16500$$

［例 5-4］成本数据表　　表 5-1

方　案	A	B	C
产品可变成本（元/件）	50	20	10
产品固定成本（元）	1500	4500	16500

令 $C_A = C_B$　求得 $Q_{AB} = 100$ 件

令 $C_B = C_C$　求得 $Q_{BC} = 1200$ 件

令 $C_A = C_C$　求得 $Q_{AC} = 375$ 件

今以横轴表示产量，纵轴表示成本，绘出盈亏平衡图，如图 5-4 所示。

从图中可以看出，当产量小于 100 件时，A 方案为优；当产量为 100～1200 件时，B 方案为优；当产量大于 1200 件时，C 方案为优。决策时可结合市场预测结果及投资条件进行方案取舍。

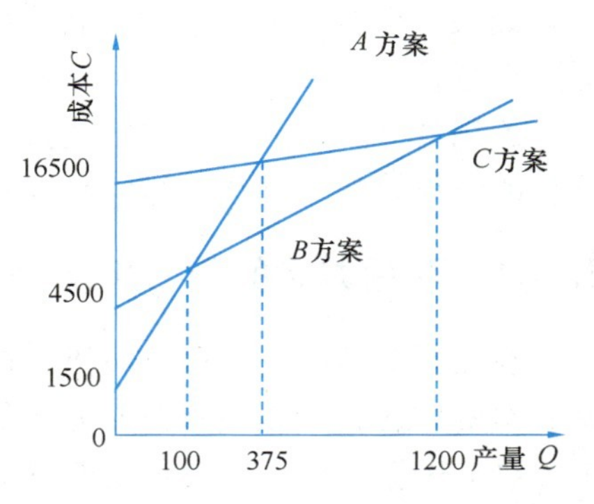

图 5-4　［例 5-4］盈亏平衡分析图

5.2　敏感性分析

敏感性分析是通过研究建设项目主要不确定性因素发生变化时，项目经济效果指标发生的相应变化，找出项目的敏感因素，确定其敏感程度，并分析该因素达到临界值时项目的承受能力。敏感性分析可同时用于财务评价和国民经济评价。

5.2.1　敏感性分析的目的和步骤

1. 敏感性分析的目的

（1）把握不确定性因素在什么范围内变化方案的经济效果最好，在什么范围内变化效果最差，以便对不确定性因素实施控制。

（2）区分敏感性大的方案和敏感性小的方案，以便选出敏感性小的，即风险小的方案。

（3）找出敏感性强的因素，向决策者提出是否需要进一步搜集资料，进行研究，以提高经济分析的可靠性。

2. 敏感性分析的步骤

一般敏感性分析可按以下步骤进行：

（1）选定需要分析的不确定性因素。这些因素主要有：产品产量（生产负荷）、产品售价、主要资源价格（原材料、燃料或动力等）、可变成本、建设投资、建设期贷款利率及外汇汇率等。

（2）确定进行敏感性分析的经济评价指标。衡量建设项目经济效果的指标较多，敏感性分析一般只对几个重要的指标进行分析，如净现值、内部收益率、投资回收期等。由于敏感性分析是在确定性经济评价的基础上进行的，故选为敏感性分析的指标应与经济评价所采用的指标相一致。

（3）计算因不确定性因素变动引起的评价指标的变动值。一般就所选定的不确定性因素，设若干级变动幅度（通常用变化率表示）。然后计算与每级变动相应的经济评价指标值，建立一一对应的数量关系，并用敏感性分析图或敏感性分析表的形式表示。

（4）计算敏感度系数并对敏感因素进行排序。所谓敏感因素是指该不确定因素的数值有较小的变动就能使项目经济评价指标出现较显著改变的因素。敏感度系数的计算公式为：

$$\beta=\frac{\Delta A/A}{\Delta F/F} \tag{5-10}$$

式中 β——评价指标 A 对于不确定性因素 F 的敏感度系数；

ΔA——不确定性因素 F 发生 ΔF 变化率时，评价指标 A 的相应变化率（%）；

ΔF——不确定性因素 F 的变化率（%）。

（5）计算变动因素的临界点。临界点是指项目允许不确定性因素向不利方向变化的极限值。超过极限，项目的效益指标将不可行。例如，当建设投资上升到某值时，内部收益率将刚好等于基准收益率，此点称为建设投资上升的临界点。临界点可用临界点百分比或者临界值分别表示，其含义是某一变量的变化达到一定的百分比或者一定数值时，项目的评价指标将从可行转变为不可行。临界点可用专用软件计算，也可由敏感性分析图直接求得近似值。

3. 敏感性分析的类型

根据项目经济目标，如经济净现值或经济内部收益率等所作的敏感性分析叫做经济敏感性分析；而根据项目财务目标所作的敏感性分析叫做财务敏感性分析。也可根据项目融资前或融资后的现金流量分别进行融资前敏感性分析或融资后敏感性分析。

依据每次所考虑的变动因素的数目不同，敏感性分析又分单因素敏感性分析和多因素敏感性分析。

5.2.2 单因素敏感性分析

每次只考虑一个因素的变动，而假设其他因素保持不变时所进行的敏感性分析，叫做单因素敏感性分析。

【例 5-5】某项目融资前方案的基本数据估算值见表 5-2 所列，现金流量服从年末习惯法，试进行敏感性分析（基准收益率 $i_c=8\%$）。

［例 5-5］方案的基本数据估算表　　表 5-2

因素	建设投资 I（万元）	年营业收入 R（万元）	年经营成本 C（万元）	期末残值 L（万元）	寿命 n（年）
估算值	1500	600	250	200	6

【解】（1）以年营业收入 R、年经营成本 C 和建设投资 I 为拟分析的不确定因素。

（2）选择项目的内部收益率为评价指标。

（3）本方案的现金流量表如表 5-3 所列。

［例 5-5］方案的现金流量表（万元） 表 5-3

因素＼年份	1	2	3	4	5	6
1 现金流入		600	600	600	600	800
1.1 年营业收入		600	600	600	600	600
1.2 期末残值回收						200
2 现金流出	1500	250	250	250	250	250
2.1 建设投资	1500					
2.2 年经营成本		250	250	250	250	250
3 净现金流量	−1500	350	350	350	350	550

则方案的内部收益率 IRR 由下式确定：

$$-I(1+IRR)^{-1}+(R-C)\sum_{t=2}^{5}(1+IRR)^{-t}+(R+L-C)(1+IRR)^{-6}=0$$

$$-1500(1+IRR)^{-1}+350\sum_{t=2}^{5}(1+IRR)^{-t}+550(1+IRR)^{-6}=0$$

采用试算法得：

$$NPV(i=8\%)=31.08\text{ 万元}>0$$
$$NPV(i=9\%)=-7.92\text{ 万元}<0$$

采用线性内插法可求得：

$$IRR=8\%+\frac{31.08}{31.08+7.92}(9\%-8\%)=8.79\%$$

（4）计算营业收入、经营成本和建设投资变化对内部收益率的影响，结果见表 5-4。

［例 5-5］因素变化对内部收益率的影响 表 5-4

不确定因素＼变化率＼内部收益率（%）	−10%	−5%	基本方案	+5%	+10%
营业收入	3.01	5.94	8.79	11.58	14.30
经营成本	11.12	9.96	8.79	7.61	6.42
建设投资	12.70	10.67	8.79	7.06	5.45

内部收益率的敏感性分析图如图 5-5 所示。

（5）计算方案对各因素的敏感度

平均敏感度的计算公式如下：

$$\beta=\frac{\text{评价指标变化的幅度}(\%)}{\text{不确定性因素变化的幅度}(\%)} \tag{5-11}$$

对于［例 5-5］的方案而言，

$$\text{年营业收入平均敏感度}=\frac{(14.30-3.01)\div 8.79\times 100\%}{20\%}=6.42$$

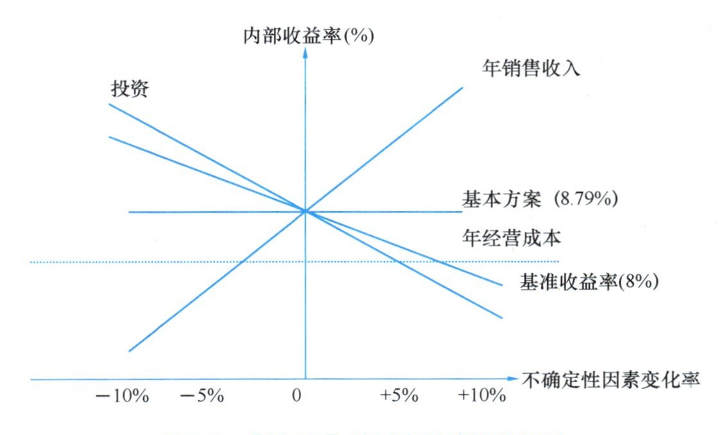

图 5-5 [例 5-5] 单因素敏感性分析图

$$年经营成本平均敏感度=\frac{|6.42-11.12|\div 8.79\times 100\%}{20\%}=2.67$$

$$建设投资平均敏感度=\frac{|5.45-12.70|\div 8.79\times 100\%}{20\%}=4.12$$

显然，内部收益率对年营业收入变化的反应最为敏感。

5.2.3 多因素敏感性分析

单因素敏感性分析的方法简单，但其不足之处在于忽略了因素之间的相关性。实际上，一个因素的变动往往也伴随着其他因素的变动，多因素敏感性分析考虑了这种相关性，因而能反映几个因素同时变动对项目产生的综合影响，弥补了单因素分析的局限性。在对一些有特殊要求的项目进行敏感性分析时，除进行单因素敏感性分析外，还应进行多因素敏感性分析。

【例 5-6】 某项目融资前有关数据见表 5-5 所列。如果可变因素为初始投资与年营业收入，并考虑它们同时发生变化，试通过净年值指标对该项目进行敏感性分析。

[例 5-6] 数据表 表 5-5

指标	初始投资（元）	寿命（年）	年营业收入（元）	年支出（元）	残值（元）	基准收益率（%）
估计值	10000	5	5000	2200	2000	8

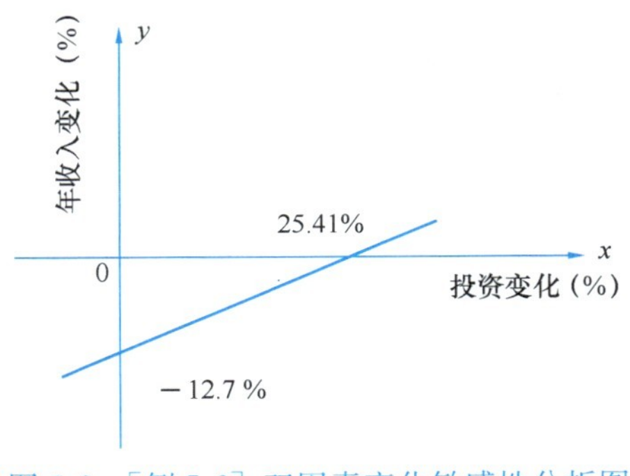

图 5-6 [例 5-6] 双因素变化敏感性分析图

【解】 令 x 及 y 分别代表初始投资及年营业收入变化的百分数，则项目必须满足下式才能成为可行：

$$\begin{aligned}NAV=&-10000(1+x)(A/P，8\%，5)\\&+5000(1+y)-2200\\&+2000(A/F，8\%，5)\geqslant 0\end{aligned}$$

即 $636.32-2504x+5000y\geqslant 0$

这是一个直线方程。将其在坐标图上表示出来（图 5-6）即为 $NAV>0$ 的临界线。在临界线上，$NAV=0$，在临界线左上方的区域 $NAV>0$，在临界线右下方的区域 $NAV<0$。

在这个例子中，如果方案的寿命也是关键参数，则需分析三个参数同时发生变化的敏感性。

由于很难处理三维以上敏感性的表达式，为了简化起见，可以按不同寿命期（$n=2$，3，4，5，6 年）研究三个参数同时发生变化时净年值的相应变化。令 $NAV(n)$ 代表寿命为 n 的净年值，则方案必须满足下列不等式才可行。

$$NAV(n)=-10000(1+x)(A/P,8\%,n)+5000(1+y)-2200+2000(A/F,8\%,n)\geqslant 0$$

$$NAV(2)=-1846.62-5607.70x+5000y\geqslant 0$$

$$y\geqslant 0.369+1.12x$$

$$NAV(3)=-464.24-3880.30x+5000y\geqslant 0$$

$$y\geqslant 0.092848+0.776x$$

$$NAV(4)=-224.64-3019.2x+5000y\geqslant 0$$

$$y\geqslant -0.044928+0.60384x$$

$$NAV(5)=636.32-3504.6x+5000y\geqslant 0$$

$$y\geqslant -0.12726+0.50092x$$

$$NAV(6)=909.44-2163.20x+5000y\geqslant 0$$

$$y\geqslant -0.18188+0.4326x$$

根据上面的不等式，可绘出一组损益平衡线（图 5-7）。只要 $n\geqslant 4$，方案就具有一定

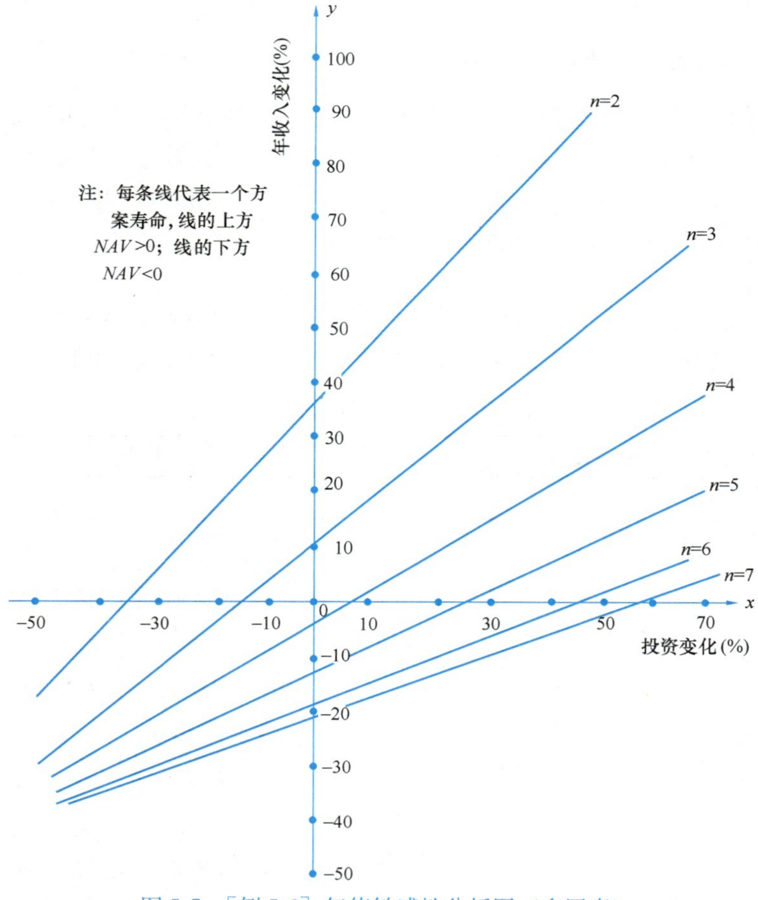

图 5-7 ［例 5-6］年值敏感性分析图（多因素）

的抗风险能力。但是 $n=4$ 时，投资及年营业收入发生估计误差的允许范围就很小了。比如，当投资增加 10%时，年营业收入至少要增加 1.55%才能使净现值大于零。

5.2.4 三项预测值敏感性分析

多因素敏感性分析要考虑可能发生的多种因素不同变动幅度的多种组合，比单因素敏感性分析复杂。为简化计算，可以采用三项预测值敏感性分析。

三项预测值的基本思路是，对方案的各种参数分别给出三个预测值（估计值），即悲观的预测值 P（Pessimism），最可能的预测值 M（Most Probably），乐观的预测值 O（Optimistic）。根据这三种预测值即可对技术方案进行敏感性分析并作出评价。

【例 5-7】某企业准备购置新设备，融资前投资、寿命等数据见表 5-6 所列，试就使用寿命、年营业收入和年支出三项因素按最有利、很可能和最不利三种情况，进行净现值敏感性分析，$i_c=8\%$。

[例 5-7] 数据表（万元） 表 5-6

因素变化＼因素	总投资	使用寿命	年营业收入	年支出
最有利（O）	15	18	11	2
很可能（M）	15	10	7	4.3
最不利（P）	15	8	5	5.7

【解】计算过程见表 5-7 所列。

在表 5-7 中，最大的 NPV 是 69.35 万元。

即寿命、营业收入、年支出均处于最有利状态时：

$NPV=(11-2)(P/A, 8\%, 18)-15=9\times9.372-15=69.35$ 万元

在表 5-7 中，最小的 NPV 是-21.56 万元，即寿命在 O 状态，营业收入和年支出在 P 状态时：

$$NPV=(5-5.7)\times(P/A, 8\%, 18)-15$$
$$=-0.7\times9.372-15=-21.56 \text{ 万元}$$

[例 5-7] 三项预测值敏感性分析（万元） 表 5-7

净现值＼年销售收入	年支出								
	O			M			P		
	寿命								
	O	M	P	O	M	P	O	M	P
O	69.35	45.39	36.72	47.79	29.89	23.50	34.67	20.56	15.46
M	31.86	18.55	13.74	10.3	3.12	0.52	−2.82	−6.28	−7.53
P	13.12	5.13	2.24	8.44	−10.30	−10.98	−21.56	−19.70	−19.00

项目共计有 27 个不确定性预测值，NPV 大于零的预测值为 19 个，NPV 小于零的预测值为 8 个，则项目盈利的可能性为 19/27=70.37%。

敏感性分析在一定程度上就各种不确定因素的变动对方案经济效果的影响作了定量描述，有助于确定在决策过程中及各方案实施过程中需要重点研究与控制的因素。但是，敏感性分析没有考虑各种不确定因素在未来发生变化的概率，这可能会影响分析结论的准确性。实际上，各种不确定因素在未来发生某一幅度变动的概率有可能不同。比如，通过敏感性分析找出的某一关键敏感因素未来发生不利变动的概率很小，因而实际上所带来的风险并不大，以至于可以忽略不计；而另一不太敏感的因素未来发生不利变动的概率却很大，实际上所带来的风险更大。这种问题是敏感性分析所无法解决的，必须借助于风险分析方法。

5.3 风险分析

5.3.1 风险的概念

1. 风险的概念

对工程经济分析而言，风险是建设项目遭遇不利事件的可能性与其产生后果的组合。理解风险的概念应该把握以下三要素：

（1）不确定性是风险存在的必要条件。风险和不确定性是两个不完全相同但又密切相关的概念。如果某种损失必定要发生或必定不会发生，人们可以提前计划或通过成本费用的方式予以明确，风险是不存在的。只有当人们对未来结果无法事先准确预料但又知道发生的可能性时，风险才有可能存在。

（2）潜在损失是风险存在的充分条件。不确定性的存在并不一定意味着风险，因为风险是与潜在损失联系在一起的，即实际结果与目标发生的负偏离，包括没有达到预期目标的损失。例如，如果投资者的目标是基准收益率 15%，而实际的内部收益率在20%～30%之间，虽然具体数值无法确定，但最低的收益率都高于目标收益率，绝无风险可言。如果这项投资的内部收益率估计可能在 12%～18%之间，则它是一个有风险的投资，因为实际收益率有小于目标水平 15%的可能性。

（3）产权清晰是风险分析的基础。风险分析的基础是存在承担行为后果的经济主体（个人或组织），即风险行为人必须是行为后果的实际承担人。如果有某位投资者对其投资后果不承担任何责任，或者只负盈不负亏，那么投资风险对他就没有任何意义，他也不可能花费精力进行风险管理。

2. 风险的分类

按照风险与不确定性的关系、风险与时间的关系和风险与行为人的关系，可以对风险进行以下分类。

（1）纯风险和理论风险

这是根据风险与不确定性的关系进行分类的一种方法。纯风险是指不确定性中仅存在损失的可能性，即纯风险没有任何收益的可能，只有损失的可能。例如，由于火灾或洪水造成对财产的破坏，以及由于事故或疾病造成的意外伤亡。理论风险是指不确定性中既存在收益的不确定性也存在损失的不确定性。高新技术开发活动和证券投资活动往往包含理论风险。

（2）静态风险和动态风险

这是根据风险与时间的关系划分风险类型的一种方法。静态风险，是社会经济处于稳定状态时的风险。例如，由于诸如飓风、暴雨、地震等随机事件而造成的不确定性。动态风险则是由于社会经济随时间的变化而产生的风险。例如，经济体制的改革、城乡规划的改变、日新月异的科技创新、人们思想观念的转变等带来的风险。

静态和动态风险并不是各自独立的，较大的动态风险可能会提高某些类型的静态风险。例如，与天气状况有关的损失风险通常被认为是静态的。然而，越来越多的证据显示，日益加速的工业化造成的环境污染，可能正在影响全球的天气状况，从而提高了静态风险发生的可能性。

（3）主观风险和客观风险

按照风险与行为人的关系可以将风险划分为主观风险和客观风险。主观风险本质上是人的判断，这种风险来源于行为人的思维状态和对行为后果的看法。客观风险与主观风险的最大区别在于，它可通过统计规律更精确地观察和测量。

主观风险提供了一种方法去解释人们面临相同的客观风险却得出不同结论的这一行为。因此，仅知道客观风险的程度是远远不够的，还必须了解一个人对风险的态度。

各种风险类型之间的关系，如图 5-8 所示。

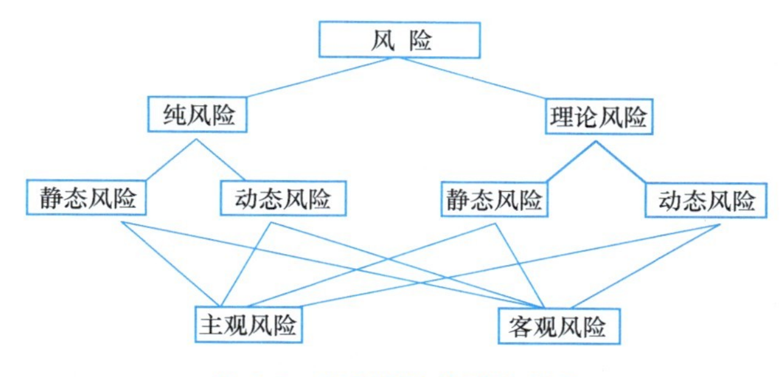

图 5-8 各种风险类型的关系

3. 建设项目风险的主要来源

（1）市场风险

它指由于市场供求和价格的不确定性导致损失的可能性。具体讲，就是由于市场需求量、需求偏好以及市场竞争格局、政治经济、法规政策等方面的变化导致市场行情可能发生不利的变化而使建设项目经济效果或企业发展目标达不到预期的水平，比如营业收入、利润或市场占有率等低于期望水平。对于大多数建设项目，市场风险是最直接也是最主要的风险。

（2）技术风险

它指高新技术的应用和技术进步使建设项目目标发生损失的可能性。在项目建设和运营阶段一般都涉及各种高新技术的应用，由于种种原因，实际的应用效果可能达不到原先预期的水平，从而也就可能使项目的目标无法实现，形成高新技术应用风险。此外，建设项目以外的技术进步会使项目的相对技术水平降低，从而影响了项目的竞争力和经济效果。这就构成了技术进步风险。

（3）财产风险

它指与项目建设有关的企业和个人所拥有、租赁或使用财产，面临可能被破坏、被损毁以及被盗窃的风险。财产风险的来源包括项目建设和运营过程中火灾、闪电、洪水、地震、飓风、暴雨、偷窃、爆炸、暴乱、冲突等。此外，与财产损失相关的可能损失还包括停产停业的损失、采取补救措施的费用和不能履行合同对他人造成的损失。

（4）责任风险

指承担法律责任后对受损一方进行补偿而使自己蒙受损失的可能性。随着法律体系的建立健全和执法力度的加强，工程建设过程中，个人和组织越来越多地通过诉诸法律补偿自己受到的损失。司法裁决可能对受害一方进行经济补偿，同时惩罚与责任有关的个人或组织。即使被告最终免除了责任，辩护一个案子的费用也是必不可少的。因此，经济主体必须谨慎识别那些可能对自己造成影响的责任风险。

（5）信用风险

指由于有关行为主体不能做到重合同、守信用而导致目标损失的可能性。在项目的建设和运营过程中，合同行为作为市场经济运行的基本单元具有普遍性和经常性，如工程承发包合同、分包合同、设备材料采购合同、贷款合同、租赁合同、销售合同等。这些合同规范了诸多合作方的行为，是使工程顺利进行的基础。但如果有行为主体钻合同的空子损害另一方当事人的利益或者单方面无故违反承诺，建设项目将受到损失，这就是信用风险。

4. 风险分析及其步骤

风险分析，是一种识别和测算风险、设计和选择方案来控制风险的工作。风险分析的步骤包括：风险识别、风险估计、风险评价、风险决策和风险应对。风险分析可同时用于财务评价和国民经济评价

5.3.2 风险识别

风险识别，是指采用系统论的观点对项目全面考察，找出潜在的各种风险因素，并通过比较、分类，确定各因素间的相关性与独立性，判断其发生的可能性及对项目的影响程度，按其重要性进行排队，或赋予权重。风险识别是风险分析和管理的一项基础性工作，其主要任务是明确风险点，为风险估计、风险评价和风险应对奠定基础。敏感性分析是初步识别风险因素的重要手段。

风险识别要求风险分析人员拥有较强的洞察能力、分析能力以及丰富的实际经验。

风险识别的一般步骤是：

（1）明确所要实现的目标；

（2）找出影响目标值的全部因素；

（3）分析各因素对目标的相对影响程度；

（4）根据各因素向不利方向变化的可能性进行分析、判断，并确定主要风险因素。

例如，某建设项目经济评价指标为内部收益率（*IRR*），识别项目风险的基本过程如下：

（1）找出可能影响 *IRR* 的各种因素，如图 5-9 所示；

（2）对各种因素逐层分解，直至可直接判断其变动可能性为止；

（3）根据分析的知识和经验，判断可能发生不利变化的主要因素及其可能性大小。

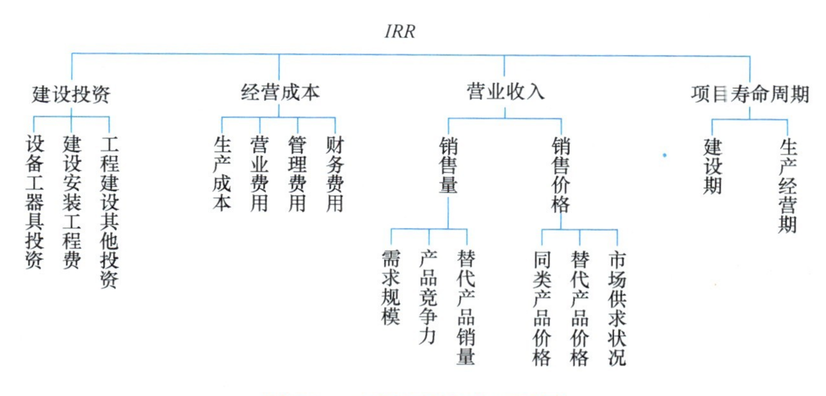

图 5-9 工程项目风险识别图

建设项目投资规模大、建设周期长、涉及因素多，因此，也可以按项目的不同阶段进行风险识别，而且随着建设项目寿命周期的推移，一种风险的重要性会下降，而另一种风险的重要性则会上升，如图 5-10 所示。这样，可以从不同的角度对项目风险进行更深入的认识。

5.3.3 风险估计

估计风险大小不仅要考虑损失或负偏离发生的大小范围、更要综合考虑各种损失或负偏离发生的可能性大小，即概率。估计工程建设项目的风险可用项目某一经济效益指标的负偏离（如 $NPV\leqslant0$，$IRR\leqslant i_c$）发生的概率来度量。

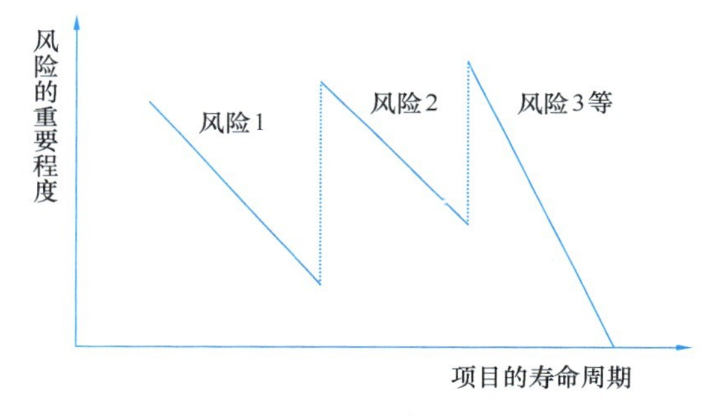

图 5-10 不同阶段项目不同风险的重要程度变化图

风险估计，是指采用主观概率和客观概率分析方法，确定风险因素的概率分布，运用数理统计分析方法，计算项目评价指标相应的概率分布或累计概率、期望值、标准差。

概率分为客观概率和主观概率。客观概率是指用科学的数理统计方法，推断、计算随机事件发生的可能性大小，是对大量历史先例进行统计分析得到的。主观概率是当某些事件缺乏历史统计资料时，由决策人自己或借助于咨询机构或专家凭经验进行估计得出的。实际上，主观概率也是人们在长期实践基础上得出的，并非纯主观的随意猜想。

1. 离散概率分布

当变量可能数值为有限个，这种随机变量称为离散随机变量，其概率密度为间断函数。在此分布下指标期望值为：

$$\bar{x}=\sum_{j=1}^{k}p_j\cdot x_j \tag{5-12}$$

式中 $\bar{x}$——指标的期望值；

p_j——第 j 种状态发生的概率；

x_j ——第 j 种状态下的指标值；

k ——可能的状态数。

指标的方差 D 为：

$$D=\sum_{j=1}^{k}p_j\,(x_j-\bar{x})^2 \tag{5-13}$$

指标的均方差（或标准差）为 σ，$\sigma=\sqrt{D}$。

【例 5-8】 某工程项目的净现值为随机变量，并有表 5-8 所列的离散型概率分布，求净现值的期望值和方差。

[例 5-8] 数据表（万元） 表 5-8

净现值的可能状态	1000	1500	2000	2500
概率分布 p	0.1	0.5	0.25	0.15

【解】 净现值的期望值$=0.1\times1000+0.5\times1500+0.25\times2000+0.15\times2500$

$=1725$ 万元

净现值的方差$=0.1(1000-1725)^2+0.5(1500-1725)^2+0.25(2000-1725)^2$

$+0.15(2500-1725)^2$

$=186875$

净现值的均方差$=432.29$ 万元

2. 连续概率分布

当一个变量的取值范围为一个区间，这种变量称为连续变量，其概率密度分布为连续函数。常用的连续概率分布有：

（1）正态分布

正态分布是一种最常用的概率分布，特点是密度函数以均值为中心对称分布。概率密度如图 5-11 所示。正态分布适用于描述一般经济变量的概率分布，如销售量、售价、产品成本等。

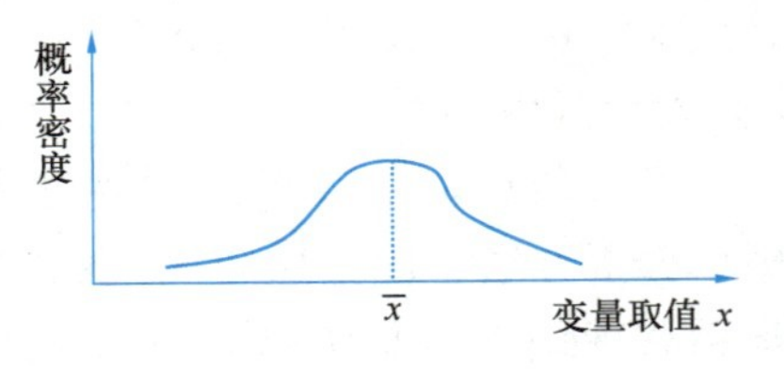

图 5-11 正态分布概率密度图

设变量为 x，x 的正态分布概率密度函数为 $p(x)$，x 的期望值 $\bar{x}$ 和方差 D 计算公式如下：

$$\bar{x}=\int xp(x)\mathrm{d}x \tag{5-14}$$

$$D=\int_{-\infty}^{+\infty}(x-\bar{x})^2p(x)\mathrm{d}x \tag{5-15}$$

当 $\bar{x}=0$、$\sqrt{D}=1$ 时，称这种分布为标准正态分布，用 N（0，1）表示。

（2）三角分布

三角分布的特点是密度函数由悲观值、最可能值和乐观值构成对称的或不对称的三角形。它适用于描述工期、投资等不对称分布的输入变量，也可用于描述产量、成本等对称分布的输入变量，如图 5-12 所示。

（3）梯形分布

梯形分布是三角分布的特例，在确定变量的乐观值和悲观值后，对最可能值却难以判定，只能确定一个最可能值的范围，这时可用梯形分布描述，如图 5-13 所示。

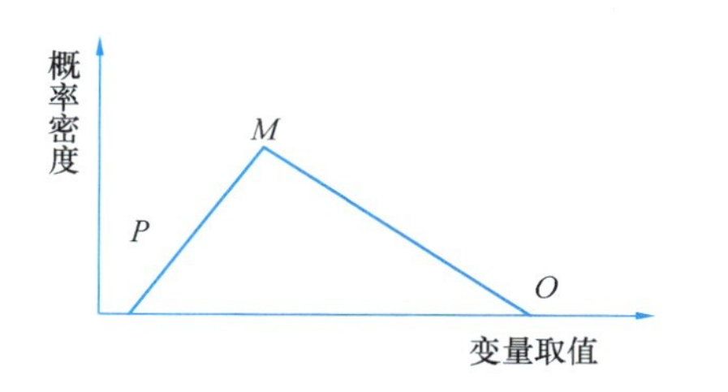

图 5-12 三角分布概率密度图

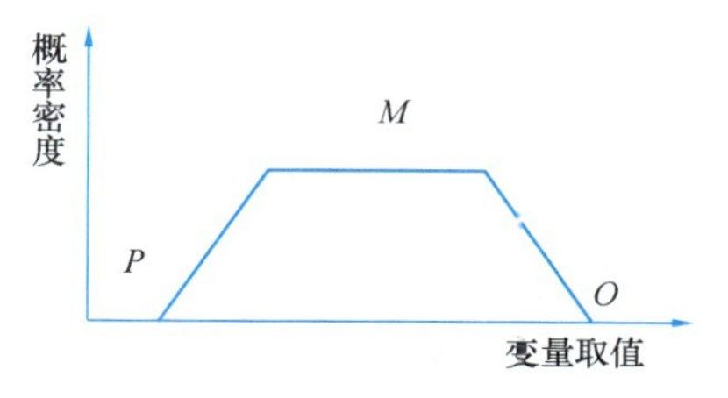

图 5-13 梯形分布概率密度图

（4）β 分布

如果某变量服从 β 分布，则其概率密度在均值两边呈不对称分布，如图 5-14 所示。β 分布适用于描述工期等不对称分布的变量。通常可以对变量作出三种估计值，即悲观值 P、乐观值 O、最可能值 M。其期望值及方差近似等于：

$$\bar{x}=\frac{P+4M+O}{6} \tag{5-16}$$

$$D=\left(\frac{O-P}{6}\right)^2 \tag{5-17}$$

（5）均匀分布

如果指标值服从均匀分布，其期望值和方差如下：

$$\bar{x}=\frac{(a+b)}{2} \tag{5-18}$$

$$D=\frac{(b-a)^2}{12} \tag{5-19}$$

式中 a、b——指标值的最小值和最大值。

均匀分布的概率密度如图 5-15 所示。

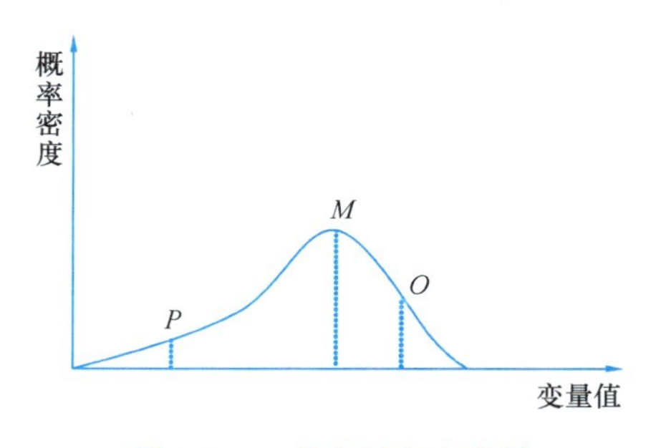

图 5-14 β 分布概率密度图

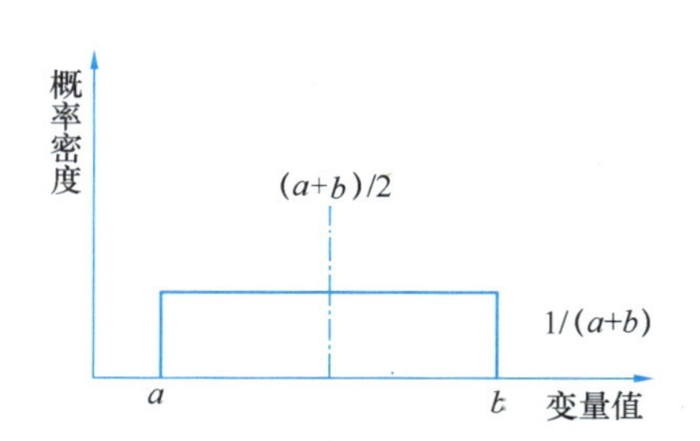

图 5-15 均匀分布概率密度图

3. 概率树分析

概率树分析的一般步骤是：

（1）列出要考虑的各种风险因素，如投资、经营成本、销售价格等。

（2）设想各种风险因素可能发生的状态，即确定其数值发生变化个数。

（3）分别确定各种状态可能出现的概率，并使可能发生状态概率之和等于 1。

（4）分别求出各种风险因素发生变化时，方案净现金流量各状态发生的概率和相应状态下的净现值 $NPV^{(j)}$。

（5）求方案净现值的期望值（均值）$E(NPV)$。

$$E(NPV)=\sum_{j=1}^{k}NPV^{(j)}\times p_j \tag{5-20}$$

式中 p_j——j 种状态出现的概率；

k——可能出现的状态数。

（6）求出方案净现值非负的累计概率。

（7）对概率分析结果作说明。

【例 5-9】某项目的技术方案在其寿命期内可能出现的五种状态的净现金流量及其发生的概率见表 5-9，假定各年份净现金流量之间互不相关，基准折现率为 10%，求：（1）方案净现值的期望值、方差、均方差；（2）方案净现值不小于零的概率；（3）方案净现值不小于 17.5 万元的概率。

【解】（1）对于状态 S_1，净现值计算结果如下：

$$NPV^{(1)}=-22.5+2.45(P/A,10\%,9)(P/F,10\%,1)+5.45(P/F,10\%,11)$$
$$=-22.5+2.45\times5.759\times0.9091+5.45\times0.3505=-7.76 \text{ 万元}$$

用相同的方法可求得其他 4 种状态的净现值结果，见表 5-9 所列。

[例 5-9]不同状态的发生概率及净现金流量(万元) 表 5-9

年末 \ 概率 \ 状态	S_1	S_2	S_3	S_4	S_5
	$p_1=0.1$	$p_2=0.2$	$p_3=0.4$	$p_4=0.2$	$p_5=0.1$
0	−22.5	−22.5	−22.5	−24.75	−27
1	0	0	0	0	0
2～10	2.45	3.93	6.90	7.59	7.79
11	5.45	6.93	9.90	10.59	10.94
NPV	−7.76	0.51	17.10	18.70	17.62

根据式(5-20)和式(5-13)计算方案净现值的期望值、方差、均方差如下：

$$E(NPV)=\sum_{j=1}^{k}NPV^{(j)}\times p_j=0.1\times(-7.76)+0.2\times0.51+0.4\times17.1$$
$$+0.2\times18.7+0.1\times17.62$$
$$=11.67 \text{ 万元}$$

$$D(NPV)=\sum_{j=1}^{k}[NPV^{(j)}-E(NPV)]^2\times p_j$$
$$=[(-7.76)-11.67]^2\times0.1+(0.51-11.67)^2\times0.2$$
$$+(17.1-11.67)^2\times0.4+(18.7-11.67)^2\times0.2$$
$$+(17.62-11.67)^2\times0.1$$
$$=87.87$$

$$\sigma(NPV)=\sqrt{D(NPV)}=9.37 \text{ 万元}$$

（2）方案净现值的概率树图如图 5-16 所示。从图中可知，方案净现值不小于零的概率为：

$$p(NPV \geqslant 0) = 0.2 + 0.4 + 0.2 + 0.1 = 0.9$$

（3）方案净现值不小于 17.5 万元的概率为：

$$p(NPV \geqslant 17.5 \text{百万元}) = 0.2 + 0.1 = 0.3$$

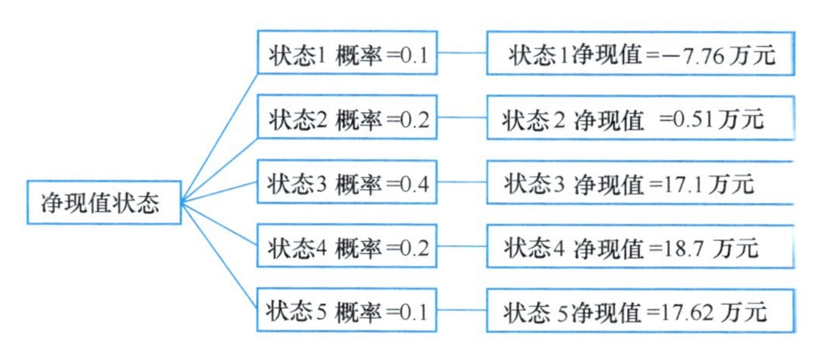

图 5-16 ［例 5-9］方案净现值的概率树图

【例 5-10】 假定在［例 5-9］中方案净现值服从均值为 11.67 万元、均方差为 9.37 万元的正态分布，试求：（1）方案净现值不小于零的概率；（2）方案净现值不小于 17.5 万元的概率。

【解】 根据概率论的有关知识，若连续型随机变量 x 服从参数为 μ（均值）、σ（均方差）的正态分布，则 x 小于 x_0 的概率为：

$$p(x < x_0) = \phi\left(\frac{x_0 - \mu}{\sigma}\right) \tag{5-21}$$

ϕ 值可由本书附录Ⅲ的标准正态分布表中查出。

在本例中，已知 $\mu = E(NPV) = 11.67$ 万元，$\sigma = \sigma(NPV) = 9.37$ 万元，则：

（1）方案净现值不小于零的概率为：

$$p(NPV \geqslant 0) = 1 - p(NPV < 0) = 1 - \phi\left(\frac{0 - 11.67}{9.37}\right) = 1 - [1 - \phi(1.25)] = 0.8944$$

（2）方案净现值不小于 17.5 万元的概率为：

$$p(NPV \geqslant 17.5) = 1 - p(NPV < 17.5) = 1 - \phi\left(\frac{17.5 - 11.67}{9.37}\right) = 1 - \phi(0.62) = 0.2676$$

【例 5-11】 某商品住宅小区开发项目现金流量的估计值服从年末习惯法，见表 5-10 所列。根据经验推断，营业收入和开发成本为离散型随机变量，其值在估计值的基础上可能发生的变化及其概率见表 5-11。试确定该项目净现值不小于零及不小于 3000 万元的概率。基准收益率 $i_c = 12\%$。

［例 5-11］基本方案的参数估计（万元） 表 5-10

现金流量 \ 年份	1	2	3
营业收入	857	7143	8800
开发成本	5888	4873	6900
其他税费	56	464	1196
净现金流量	−5087	1806	9350

[例 5-11] 不确定性因素的变化范围 表 5-11

变幅 概率 因素	−20%	0	+20%
营业收入	0.2	0.6	0.2
开发成本	0.1	0.3	0.6

【解】（1）项目净现金流量未来可能发生的 9 种状态如图 5-17 所示。

（2）分别计算项目净现金流量各种状态的概率 p_j（$j=1，2，\cdots，9$）：

$$p_1=0.2\times0.6=0.12$$

$$p_2=0.2\times0.3=0.06$$

$$p_3=0.2\times0.1=0.02$$

余类推。结果见图 5-17。

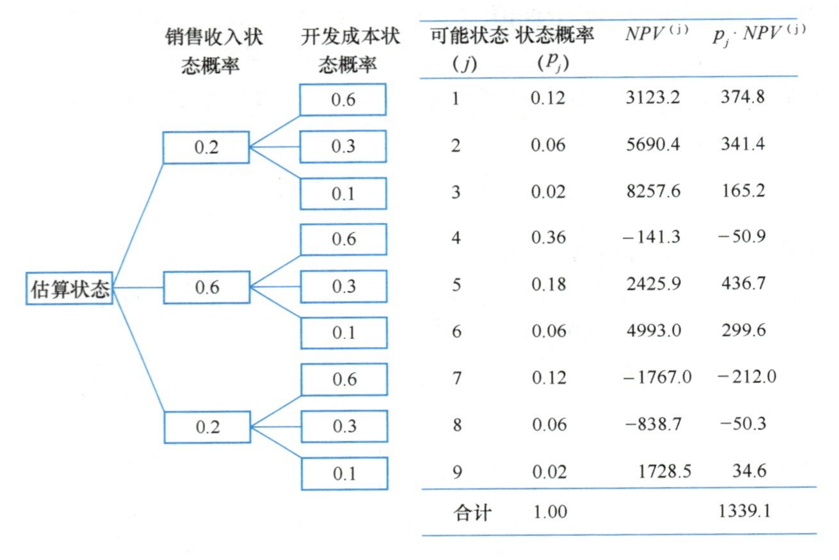

可能状态 (j)	状态概率 (p_j)	$NPV^{(j)}$	$p_j \cdot NPV^{(j)}$
1	0.12	3123.2	374.8
2	0.06	5690.4	341.4
3	0.02	8257.6	165.2
4	0.36	−141.3	−50.9
5	0.18	2425.9	436.7
6	0.06	4993.0	299.6
7	0.12	−1767.0	−212.0
8	0.06	−838.7	−50.3
9	0.02	1728.5	34.6
合计	1.00		1339.1

图 5-17 [例 5-11] 概率树图

（3）分别计算项目各状态下的净现值 $NPV^{(j)}$（$j=1，2，\cdots，9$）：

$$NPV^{(1)}=\sum_{t=1}^{3}(CI-CO)_t^{(1)}(1+12\%)^{-t}=3123.2\text{ 万元}$$

余类推，结果见图 5-17。

（4）计算项目净现值的期望值：

净现值的期望值 $=0.12\times3123.2+0.06\times5690.4+0.02\times8257.6+0.36\times(-141.3)+0.18\times2425.9+0.06\times4993.0+0.12\times(-1767.0)+0.06\times(-838.7)+0.02\times1728.5=1339.1$ 万元

（5）计算净现值不小于零的概率：

$$p(NPV\geqslant0)=1-0.36-0.12-0.06=0.46$$

（6）计算净现值不小于 3000 万元的概率：

$$p(NPV \geqslant 3000)=0.12+0.06+0.02+0.06=0.26$$

结论：该项目净现值的期望值大于零，是可行的。但净现值大于零的概率偏小，说明项目存在一定的风险。

4. 蒙特卡洛模拟法

在风险估计中，概率树法多用于解决比较简单的问题，比如只有一个或两个参数是随机变量，且随机变量的概率分布是离散型的等。但若遇到随机变量较多且概率分布是连续型的，采用概率树法将变得十分复杂，而蒙特卡洛方法却能较方便地解决此类问题。

蒙特卡洛模拟法的工作过程是，用随机抽样的方法抽取一组输入变量，计算项目评价指标，通过多次抽样计算可获得评价指标的概率分布及累计概率分布、期望值、方差、标准差，计算项目可行或不可行的概率，从而估计项目投资所承担的风险。

蒙特卡洛模拟法的实施步骤一般为：

1）通过敏感性分析，确定风险随机变量；

2）确定风险随机变量的概率分布；

3）通过随机数表或计算机求出随机数，根据风险随机变量的概率分布模拟输入变量；

4）选取经济评价指标，如净现值、内部收益率等；

5）根据基础数据计算评价指标值；

6）整理模拟结果所得评价指标的期望值、方差、标准差和它的概率分布及累计概率，绘制累计概率图，计算项目可行或不可行的概率。

（1）离散型随机变量的蒙特卡洛模拟

假如根据专家调查获得的某种产品的年营业收入服从表 5-12 所列的离散型概率分布，根据表 5-12 绘制累计概率如图 5-18 所示。

离散型随机变量的概率分布表　　表 5-12

年营业收入（万元）	1000	1200	1500	2000
概率	0.1	0.5	0.25	0.15
累计概率	0.1	0.6	0.85	1.00

若抽取的随机数为 48867，从累计概率图纵坐标上找到累计概率为 0.48867，画一水平线，与累计概率折线相交的交点的横坐标值为 1200 万元/年，即是年营业收入的抽样值。

随机数、累计概率与抽样结果的关系，见表 5-13 所列。年营业收入大于等于 1500 万的概率为 40%。

随机数、累计概率与抽样结果的关系表　　表 5-13

年营业收入（万元）	1000	1200	1500	2000
随机数	00000～09999	10000～59999	60000～84999	85000～99999
累计概率	0.1	0.6	0.85	1.00

（2）正态分布随机变量的蒙特卡洛模拟

根据正态分布概率密度分布函数，可以绘出它的累计概率分布图，如图 5-19 所示。

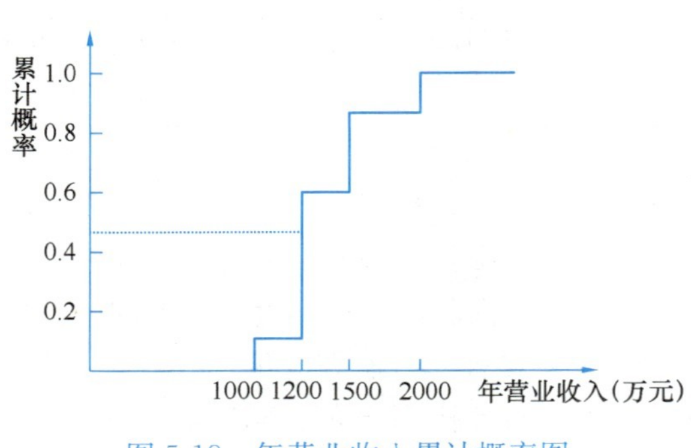

图 5-18 年营业收入累计概率图

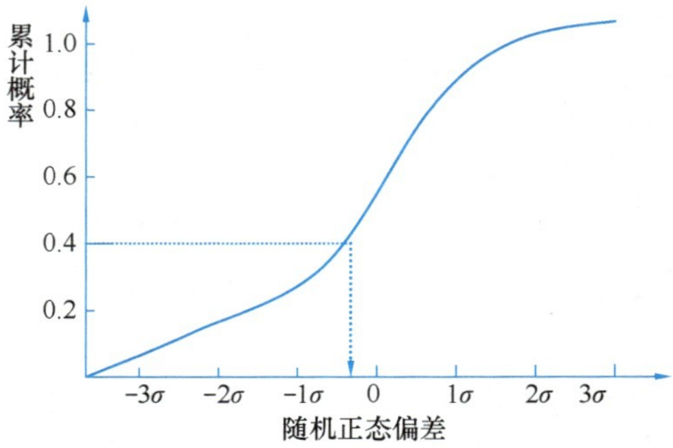

图 5-19 正态分布累计概率图

用随机数作为累计概率的随机值，每个随机数都可在图 5-19 中对应一个随机正态偏差。也可直接从本书附录Ⅴ随机正态偏差表查取随机正态偏差值。对应的随机变量的抽样结果可通过下式求得：

$$\text{抽样结果} = \text{均值} + \text{随机正态偏差值}(RND) \times \text{均方差} \tag{5-22}$$

（3）均匀分布随机变量的蒙特卡洛模拟

具有最小值 a 和最大值 b 的连续均匀分布随机变量，其累计概率分布如图 5-20 所示。令 RN 表示随机数，RN_m 表示最大随机数，根据相似三角形对应成比例的原理，有：

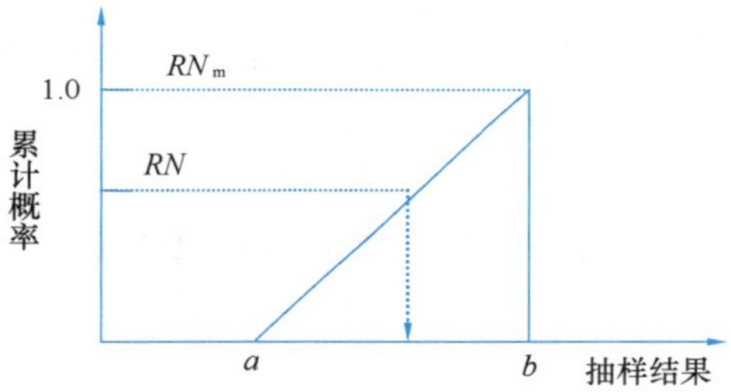

$$\begin{aligned}\text{抽样结果} &= a + \frac{RN}{RN_m}(b-a)\\ &= \frac{a+b}{2} - \frac{b-a}{2} + \frac{RN}{RN_m}(b-a)\end{aligned} \tag{5-23}$$

图 5-20 均匀分布累计概率图

如果某均匀分布随机变量的均值为 8，变化范围为 6，则其抽样结果$=\left(8-\frac{6}{2}\right)+\frac{RN}{RN_m}\times 6$。

【例 5-12】某建设项目，采用类似项目比较法能较准确地估算出初始投资为 150 万元，投资当年即可获得正常收益。通过敏感性分析推断项目寿命期和年净收益为风险随机变量。项目寿命期估计为 12～16 年，呈均匀分布。年净收益估计呈正态分布，年净收益的均值为 25 万元，标准差为 3 万元。（1）试用蒙特卡洛模拟法描述该项目内部收益率的概率分布；（2）设基准收益率为 12%，计算项目内部收益率大于 12%的概率。

［例 5-12］随机样本数据和 *IRR* 的计算结果　表 5-14

序号	项目寿命随机数	项目寿命（年）	年净收益随机数	年净收益随机正态偏差	年净收益（万元）	内部收益率（%）
1	303	13	623	0.325	25.98	14.3
2	871	16	046	−1.685	19.95	10.7
3	274	13	318	−0.475	23.58	12.2
4	752	15	318	−0.475	23.58	13.2

续表

序号	项目寿命随机数	项目寿命（年）	年净收益随机数	年净收益随机正态偏差	年净收益（万元）	内部收益率（%）
5	346	13	980	2.055	31.15	18.5
6	365	13	413	−0.220	24.34	12.9
7	466	14	740	0.640	27.22	15.8
8	021	12	502	0.005	25.02	12.7
9	524	14	069	−1.485	20.55	10.2
10	748	15	221	−0.770	22.69	12.6
11	439	14	106	−1.245	21.27	10.8
12	984	16	636	0.345	26.04	15.7
13	234	13	394	−0.270	24.19	12.7
14	531	15	235	−0.725	22.83	12.7
15	149	12	427	−0.185	24.45	12.2
16	225	13	190	−0.880	22.36	11.1
17	873	16	085	−1.370	20.89	11.5
18	135	12	826	−1.145	21.57	9.6
19	961	16	106	−1.245	21.27	11.8
20	381	13	780	0.770	27.31	15.4
21	439	14	450	−0.125	24.63	13.7
22	289	13	651	0.390	26.17	14.4
23	245	13	654	0.395	26.19	14.4
24	069	12	599	0.250	25.75	13.4
25	040	12	942	1.570	29.71	16.7

【解】（1）本例中，需要模拟的随机变量有项目寿命期和年净收益，且两个随机变量相互独立。根据已知条件，项目寿命期的模拟结果为：$12+\dfrac{RN}{RN_{m}}\times 4$；项目年净收益的模拟结果为：$25+RND\times 3$。表5-14是25个随机样本数据及相应的内部收益率计算结果，其中$RN_{m}=999$。

（2）蒙特卡洛模拟法累计概率计算见表5-15所列，通过表5-15的累计概率计算，可得该项目内部收益率大于12%的概率为72%。

［例5-12］蒙特卡洛模拟法累计概率计算表　　表5-15

模拟顺序	模拟结果（内部收益率,%）	概率*（%）	累计概率（%）
18	9.6	4	4
9	10.2	4	8
2	10.7	4	12
11	10.8	4	16

续表

模拟顺序	模拟结果（内部收益率,%）	概率*（%）	累计概率（%）
16	11.1	4	20
17	11.5	4	24
19	11.8	4	28
3	12.2	4	32
15	12.2	4	36
10	12.6	4	40
8	12.7	4	44
13	12.7	4	48
14	12.7	4	52
6	12.9	4	56
4	13.2	4	60
24	13.4	4	64
21	13.7	4	68
1	14.3	4	72
22	14.4	4	76
23	14.4	4	80
20	15.4	4	84
12	15.7	4	88
7	15.8	4	92
25	16.7	4	96
5	18.5	4	100

注：* 每次模拟结果的概率=1/模拟次数。

5.3.4 风险评价

风险评价，是指根据风险识别和风险估计的结果，依据项目风险判别标准，找出影响项目成败的关键风险因素。项目风险大小的评价标准应根据风险因素发生的可能性及其造成的损失来确定，一般采用评价指标的概率分布或累计概率、期望值、标准差作为断别标准，也可采用综合风险等级作为判别标准。

1. 以评价指标作为判别标准

（1）财务（经济）内部收益率不小于基准收益率（社会折现率）的累计概率值越大，风险越小；标准差越小，风险越小。

（2）财务（经济）净现值不小于零的累计概率值越大，风险越小；标准差越小，风险越小。

2. 以综合风险等级作为判别标准

根据风险因素发生的可能性及其造成损失的程度，建立综合风险等级的矩阵，将综合风险分为风险很强的 K（Kill）级、风险强的 M（Modify）级、风险较强的 T（Trigger）级、风险适度的 R（Review and Reconsider）级和风险弱的 I（Ignore）级。综合风险等级分类表见表 5-16 所列。

综合风险等级分类表　　表 5-16

综合风险等级		风险影响的程度			
		严重	较大	适度	低
风险的可能性	高	K	M	R	R
	较高	M	M	R	R
	适度	T	T	R	I
	低	T	T	R	I

注：本表来源为中国计划出版社出版的《建设项目经济评价方法与参数》第三版。

落在表 5-16 左上角的风险，会产生严重的后果；落在表 5-16 右下角的风险，可忽略不计。

5.3.5 风险决策

1. 风险态度与风险决策准则

人是决策的主体，在风险条件下决策行为取决于决策者的风险态度，对同一风险决策问题，风险态度不同的人决策的结果通常有较大的差异。典型的风险态度有三种表现形式：风险厌恶、风险中性和风险偏爱。与风险态度相对应，风险决策人可有以下决策准则：满意度准则、最小方差准则、期望值准则和期望方差准则。

2. 风险决策方法

（1）满意度准则

在工程实践中，由于决策人的理性有限性和时空的限制，既不能找到一切方案，也不能比较一切方案，并非人们不喜欢“最优”，而是“最优”的代价太高。因此，最优准则只存在于纯粹的逻辑推理中。在实践中，只要遵循满意度准则，就可以进行决策。

满意度准则既可以是决策人想要达到的收益水平，也可以是决策人想要避免的损失水平，因此它对风险厌恶和风险偏爱决策人都适用。

当选择最优方案花费过高或在没有得到其他方案的有关资料之前就必须决策的情况下，应采用满意度准则决策。

【例 5-13】设有表 5-17 所示的决策问题。表中的数据除各种自然状态的概率外，还有指标的损益值，正的为收益，负的为损失。满意度准则如下：（1）可能收益有机会至少等于 5；（2）可能损失不大于−1。试选择最佳方案。

［例 5-13］满意度准则风险决策　　表 5-17

损益值 \ 方案	自然状态 S_j			
	S_1	S_2	S_3	S_4
	状态概率 $p(S_j)$			
	(0.5)	(0.1)	(0.1)	(0.3)
Ⅰ	3	−1	1	1
Ⅱ	4	0	−4	6
Ⅲ	5	−2	0	2

【解】按准则（1）选择方案时，方案Ⅱ和方案Ⅲ有不小于 5 的可能收益，但方案Ⅲ取得收益 5 的概率更大一些，应选择方案Ⅲ。

按准则（2）选择方案时，只有方案Ⅰ的损失不超过−1，所以应选择方案Ⅰ。

（2）期望值准则

期望值准则是根据各备选方案指标损益值的期望值大小进行决策，如果指标为越大越好的损益值，则应选择期望值最大的方案；如果指标为越小越好的损益值，则选择期望值最小的方案。由于不考虑方案的风险，实际上隐含了风险中性的假设。因此，只有当决策者风险态度为中性时，此原则才能适用。

【例 5-14】对［例 5-13］的决策问题，用期望值准则决策的结果见表 5-18 所列。

［例 5-14］期望值准则风险决策 表 5-18

方 案	各方案期望值
Ⅰ	3×0.5−1×0.1+1×0.1+1×0.3=1.8
Ⅱ	4×0.5+0−4×0.1+6×0.3=3.4
Ⅲ	5×0.5−2×0.1+0+2×0.3=2.9

应选期望值最大的方案Ⅱ。

（3）最小方差准则

一般而言，方案指标值的方差越大，则方案的风险就越大。所以，风险厌恶型的决策人有时倾向于用这一原则选择风险较小的方案。这是一种避免最大损失而不是追求最大收益的准则，具有过于保守的特点。

方差计算公式式（5-13）更为方便的表达式如下：

$$D=\sum_{j=1}^{n}x_j^2p_j-(\bar{x})^2 \tag{5-24}$$

【例 5-15】对［例 5-13］的决策问题，用最小方差准则决策的结果见表 5-19 所列。

［例 5-15］最小方差准则风险决策 表 5-19

方 案	各方案方差
Ⅰ	$3^2×0.5+(−1)^2×0.1+1^2×0.1+1^2×0.3−(1.8)^2=1.76$
Ⅱ	$4^2×0.5+(0)^2×0.1+(−4)^2×0.1+6^2×0.3−(3.4)^2=8.84$
Ⅲ	$5^2×0.5+(−2)^2×0.1+0^2×0.1+2^2×0.3−(2.9)^2=5.69$

应选择方差最小的方案Ⅰ。

（4）期望值方差准则

期望值方差准则是将期望值和方差通过风险厌恶系数 A 化为一个标准 Q 来决策的准则。

$$Q=\bar{x}-A\sqrt{D} \tag{5-25}$$

式中，风险厌恶系数 A 的取值范围为 0～1，越厌恶风险，取值越大。通过 A 取值范围的调整，可以使 Q 值适合于任何风险偏好的决策者。

【例 5-16】对［例 5-13］的决策问题，用期望值方差准则决策的结果见表 5-20 所列。风险厌恶系数 A 为 0.7。

［例5-16］期望值方差准则风险决策　表5-20

方　案	各方案的Q值
Ⅰ	$1.8-0.7\sqrt{1.76}=0.87$
Ⅱ	$3.4-0.7\sqrt{8.84}=1.32$
Ⅲ	$2.9-0.7\sqrt{5.69}=1.23$

应选Q值最大的方案Ⅱ。

可见，同一个决策问题，采用不同的决策准则，代表了决策人的不同风险偏好，决策结果是不一样的，这正是风险决策的最显著特点。

5.3.6　风险应对

风险应对，是指根据风险决策的结果，研究规避、控制与防范风险的措施，为项目全过程风险管理提供依据。

风险应对的四种基本方法是：风险回避、损失控制、风险转移和风险保留。

1. 风险回避

风险回避是投资主体有意识地放弃风险行为，完全避免特定的损失风险。在这个意义上，风险回避也可以说是投资主体将损失机会降低到0。例如，在货物采购合同中业主可以推迟承担货物的责任，即让供货商承担货物进入业主仓库之前的所有损失风险。这样，在货物运输时业主可避免货物入库前的损失风险。

简单的风险回避是一种最消极的风险处理办法，因为投资者在放弃风险行为的同时，往往也放弃了潜在的目标收益。所以，一般只有在以下情况下才会采用这种方法：

（1）当出现K级很强风险时。

（2）投资主体对风险极端厌恶。

（3）存在可实现同样目标的其他方案，其风险更低。

（4）投资主体无能力消除或转移风险。

（5）投资主体无能力承担该风险，或承担风险得不到足够的补偿。

2. 损失控制

当特定的风险不能避免时，可以采取行动降低与风险有关的损失，这种处理风险的方法就是损失控制。显然，损失控制不是放弃风险行为，而是制定计划和采取措施降低损失的可能性或者是减少实际损失。如当存在M级强风险，就应修正拟议中的方案，改变设计或采取补偿措施等。当存在T级较强风险时，可设定某些指标的临界值，指标一旦达到临界值，就要变更设计或对负面影响采取补偿措施。

损失控制在安全生产过程中很常用，控制的阶段包括事前、事中和事后三个阶段。事前控制的目的主要是为了降低损失的概率，事中和事后的控制主要是为了减少实际发生的损失。为了减少管理的费用，在每个阶段又应把握控制重点，如事故高发区和安全隐患集中的区域。

3. 风险转移

风险转移，是指通过契约，将让渡人的风险转移给受让人承担的行为。当存在R级适度风险时，通过风险转移过程有时可大大降低经济主体的风险程度，因为风险转移可使更多的人共同承担风险，或者受让人预测和控制损失的能力比风险让渡人大得多。风险转移的主要形式是合同和保险。

（1）合同转移。这指通过签订合同，经济主体可以将一部分或全部风险转移给一个或多个其他参与者。例如，在建设工程发包阶段，业主可以与设计、采购、施工联合体签订交钥匙工程合同，并在合同中规定相应的违约条款，从而将一部分风险转移给了设计、采购和施工承包商。

（2）保险转移。保险是使用得最为广泛的风险转移方式，凡是属于保险公司可保的险种，都可以通过投保把风险全部或部分转移给保险公司。

4. 风险保留

风险管理的第四种方法是风险保留，即风险承担。也就是说，如果损失发生，经济主体将以当时可利用的任何资金进行支付。当存在R级适度风险或I级弱风险时，项目业主可进行风险保留。风险保留包括无计划保留、有计划自我保险。

（1）无计划保留。这指风险损失发生后从收入中支付，即不是在损失前作出资金安排。当经济主体没有意识到风险并认为损失不会发生时，或将意识到的与风险有关的最大可能损失显著低估时，就会采用无计划保留方式承担风险。一般来说，无计划保留应当谨慎使用，因为如果实际总损失远远大于预计损失，将引起资金周转困难。

（2）有计划自我保险。这指可能的损失发生前，通过作出各种资金安排以确保损失出现后能及时获得资金以补偿损失。有计划自我保险主要通过建立风险预留基金的方式来实现。

案例分析

某生产企业，增值税适用零税率。计划投资3000万元，建设期3年，计算期15年，项目报废时，残值与清理费正好抵消。基准收益率为12%，每年的建设投资发生在年初，营业收入和经营成本均发生在年末。该建设项目各年的现金流量情况见案例分析表5-1。

现金流量表（万元） 案例分析表5-1

项目＼时点	合计	0	1	2	3	4	5	6～15
建设投资	3000	500	1500	1000				
营业收入	72100				100	4000	5000	6300
经营成本	61970				70	3600	4300	5400
净现金流量		−500	−1500	−1000	30	400	700	900

按照12%的基准收益率，可得该企业建设项目的净现值NPV=921.76万元，内部收益率IRR=16.69%。从计算结果可以看出，该项目正常情况下的净现值为正值，且数值较大；内部收益率也高于投资者的期望收益率，具有较大的吸引力。对此类项目成本效益影响较大的因素是投资成本、建设周期、生产成本和价格波动，需分别对这些因素进行敏感性分析。

1. 进行建设投资增加的敏感性分析

假定该项目由于材料涨价，导致建设投资上升20%，原来3000万元的投资额增加为3600万元。进行敏感性分析时，首先在基本情况表中对建设投资一栏加以调整，见案例分析表5-2所列。

建设投资增加后现金流量表（万元） 案例分析表5-2

时点 项目	合计	0	1	2	3	4	5	6～15
建设投资	3600	600	1800	1200				
营业收入	72100				100	4000	5000	6300
经营成本	61970				70	3600	4300	5400
净现金流量		−600	−1800	−1200	30	400	700	900

根据上表，建设投资增加后的净现值 NPV＝394.46万元，内部收益率 IRR＝13.79%。在其他条件不变、建设投资上升20%时，该项目的效益虽然下降，但仍高于投资者的期望，项目仍可实施。

2. 进行项目建设周期延长的敏感性分析

假定该项目施工过程中，由于天气原因，造成部分工程返工停工，建设周期延长1年，并由此导致投资增加100万元，试生产和产品销售顺延一年，预测数据及计算结果见案例分析表5-3所列。

建设周期延长后现金流量表（万元） 案例分析表5-3

时点 项目	合计	0	1	2	3	4	5	6～15
建设投资	3100	500	1400	900	300			
营业收入	68100					100	5000	6300
经营成本	58370					70	4300	5400
净现金流量		−500	−1400	−900	−300	30	700	900

此时，净现值 NPV＝620.74万元，内部收益率 IRR＝15.10%。计算表明，该项目对工期延长1年的敏感度不高，内部收益率在12%以上，项目可以进行。

3. 进行经营成本增加的敏感性分析

原材料和燃料调价，使该项目投产后经营成本上升5%。其他条件不变，将案例分析表5-1中的经营成本提高5%，净现金流量和净现值相应调整后计算净现值和内部收益率。此时，净现值 NPV＝−182.77万元，内部收益率 IRR＝10.95%。计算表明，经营成本上升对项目效益影响较大，经营成本上升5%，导致该项目净现值小于零，内部收益率低于基准收益率。所以当经营成本提高5%的情况下，此方案不可行。计算数字清晰地警告投资者，该项目对经营成本这一因素非常敏感，必须采取有效措施降低经营成本，否则无法实现投资者的期望收益率，假如通过努力，仍不能控制经营成本提高的幅度，此项目不可行。

4. 进行价格下降的敏感性分析

在市场经济条件下，产品价格若呈上升趋势，当然对项目效益有利，但也不能排除价格下降的可能性。假定，经过市场预测后得知，项目投产以后前两年按计划价格销售，第三年开始，由于市场需求减少，产品价格下降3%，才能薄利多销，保证生产的产品全部售出。在其他条件不变的情况下，销售收入也随之下降3%，基本情况表将作相应调整。据此计算出的净现值 NPV=152.30万元，内部收益率 IRR=12.85%。这显示，该项目对销售价格较为敏感，当销售价格下降3%时，虽然内部收益率下降了近4个百分点，但是净现值仍大于零，内部收益率仍高于基准收益率。若能保证产品销售价格不继续下降，该项目是可行的。

5. 综合分析

对该项目的敏感性分析进行汇总、对比分析，具体见案例分析表5-4。

敏感性综合分析表 案例分析表5-4

敏感因素	净现值（万元）	与基本情况差异（万元）	内部收益率（%）	与基本情况差异（%）
1 基本情况	921.76	0	16.69	0
2 投资成本上升20%	394.46	−527.3	13.79	−2.9
3 建设周期延长1年	620.74	−301.02	15.10	−1.59
4 经营成本增加5%	−182.77	−1104.53	10.95	−5.74
5 销售价格下降3%	152.30	−769.46	12.85	−3.84

从汇总表中可以得知，该项目对分析的四类影响因素的敏感程度由大到小为：经营成本增加5%、销售价格下降3%、投资成本增加20%、建设周期延长1年。后三个因素发生时，净现值仍为正值，仍能实现投资者期望收益率。当经营成本增加5%时，净现值降为负值，不能实现投资者目标，在财务评价和社会经济评价时，必须提出切实措施，以确保方案有较好的抗风险能力，否则就另行设计方案。

[案例思考]

1. 对建设项目进行敏感性分析的思路是什么？
2. 当不确定性因素未来可能的状况无法预测时，如何进行敏感性分析？

思考题

1. 线性盈亏平衡分析的前提假设是什么，盈亏平衡点的生产能力利用率说明什么问题？
2. 敏感性分析的目的是什么，要经过哪些步骤，敏感性分析有什么不足之处？
3. 风险分析和不确定性分析有何区别和联系，风险估计的基本方法有哪些，风险决策的最显著特征是什么，风险应对的基本方法有哪些？

习题

1. 某企业生产某种产品，设计年产量为6000件，每件产品的出厂价格估算为50元，企业每年固定性开支为66000元，每件产品成本为28元，求企业的最大可能盈利，企业不盈不亏时最低产量，企业年利润为5万元时的产量。

2. 某厂生产一种配件，有两种加工方法可供选择，一为手工安装，每件成本为1.2元，还需分摊年设备费用300元；一种为机械生产，需投资4500元购置机械，寿命为9年，预计残值为150元，每个配件需人工费0.5元，维护设备年成本为180元，如果其他费用相同，利率为10%，试进行加工方法决策。

3. 某投资项目其主要经济参数的估计值为：初始投资15000万元，寿命为10年，残值为0，年收入为3500万元，年支出为1000万元，基准收益率为10%。试求：(1) 当年收入变化时，试对内部收益率的影响进行敏感性分析；(2) 试分析初始投资、年收入与寿命三个参数同时变化时对净现值的敏感性。

4. 某项投资活动，其主要经济参数见习题表5-1所列，其中年收入与基准收益率为不确定性因素，试进行净现值敏感性分析。

主要经济参数　　习题表5-1

参　数	最不利 P	很可能 M	最有利 O
初始投资（万元）	−10000	−10000	−10000
年收入（万元）	2500	3000	4000
基准收益率（%）	20	15	12
寿命（年）	6	6	6

5. 某方案需投资25000元，预期寿命为5年，残值为0，每年净现金流量为随机变量，其可能发生的三种状态的概率及变量值如下：5000元（$P=0.3$）；10000元（$P=0.5$）；12000元（$P=0.2$）。若基准收益率为10%，试计算净现值的期望值与标准差。

6. 某投资方案，其净现值服从正态分布。净现值期望值 $E[NPV]=1200$ 元，净现值方差 $D[NPV]=3.24\times10^6$。试计算：(1) 净现值大于零的概率；(2) 净现值小于1500元的概率。

第6章 建设项目可行性研究

引例

三峡工程方案论证过程

三峡工程是当今世界最大的水利枢纽工程，它的战略规划经过了几代人的论证。1950年，国家成立了长江流域规划办公室，从组织上保证了三峡工程计划的研究和制定。其后，全国上千名各门类的科学工作者，数十所科研院所、高等院校开展了近40年的大规模水文地质勘探、流域规划的基础工作，积累了翔实的资料及科研成果。

1990年，我国完成了《长江三峡水利枢纽工程可行性研究报告》，并经国务院审查，于1991年8月批准并报全国人大审议。1992年4月，第七届全国人民代表大会第五次会议审议通过了《关于兴建长江三峡工程的决议》。从此，三峡工程由论证阶段走向实施阶段。

在对三峡工程系统分析和研究之后，三峡工程的坝址选择方案、开发方案和水库蓄水位方案被作为系统关键要素进行深入研究。三峡坝址经过了近半个世纪的选择和20余年大规模的地质勘探研究，结合枢纽布置的要求、综合利用效益的可靠发挥等要求，经过多方面的考察，确定了南津关、太平溪和三斗坪作为最有可能的建坝地址。专家们结合实际，拟订了三个开发方案：一级开发、两级开发、多级开发。水库蓄水位的选择受到众多方面因素的影响，比如发电容量、坝高、移民区、防洪库容量等，在考虑了14个主要因素，兼顾各方面效益，以最合理地发挥防洪效益、合理的发电容量及良好通航要求为前提，做出了150m、160m、170m、180m、190m、200m等不同水位的方案，经过充分论证比较，最后确定的正常蓄水水位是175m。

启　示

三峡工程是一项集传统、现实和理性为一体的工程，是世界上最大规模的水利水电工程，又是一项综合性的多功能工程，其建设必然会遇到前所未遇的工程难点和各类挑战，只有在工程建设前期，做好深入细致的调查研究，充分论证各方案的优劣，确定最科学合理的实施方案，才能取得工程的圆满成功。

本章知识结构图

可行性研究是工程经济分析理论在工程项目前期的应用，它既是对工程项目前景进行科学预见的方法，又是项目设想细化和项目方案创造的过程。工程项目的成功受多种因素的影响，必须从市场需求与预测、技术与经济的可行性以及对环境的影响等多方面对项目作系统、科学、全面的分析研究，进而创造出有利于项目目标实现的最优方案。本章知识结构如下图所示。

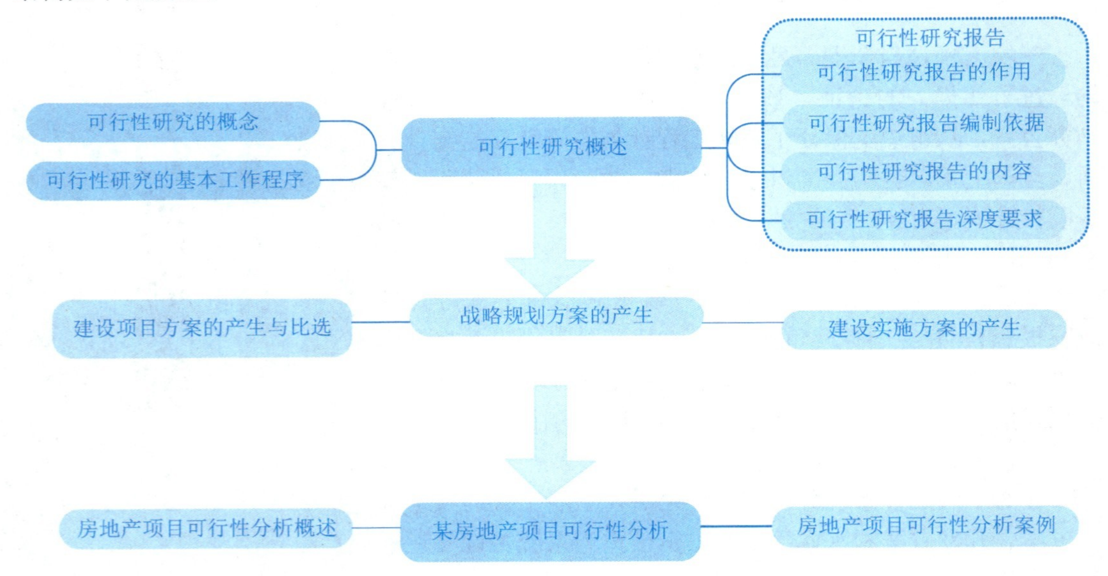

6.1 可行性研究概述

6.1.1 可行性研究的概念

所谓可行性研究（Feasibility Study），是运用多种科学手段（包括科学技术、社会学、经济学、管理学及系统工程学等）对拟建工程项目的必要性、先进性、合理性进行技术经济论证的综合科学。其基本任务是通过广泛的调查研究，综合论证一个建设项目在发展中是否必要，在技术上是否先进、实用和可靠，在经济上是否合理，在财务上是否盈利，为投资决策提供科学的依据。同时，可行性研究还能为银行贷款、合作者签约、工程设计等提供依据和基础资料，它是决策科学化的必要步骤和手段。

一个建设项目要经历建设前期、勘测设计期、建设期及运营期四个时期，其全过程如

图 6-1 所示。

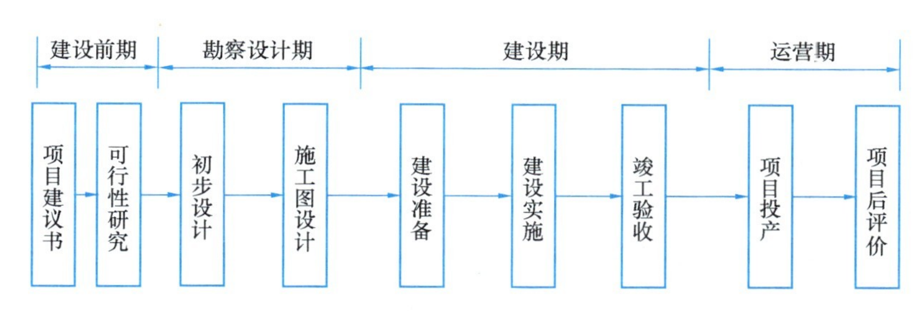

图 6-1 项目投资决策和建设全过程示意图

建设前期是决定建设项目经济效果的关键时期，是研究和控制的重点。如果在项目实施中才发现产品没有市场、工程费用过高、污染严重或原材料供应不能保证等问题，将会给投资者造成巨大损失。因此，无论是发达国家还是发展中国家，都把可行性研究视为工程经济分析的首要环节。投资者为了减少失误，降低风险，在竞争中取得最大利润，宁肯在投资前花费一定的代价，也要进行建设项目的可行性研究，以提高投资获利的可靠程度。

6.1.2 可行性研究的基本工作程序

可行性研究的基本工作程序大致可以概括为：①签订委托协议；②组建工作小组；③制订工作计划；④市场调查与预测；⑤方案研制与优化；⑥项目评价；⑦编写可行性研究报告，与委托单位交换意见，并提交可行性研究报告，如图 6-2 所示。

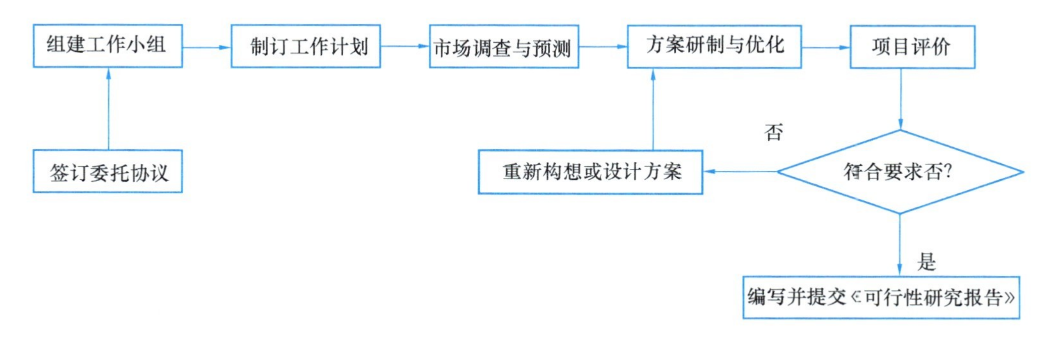

图 6-2 可行性研究的基本工作步骤

1. 签订委托协议

可行性研究编制单位与委托单位，应就项目可行性研究工作的范围、内容、重点、深度要求、完成时间、经费预算和质量要求交换意见，并签订委托协议，据以开展可行性研究各阶段的工作。具备条件和能力的建设单位也可以在机构内部委托职能部门开展可行性研究工作。

2. 组建工作小组

根据委托项目可行性研究的范围、内容、技术难度、工作量、时间要求等组建项目可行性研究工作小组。一般工业项目和交通运输项目可分为市场组、工艺技术组、设备组、工程组、总图运输及公用工程组、环保组、技术经济组等专业组。各专业组的工作一般应由项目负责人统筹协调。

3. 制订工作计划

工作计划内容包括各项研究工作开展的步骤、方式、进度安排、人员配备、工作保证条件、工作质量评定标准和费用预算，并与委托单位交换意见。

4. 市场调查与预测

市场调查的范围包括地区及国内外市场、有关企事业单位和行业主管部门等，主要搜集项目建设、生产运营等各方面所必需的信息资料和数据。市场预测主要是利用市场调查所获得的信息资料，对项目产品未来市场供应和需求信息进行定性与定量分析。

5. 方案研制与优化

在调查研究、搜集资料的基础上，针对项目的建设规模、产品规格、场址、工艺、设备、总图、运输、原材料供应、环境保护、公用工程和辅助工程、组织机构设置、实施进度等，提出备选方案。进行方案论证比选优化后，提出推荐方案。

6. 项目评价

对推荐方案进行财务评价、国民经济评价、环境评价及风险与不确定性分析等，以判别项目的环境可行性、经济合理性和抗风险能力。当有关评价指标结论不足以支持项目方案成立时，应重新构想方案或对原设计方案进行调整，有时甚至否定该项目。

7. 编写并提交可行性研究报告

项目可行性研究各专业方案，经过技术经济论证和优化之后，由各专业组分工编写。经项目负责人衔接协调综合汇总，提出可行性研究报告初稿。与委托单位交换意见，修改完善后，向委托方提交正式的可行性研究报告。

6.1.3 可行性研究报告

可行性研究过程形成的工作成果一般通过可行性研究报告固定下来，构成下一步研究工作的基础。可行性研究不必将所有工作过程都展示出来，只需详细说明最优方案，而简述其他备选方案的情况。

1. 可行性研究报告的作用

（1）作为经济主体投资决策的依据

可行性研究对与建设项目有关的各个方面都进行了调查研究和分析，并以大量数据论证了项目的必要性、可实现性以及实现后的结果，项目投资者或政府主管部门正是根据项目可行性研究的评价结果，并结合国家财政经济条件和国民经济长远发展的需要，才能作出是否应该投资和如何进行投资的决定。

（2）作为筹集资金和向银行申请贷款的依据

银行通过审查项目可行性研究报告，确认项目的经济效益水平、偿债能力和风险状况，才能作出是否同意贷款的决定。

（3）编制科研试验计划和新技术、新设备需用计划的依据

项目拟采用的重大新技术、新设备以及大型专用设备必须经过周密慎重的技术经济论证，确认可行的，方能拟订研究和制造计划。

（4）作为从国外引进技术、设备以及与国外厂商谈判签约的依据

利用外资项目，不论是申请国外银行贷款，还是与合资、合作方进行技术谈判和商务

谈判，编制可行性研究都是一项至关重要的基础工作，甚至决定了谈判的成功与否。

（5）与项目协作单位签订经济合同的依据

根据批准的可行性研究报告，项目法人可以与有关协作单位签订原材料、燃料、动力、运输、土建工程、安装工程、设备购置等方面的合同或协议。

（6）作为向当地政府、规划部门、环境保护部门申请有关建设许可文件的依据

可行性研究报告经审查，符合政府的相关规定，对污染处理得当，不造成环境污染时，方能取得有关部门的许可。

（7）作为该项目工程建设的基础资料

建设项目的可行性研究报告，是项目工程建设的重要基础资料。项目建设过程中的任何技术性和经济性更改，都可以在原可行性研究报告的基础上通过认真分析得出项目经济效益指标变动程度的信息。

（8）作为项目科研试验、机构设置、职工培训、生产组织的依据

根据批准的可行性研究报告，进行与建设项目有关的生产组织工作，包括设置相宜的组织机构，进行职工培训，以及合理地组织生产等工作安排。

（9）作为对项目考核和后评价的依据

工程项目竣工、正式投产后的生产考核，应以可行性研究所制订的生产纲领、技术标准以及经济效果指标作为考核标准。

2. 可行性研究报告的编制依据

（1）国民经济中长期发展规划和产业政策

国家和地方国民经济和社会发展规划是一个时期国民经济发展的纲领性文件，对项目建设具有指导作用。另外，产业发展规划也同样可作为项目建设的依据，例如国家关于一定时期内优先发展产业的相关政策、国家为缩小地区差别确立的地区开发战略，以及国家为加强民族团结而确定的地区发展规划。

（2）项目建议书

项目建议书是工程项目投资决策前的总体设想，主要论证项目的必要性，同时初步分析项目建设的可能性，它是进行各项投资准备工作的主要依据。基础性项目和公益性项目只有经国家主管部门核准，并列入建设前期工作计划后，方可开展可行性研究的各项工作。可行性研究确定的项目规模和标准原则上不应突破项目建议书相应的指标。

（3）委托方的意图

可行性研究的承担单位应充分了解委托方建设项目的背景、意图、设想，认真听取委托方对市场行情、资金来源、协作单位、建设工期以及工作范围等情况的说明。

（4）有关的基础资料

进行厂址选择、工程设计、技术经济分析需要可靠的自然、地理、气象、水文、地质、经济、社会等基础资料和数据。对于基础资料不全的，还应进行地形勘测、地质勘探、工业试验等补充工作。

（5）有关的技术经济规范、标准、定额等指标

例如，钢铁联合企业单位生产能力投资指标、饭店单位客房投资指标等，都是进行技术经济分析的重要依据。

(6) 有关经济评价的基本参数和指标

例如，基准收益率、社会折现率、基准投资回收期、汇率等，这些参数和标准都是对工程项目经济评价结果进行衡量的重要判据。

3. 可行性研究报告的内容

建设项目的重要特点之一是它的不重复性。因而，每个项目应根据自身的技术经济特点确定可行性研究的工作要点，以及相应可行性研究报告的内容。根据国家发展改革委的有关规定，一般工业项目可行性研究报告，可按以下内容编写：

(1) 总论

主要内容为：项目基本情况、项目承办单位、可行性研究报告编制依据、项目建设内容与规模、项目总投资及资金来源、经济及社会效益、结论与建议。

(2) 项目建设背景及必要性

(3) 项目承办单位概况

主要内容为：公司介绍、公司项目承办优势。

(4) 项目市场分析

主要内容为：市场前景与发展趋势、市场容量分析、市场竞争格局、价格现状及预测、市场主要原材料供应、营销策略。

(5) 项目技术工艺方案

主要内容为：项目产品、规格及生产规模、项目技术工艺及来源、项目主要技术及其来源、项目工艺流程图、项目设备选型、项目无形资产投入。

(6) 项目原材料及燃料动力供应

主要内容为：主要原料材料供应、燃料及动力供应、主要原材料燃料及动力价格、项目物料平衡及年消耗定额。

(7) 项目地址选择与土建工程

主要内容为：项目地址现状及建设条件、项目总平面布置与场内外运输、给水排水工程、供电工程、采暖与供热工程、通信、防雷、空压站、仓储等。

(8) 节能措施

主要内容为：设计依据、节能措施、能耗分析。

(9) 节水措施

主要内容为：设计依据、节水措施、水耗分析。

(10) 环境保护

主要内容为：场址环境条件、主要污染物及产生量、环境保护措施、设计依据、环保措施及排放标准、环境保护投资、环境影响评价。

(11) 劳动安全、卫生与消防

主要内容为：设计依据、安全防范措施、卫生保健措施、消防设施。

(12) 组织机构与人力资源配置

主要内容为：组织机构设置及其适应性分析、人力资源配置、员工培训。

(13) 项目实施进度

主要内容为：建设工期、实施进度安排、技术改造项目建设与生产的衔接。

(14) 投资估算与融资方案

主要内容为：建设投资和流动资金估算、资本金和债务资金筹措、融资方案分析。

（15）财务评价

主要内容为：财务评价基础数据与参数选取、营业收入与成本费用估算、财务评价报表、盈利能力分析、偿债能力分析、财务评价结论。

（16）经济及社会效益分析

主要内容为：影子价格及评价参数选取、效益费用范围与数值调整、经济评价报表、经济评价指标、项目对社会的影响分析、项目与所在地互适性分析、社会风险分析。

（17）风险与不确定性分析

主要内容为：项目盈亏平衡分析、敏感性分析、项目主要风险识别、风险程度分析、防范风险对策。

（18）研究结论与建议

主要内容为：推荐方案总体描述、推荐方案优缺点描述、主要对比方案、结论与建议。

需要特别注意的是：在建设项目的技术路线确定以后，必须对不同的方案进行财务、经济效益评价，判断项目在经济上是否可行，并比选出优秀方案。

4. 可行性研究报告的深度要求

可行性研究报告应在以下方面达到使用要求：

（1）可行性研究报告应能充分反映项目可行性研究工作的成果，内容齐全，结论明确，数据准确，论据充分，满足决策者确定方案和项目决策的要求。

（2）可行性研究报告选用主要设备的规格、参数应能满足预订货的要求。引进技术设备的资料应能满足合同谈判的要求。

（3）可行性研究报告中的重大技术、经济方案，应有两个以上方案的比选。

（4）可行性研究报告中确定的主要工程技术数据，应能满足项目初步设计的要求。

（5）可行性研究报告中构造的融资方案，应能满足银行等金融部门信贷决策的需要。

（6）可行性研究报告中应反映可行性研究过程中出现的某些方案的重大分歧及未被采纳的理由，以供委托单位或投资者权衡利弊进行决策。

（7）可行性研究报告应附有评估、决策（审批）所必需的合同、协议、意向书、政府批件等。

总之，可行性研究报告的基本内容可概括为四大部分：市场研究、技术研究、经济评价、环境评价，这四部分构成了可行性研究的四大支柱。第一是市场研究，包括产品的市场调查与预测，这是建设项目成立的重要前提，其主要任务是要解决项目建设的“必要性”问题。第二是技术研究，即技术方案和建设条件研究，从资源投入、厂址、技术、设备和生产组织等问题入手，对项目的技术方案和建设条件进行研究，这是可行性研究的技术基础，它要解决建设项目在技术上的“可行性”问题。第三是效益研究，即经济评价，这是决策项目投资命运的关键，是项目可行性研究的核心部分，它要解决项目在经济上的“合理性”问题。第四是环境评价，它要解决建设项目是否符合国家资源消耗、环境保护、生态文明建设要求的问题。

6.2 建设项目方案的产生与比选

6.2.1 战略规划方案的产生

1. 战略规划方案的产生过程

战略规划方案的产生是根据国民经济发展战略、方针、规划、政策等的要求确定目标，在系统分析、明确关键要素的基础上，通过具有可操作性的方案把目标具体化的过程。这一过程的基本环节如图 6-3 所示。

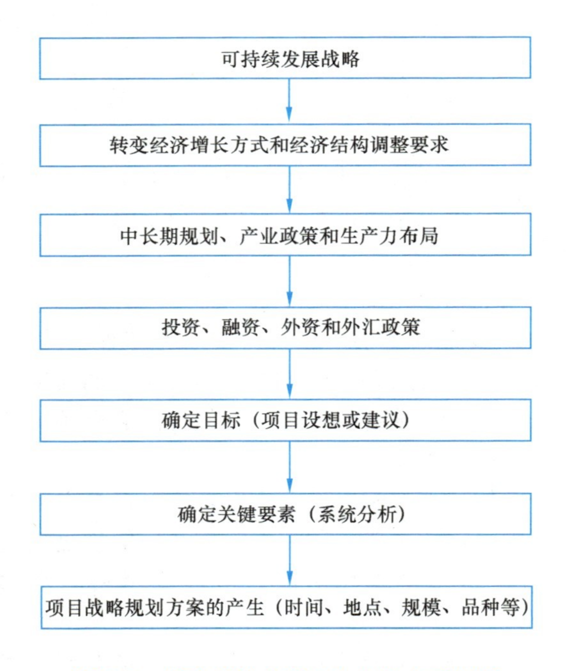

图 6-3 战略规划方案产生的基本环节图

2. 拟订战略规划方案的方法

建设项目的目标必须是为了满足社会或经济发展的某项或某几项需要。而其建设的可能性则是建立在国家的财力、物力、技术水平及自然资源的基础上。因此，战略规划方案首先是要根据国民经济发展的战略方针和总目标进行国民经济短、中、长期预测，然后动员规划人员、有关专家和技术人员提出满足这些需要的各种备选方案，这一阶段要求解放思想、开拓视野、尽量提出所有可能方案，形成备选方案集。但是，提出的方案是否可行、合理，还要根据政治、社会、自然、经济、技术、生态等方面的基本约束进行分析，删除那些根本无法实现的方案，从而得到供评价和选择的可行方案集，最后由规划人员、专家和决策者一起选出满意方案。

例如，某新建钢丝绳厂项目，原先产品方案中只考虑了点接触钢丝绳。后来通过调查发现点接触钢丝绳的产量已近饱和，而线接触、面接触、不旋转钢丝绳的产量只占需求量的9%。通过层层深入研究，最后把产品大纲重点放在线接触、面接触、不旋转等优质钢丝绳上，由此避免了项目投产后的亏损。

拟订战略规划方案时往往需要采用一些定量化方法，它们主要包括：

(1) 市场调查法

按调查方式分类，市场调查方法可以分为：表格调查法、资料调查法、询问法、观察法、实验法。

按调查范围分类，市场调查方法可以分为：全面调查法、重点调查法、抽样调查法。

按调查频率分类，市场调查方法可以分为：一次性调查、连续性调查。

(2) 市场预测方法

市场预测的种类可分为三大类：宏观预测和微观预测；短期预测、中期预测和长期预测；定性预测和定量预测等。

市场预测方法归纳起来分为两大类：即定性预测法和定量预测法。

定性预测方法是采用直观材料和依靠预测者经验，主观判断事物发展趋势的方法。常用的定性预测方法是德尔菲（Delphi）法。它是20世纪40年代末由美国兰德（RAND）公司首创的定性预测方法。这种预测方法主要是用专家小组背靠背地集体判断来代替面对面地讨论，使不同专家的意见和分歧通过表格充分表达出来，以达到符合事物发展规律的一致意见。

定量预测又称统计预测。它是根据比较完整的历史统计资料，运用一定的数学方法进行加工处理，对未来市场做出量的计算。常用的定量预测方法有：移动平均法、指数平滑法、回归分析法。

(3) 数学模型方法

可用于战略规划方案拟订的数学模型有：混合规划模型、网络规划模型、组合规划模型、动态规划模型等。

6.2.2 建设实施方案的产生

当工程项目进入设计和实施阶段后，就需要更进一步地把战略规划方案通过建设实施方案落到实处。因此，创造并选择技术先进、经济合理的建设实施方案也是保证建设项目成功的关键。

一个建设项目包括多个单项工程，如主要工程辅助和服务性工程、文化福利和公共工程、环保工程等；一个单项工程又包括多个单位工程，如建筑安装、采暖通风、电气照明、工业管道等。一个项目可能产生多种产品，一个产品又由许多零件所组成。为了取得事半功倍的效果，我们不可能也没必要对所有的实施过程都拟订多个方案进行优化。在实际工作中，对技术比较成熟的一般过程，往往采用定型的设计标准进行标准设计，按照常规方法和质量验收规范实施。而对建设实施中亟待攻关解决的问题，就要作为优化目标提出来，通过以下步骤拟订各种方案进行深入研究：确定对象、获取信息、功能分析、方案创造。下面，我们以产品设计方案为例，采用价值工程方法说明建设实施方案产生的过程和方法。

1. 确定对象

一般来说，确定对象应针对产品的成本及功能两方面有待解决的问题加以确定。确定对象常用的方法有以下几种。

（1）经验分析法

此法是依靠经验丰富的专业人员，对产品的功能及成本区别轻重缓急而选定。选择时一般考虑以下几方面因素：①价格处于边际成本水平的产品；②数量多、销售量大的产品或零件；③体积大、材料耗费多的产品；④质量差、售价高、缺乏竞争力的产品；⑤结构复杂、工序繁多、有可能简化的产品；⑥能耗多、影响生态环境的产品。

（2）ABC 分类法

将一个项目的产品或某一个产品所包含的零件分为 A、B、C 三类：①数量只占总数10%～20%，而局部成本占总成本 50%～80%的，属于 A 类；②数量占总数的 20%，局部成本也占总成本的 20%左右，属于 B 类；③数量占总数的 30%，局部成本占总成本20%以下的，属于 C 类。

数量少而成本高的 A 类产品（或零部件）应作为研究工作对象确定下来。

（3）价值比较法

产品的价值按下式计算：

$$\text{某种产品价值} = \frac{\text{该产品之利润}}{\text{该产品之成本}} \tag{6-1}$$

显然，价值最低的几种产品应作为项目的研究工作对象。

2. 获取信息

对象确定以后，即应着手进行调查研究，收集必要的情报资料，其中包括：①使用信息。用户的使用条件，用户对性能、可靠性、安全和寿命的要求，对外观和规格的要求，对价格的要求；政府部门对限制公害的要求等。②销售信息。销售特点，竞争产品现状，市场价格及需求预测等。③技术信息。产品的生产工艺，成本构成，新技术的发展，规范标准，保养维修等。④供应信息。原料及配件的来源和价格，供应上可能出现的问题。信息是方案产生的重要依据。

3. 功能分析

功能分析的目的是：①掌握需要补充或加强的功能或功能领域。②确定改善方案的目标（改善后的目标成本、成本降低的幅度等）。功能分析是制定实施方案的基础。

功能分析并无标准的方法和程序可循，其一般的程序是先分析方案功能；然后检查“主要功能”是否对应“主要成本”；最后确定方案功能的目标成本及降低的幅度。

4. 穷举方案

通过功能分析找到了改善方案的目标，接下来的工作就是制订各种备选方案。

穷举方案可采用以下几种参考方法：

（1）检核表方法。检核表方法是指运用系统的提问方式，激发人的思考，在原有知识、经验、记忆的基础上联想，从而产生新颖的构思。常用的问题有：①有没有替代产品或替代材料？②功能可否合并或改变？③结构或形状可否改变？④有没有新的加工方法？⑤是否已有新产品出售？⑥能否把几种企业合并？⑦有没有更廉价的采购方法？⑧能否借用别的构思？该方法的好处是：可以避免某些偏向或遗漏，从而保证较好的效果。

（2）缺点列举法。缺点列举法是一种以原方案的缺点来诱发人们思索改进设想的方法。由于人们常常会因思维惯性不注意原方案的缺点，因而当会议主持者明确地列举原方案的各种缺点，就会激发与会者提出改进方案的愿望和构思。

（3）希望列举法。这是一种由幻想导出许多愿望，再导出更好构思的方法。这种方法常常被用来提高产品功能或设计新型产品。也可以让与会者对某项产品提出希望，并以希望来启发众人提出某产品的改进方案。

备选方案产生后，接下来就需要对方案进行分析和评价，在以后的各章中将对建设项目技术经济方案评价的方法进行论述。

【例6-1】某新建钢铁厂战略规划方案的产生。

（1）项目建议书的提出

我国某经济特区，每年消费约25万t钢材（主要是建筑钢材），均需从区外购入。因邻近省份均为缺钢少铁的地区，钢材的采购半径平均在1000km以上，增加了钢材采购、运输的难度和费用，不能很好地满足特区建设发展的需要。随着经济特区建设的迅猛发展，钢材市场需求日益旺盛，这样进一步加深了钢材的供求矛盾，解决钢材供应问题已刻不容缓。

区内现有大型露天铁矿一座，探明的储量在3亿t以上，目前年产成品矿360余万t，成品矿中每年约有50万t精矿粉，由于颗粒太细，不易外运，大部分长期堆存在矿区得不到充分利用。此外，在矿区内辅助原料如白云石、石灰石资源丰富，其可采储量均在1亿t以上。由此可见，在该区内建设一个规模适当的钢铁厂，解决区内市场的急需，不仅不与国家争原料，而且还可以使区内闲置的矿石资源得到充分合理的利用，为特区建设作出贡献。

该钢铁厂项目包括：烧结、炼铁、炼钢、轧钢等主要生产车间及相应的辅助公用设施和生活福利设施。

经过系统分析和研究，决定将铁矿精矿外运方案的拟订、工艺流程方案的拟订、轧钢厂产品方案的拟订，作为系统关键要素进行深入研究。

（2）铁矿精矿外运方案的拟订

该项目矿选厂到钢铁厂有一段距离，地形起伏较大，矿区气候条件差，季节风较大。据此地形及自然条件，经多方案筛选后，设计按五个外运方案进行比较。

第一方案，全管道方案；第二方案，自流—管道输送方案；第三方案，自流—公路方案；第四方案，自流—管道—公路方案；第五方案，全公路方案。

经过比较得出以下结论，第二方案受气候影响小，劳动生产率高，环境保护好，精矿损失少，能耗较低，技术上较先进，经济上较合理，故推荐第二方案。

（3）工艺流程方案的拟订

该项目工艺流程的选择有两种意见。一种意见认为应采用传统的高炉—转炉—轧钢工艺流程（简称高炉流程），该流程国内有成熟的建设和生产经验，投资少，投产快；另一种意见认为应充分利用本地区的资源条件，采用竖炉—电炉—轧钢新工艺流程（简称竖炉流程），该流程虽然投资比高炉流程高，但可利用地区丰富的天然气资源，并可推动国内直接还原新工艺的进一步发展。

经过分析论证得出以下结论，因当地缺少焦煤，对高炉方案十分不利，而当地价格低廉的天然气和电力等外部资源条件有利于竖炉方案。虽然竖炉方案比高炉方案一次性投资多2.37万元，但竖炉的经济效益比高炉方案要好，采用竖炉后17年的财务累计盈余为3.8亿元。

（4）轧钢厂产品方案的拟订

根据钢材消费品种结构分析，小型材和线材是特区内消费最多的品种，占18%～20%。预测今后10年需要小型材为44万t，线材40万t，目前小型材和线材实际产量较低，市场缺口很大，发展小型材和线材生产均属当务之急。

根据市场调查和分析，产品方案设想如下：

1）小型棒材方案，品种为圆钢和螺纹钢；

2）高速线材方案，品种为光面和螺纹线材。

经过财务分析得出以下结论：高速线材方案的总投资虽然要比小型棒材方案高11.5%，而年利税却多出13.8%，平均每吨钢材可多获利润72.7元，因此选择高速线材方案更为经济合理。

【例6-2】某贮配煤槽筒仓建设实施方案的产生。

某项目贮配煤槽筒仓工程是少见的群体钢筋混凝土结构的贮煤仓之一，其外观几何形状是由三组24个直径11m、壁厚200mm的圆形薄壁连体筒仓组成。工程体积庞大，地质条件复杂，施工场地窄小，实物工程量多，工期长，结构复杂。为保证施工质量，按期完成施工任务，施工单位决定对施工组织设计进行优化。

（1）对象选择

施工单位对工程情况进行了分析。该工程主体由三部分组成：地下基础、地表框架结构和筒仓工程。对这三部分主体工程分别就施工时间、实物工程量、施工机具占用、施工难度和人工占用等指标进行测算，结果表明筒仓工程在各指标中均占首位。能否如期完成施工任务的关键，在于能否正确处理筒仓工程面临的问题，因此，工程技术人员决定以筒仓工程为研究对象，对其施工组织设计方案进行优化。

（2）功能分析

筒仓的基本功能是提供贮煤空间，其辅助功能主要为方便使用和外形美观。筒仓工程的功能分析图如图6-4所示。

（3）方案拟订

根据功能分析图可以明确看出，采用什么样的施工方法和技术组织措施来保质保量地浇筑混凝土筒仓仓体，是编制施工组织设计所要研究解决的核心课题。为此，工程技术人员、经营管理人员和工人一道，积极思考，大胆设想，广泛调查，借鉴国内外成功的施工经验，提出了大量方案，最后根据既要质量好、速度快，又要企业获得可观经济效益的原则，初步筛选出滑模、翻模、大模板和合同转包四个施工方案供作进一步技术经济评价。

技术经济评价结果显示，翻模施工方法为最优。

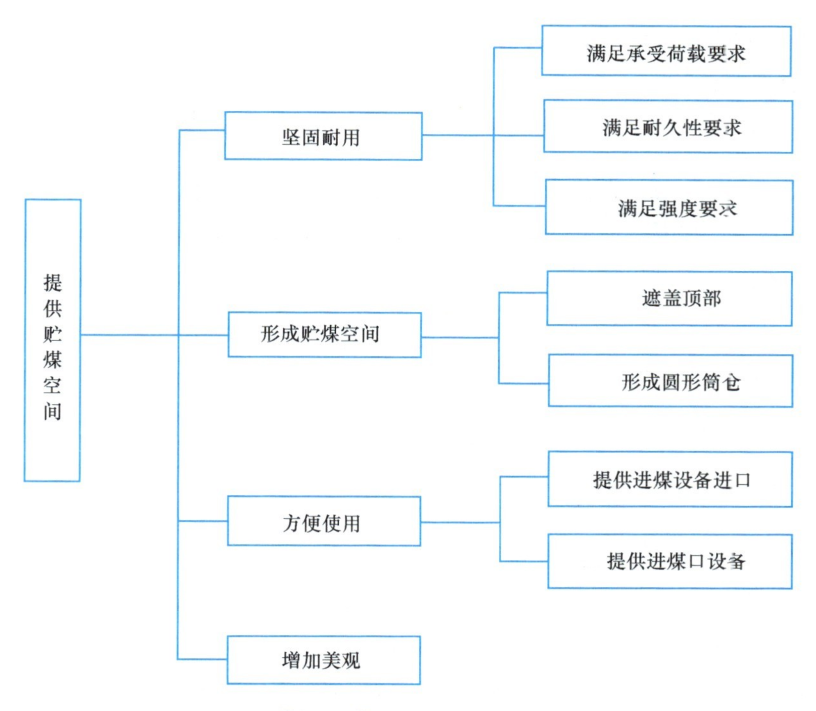

图 6-4 ［例 6-2］筒仓工程的功能系统图

6.3 房地产项目可行性分析

6.3.1 房地产项目可行性分析概述

房地产开发是通过多种资源的融合为人类提供所需的入住或使用空间，并改变人类生存的物质环境的一种活动。房地产开发项目可行性分析主要进行财务评价和综合评价。财务评价是根据现行财税制度和价格体系，计算房地产开发项目的财务收入和财务支出，分析项目的财务盈利能力、清偿能力以及资金平衡状况，判断项目的财务可行性。综合评价应从区域社会经济发展的角度，分析和计算房地产开发项目对区域社会经济产生的影响，考察项目对社会经济的贡献，判断项目的社会经济合理性。一般的房地产项目可行性分析只需进行财务评价；对区域社会经济发展有较大影响的房地产项目，如经济开发区项目、成片开发项目等，在作出决策前应进行综合评价。

1. 房地产开发项目的类别

（1）按收益方式划分

按照房地产开发项目未来获取收益的方式，可将房地产项目主要分为下列类型：

1）出售型房地产项目。此类房地产项目以预售或开发完成后出售的方式得到收入，回收开发资金，获取开发收益。

2）出租型房地产项目。此类房地产项目以预租或开发完成后出租的方式得到收入，回收开发资金，获取开发收益。

3）混合型房地产项目。此类房地产开发项目以预售、预租或开发完成后出售、出租、自营等多种组合方式得到收入，回收开发资金，获取开发收益。

（2）按用途划分

按照用途可将房地产开发项目主要分为表6-1所列的主要类型。

按用途划分的房地产开发项目主要类别 表6-1

序号	类别	用途
1	居住	普通住宅、高档公寓、别墅
2	商业	商场、购物中心、商业店铺、超级市场、批发市场
3	旅馆	饭店、酒店、宾馆、度假村、旅店、招待所
4	餐饮	酒楼、美食城、餐馆、快餐店
5	娱乐	游乐场、娱乐城、康乐中心、俱乐部、影剧院
6	办公	商务办公楼（写字楼）
7	工业	厂房、仓库
8	特殊	停车场
9	土地开发	在生地或毛地上进行“三通一平”等

2. 房地产开发项目可行性分析的主要内容

房地产开发项目可行性分析的主要工作有：房地产市场调查与预测、房地产项目策划、房地产项目投资与成本费用估算、房地产开发项目收入估算与资金筹措和房地产项目财务分析及综合分析。

开发商和经济评价人员只有通过对房地产市场进行调查，才能了解房地产市场的过去和现状，把握房地产市场的发展动态，预测房地产市场的未来发展趋势，并依此分析房地产项目建设的必要性，确定房地产项目的用途、规模、档次、开发时机和经营方式。

在房地产项目财务分析中应注意以下几点：

（1）房地产开发项目的资金可来源于商品房合法预售所得款。

（2）自营部分的投资可转换成项目的固定资产，出售、出租部分的投资转换成开发成本。开发企业大量的资产以流动资产的形式存在。

（3）房地产开发项目不按租售合同而按实际可能得到的财务收入估算现金流入，并依此估算开发成本或经营成本。

（4）房地产开发项目的收益一般为售房收入、租房收入、土地（生地或熟地）出让收入、配套设施出售（租）收入及自营收入。

（5）房地产开发项目总成本费用主要包括开发建设期间发生的开发产品成本和经营期间发生的运营费用、修理费用等。

（6）房地产开发项目除缴纳流转税和所得税外，尚需缴纳土地增值税、城镇土地使用税、耕地占用税、房产税等。

3. 房地产开发项目可行性分析的作用

房地产开发项目可行性分析有以下作用：

（1）评价结论可作为房地产开发商投资决策的依据；

（2）评价结论可作为政府管理部门审批房地产项目的依据；

（3）评价结论可作为金融机构审查贷款可行性的依据。

6.3.2 房地产项目可行性分析案例

1. 项目概况

本项目位于A市B区C地块，占地40亩，总建筑面积52936m²，四至范围：友谊路南、友好路东、尚勤路北、尚俭路西。周边有许多大型文化旅游企业和写字楼，有通往人民广场、高新区、火车站等多条公共交通线路，交通较为便捷。经过商业综合体、酒店、写字楼和住宅等多方案比较，最后本项目定位为小高层住宅楼宇，住宅以两室两厅为主。住宅目标客户是本区内周边企业技术管理人员、政府工作人员以及部分高新区的置业者。目前，B区内生活配套设施逐渐完善，规划前景良好，区域商品住宅需求旺盛，可以预见项目市场前景较好。

根据《A市国有土地使用权挂牌出让》[×告字（2017）第3号]及B区C地块挂牌文件，该土地项目规划用地经济技术指标见表6-2所列。

土地项目经济技术指标 表6-2

序号	项目	指标	单位
1	总用地面积	40	亩
2	建设用地面积	26468	m²
3	总建筑面积	52936	m²
4	建筑容积率	2	
5	建筑覆盖率	45	%
6	绿化率	30	%
7	其中：住宅	50289	m²
	其他	2647	m²

2. 案例分析

项目进行了市场分析与调查，拟建住宅楼宇，并通过了规划建设审批。设项目财务基准收益率为12%，贷款利率按照5.24%计算，在销售价格16800元/m²情况下，估算营业收入和成本费用，编制财务评价报表，计算财务评价指标，进行盈利能力分析，据以对项目进行财务评价。

（1）项目开发建设及进度实施计划

1）有关工程计划说明

根据本项目的开发规模、B区房地产市场的发展情况和市场承受力，拟定项目开发进度计划如下。

项目建设期为2年：2018年1月至2019年12月。

2018年10月开始预售，2019年12月销售完毕。

2）施工横道图（图6-5）

（2）项目投资估算

1）土地费用

本项目占地40亩，根据国有土地挂牌出让政策，土地费用主要包括：地价款

序号	项目名称	进度计划							
		2018年				2019年			
		1季度	2季度	3季度	4季度	1季度	2季度	3季度	4季度
1	前期工程								
2	基础工程								
3	主体结构工程								
4	设备安装工程								
5	室内外装修工程								
6	公共配套工程								
7	竣工验收								
8	销售								

图 6-5　项目实施进度计划

36000.02 万元，契税 1080.00 万元，交易手续费 360.00 万元，共计土地费用 37440.02 万元。具体见表 6-3 所列。

土地费用估算表（万元）　　表 6-3

序号	项目	金额	估算说明
1	地价款	36000.02	面积×单价
2	契税	1080.00	地价款的 3%
3	交易手续费	360.00	地价款的 1%
4	合计	37440.02	

2）前期工程费

前期工程费主要包括项目前期规划、设计、可行性研究、水文地质勘测以及“三通一平”等土地开发工程费。项目前期工程费用为 1233.41 万元，具体见表 6-4 所列。

前期工程费估算表（万元）　　表 6-4

序号	项目	单价（元/m²）	建筑面积（m²）	金额
1	水文地质勘察费	45	52936	238.21
2	规划设计费	85	52936	449.96
3	可行性研究费	48	52936	254.09
4	三通一平	55	52936	291.15
5	合计		52936	1233.41

3）建安工程费

建安工程费包括建造房屋建筑物所发生的建筑工程费、设备采购费和安装工程费。参照有关类似建安工程的投资费用，用单位指标估算法得到该项目的建安工程费为13260.47 万元，具体见表 6-5 所列。

建安工程费估算表（万元） 表 6-5

序号	项目	建筑面积（m^2）	单价（元/m^2）	金额
1	住宅	50289	2500	12572.25
2	配套用房	2647	2600	688.22
3	合计			13260.47

4）基础设施建设费

基础设施建设费是指建筑物 2m 以外和项目红线范围内的各种管线、道路工程的建设费用。本项目主要包括雨水、污水、供电、电信、道路、绿化、环卫、室外照明等设施的建设费用，按单位建筑面积估算法估算，单价为 450 元/m^2，共计基础设施建设费2382.12 万元。

5）公共配套设施建设费

公共配套设施建设费是指居住小区内为居民服务配套建设的各种非营利性的公共配套设施的建设费用。本项目主要包括健身娱乐设施、公共厕所及停车场等，共计公共配套设施费 912.63 万元。具体见表 6-6 所列。

公共配套设施费估算表（万元） 表 6-6

序号	项目	金额	估算说明
1	托儿所	87	建筑面积×单价
2	公共厕所	58	
3	停车场	767.63	
4	合计	912.63	

6）其他工程费

其他工程费主要包括临时用地费和临时建设费、工程造价咨询费、总承包管理费、合同公证费、施工执照费、工程质量监督费、工程监理费、竣工图编制费、工程保险费等杂项费用。根据当地有关部门规定采用前期工程费、建安工程费、基础设施费、公共配套设施费之和的 3%，该项目的其他工程费共计 533.66 万元。

7）管理费用

管理费用是指房地产开发企业的管理部门为组织和管理房地产项目的开发经营活动而发生的各项费用，如管理人员工资、职工福利费、办公费、差旅费、咨询费、房地产税等。按 A 市同类房地产项目的水平并结合本项目具体情况，项目管理费按土地费用、前期工程费、建安工程费、基础设施费、公共配套设施费 5 项之和的 3%计取，项目管理费用为 1656.86 万元。

8）销售前期投入

销售前期投入是指房地产开发企业在销售房地产产品过程中发生的各项费用，主要包括销售机构的折旧费、修理费、物料消耗费、广告宣传费、销售服务费和销售许可证申领费，参考目前该市房地产开发项目的相关标准，本项目的销售前期投入按营业收入的1.5%计取。项目销售前期投入为1267.28万元。

9）不可预见费

由于本项目地势平坦，开发商控制项目成本能力较强，不可预见费按前述8项之和的3%计取较为合理。项目不可预见费为1760.59万元。

10）财务费用

财务费用是指为开发项目融资而发生的各项费用，本项目为借款利息。本项目共向银行融资12000万元，贷款2年，自2018年1月至2019年12月，贷款年利率为5.24%，季利率为1.29%，具体借款计划详见资金使用计划与资金筹措表（表6-7）。本项目2019年1月开始采用等额还本付息法还款，2019年12月还清。建设期借款利息计算详见借款还本付息计划表（表6-8），财务费用为716.46万元。

综上，项目总投资估算见表6-9所列。

资金使用计划与资金筹措表（万元） 表6-7

序号	项目名称	合计	2018年				2019年			
			1季度	2季度	3季度	4季度	1季度	2季度	3季度	4季度
1	总投资	61163.50	3028.95	12141.96	9179.34	11025.73	8621.47	9791.45	6125.17	1249.43
1.1	建设投资	60447.04	3022.35	12089.41	9067.06	10880.47	8462.59	9671.53	6044.70	1208.94
1.2	财务费用	716.46	6.59	52.55	112.29	145.26	158.89	119.92	80.46	40.49
2	资金筹措	73879.95	3028.95	12141.96	9179.34	11025.73	8621.47	9791.45	6125.17	1249.43
2.1	项目资本金	16000.00	2000.00	6000.00	6000.00	2000.00				
2.2	债务资金	12716.46	1028.95	6141.96	3179.34	1966.45	158.89	119.92	80.46	40.49
2.2.1	用于建设投资	12000.00	1022.35	6089.41	3067.06	1821.18				
2.2.2	用于财务费用	716.46	6.59	52.55	112.29	145.26	158.89	119.92	80.46	40.49
2.3	预售收入再投入	32447.04				7059.29	8462.59	9671.53	6044.70	1208.94

借款还本付息计划表（万元） 表6-8

序号	项目名称	合计	计算期							
			2018年				2019年			
			1季度	2季度	3季度	4季度	1季度	2季度	3季度	4季度
1	期初借款余额		0	1028.95	7170.91	10350.25	12316.70	9296.47	6237.28	3138.63
2	当期期初借款		1022.35	6089.41	3067.06	1821.18				
3	当期还本付息	12716.46					3179.11	3179.11	3179.11	3179.11
	其中：还本	12316.70					3020.23	3059.19	3098.65	3138.63
	付息	399.76					158.89	119.92	80.46	40.49
4	期末借款余额		1028.95	7170.91	10350.25	12316.70	9296.47	6237.28	3138.63	0.00

计算指标：利息备付率=44.33

偿债备付率=1.05

项目总投资估算表（万元） 表 6-9

序号	项目名称	总投资	估算说明
1	土地费用	37440.02	
2	前期工程费	1233.41	
3	建安工程费	13260.47	
4	基础设施费	2382.12	
5	公共配套设施建设费	912.63	
6	其他工程费	533.66	(2～5)×3%
7	管理费	1656.86	(1～5)×3%
8	销售前期投入	1267.28	营业收入×1.5%
9	不可预见费	1760.59	(1～8)×3%
10	财务费用	716.46	
11	合计	61163.50	

（3）项目投资计划与资金筹措

项目投资的资金来源包括资本金、银行贷款、销售回款。结合项目实际开发付款情况和工程进度计划，进行资金投入量测算，项目建设投资为 60447.04 万元，其中资本金 16000 万元，银行贷款 12000 万元，预售收入再投入 32447.04 万元，具体见资金使用计划与资金筹措表（表 6-7）。

根据项目的预计开发情况，项目资金具体应用见财务计划现金流量表（表 6-10）。

财务计划现金流量表（万元） 表 6-10

序号	项目	合计	2018 年				2019 年			
			1 季度	2 季度	3 季度	4 季度	1 季度	2 季度	3 季度	4 季度
1	经营活动净现金流量	74156.16				7848.70	19621.76	23546.11	16940.69	6198.89
1.1	现金流入	84485.52				8448.55	21121.38	25345.66	21121.38	8448.55
1.1.1	营业收入	84485.52				8448.55	21121.38	25345.66	21121.38	8448.55
1.2	现金流出	10329.36				599.85	1499.62	1799.54	4180.69	2249.67
1.2.1	税金及附加	4731.19				473.12	1182.80	1419.36	1182.80	473.12
1.2.2	销售佣金	1267.28				126.73	316.82	380.18	316.82	126.73
1.2.3	所得税	4330.89							2681.07	1649.82
2	投资活动现金流入量	−60229.17	−3022.35	−12089.41	−9067.06	−10880.47	−8462.59	−9671.53	−6044.70	−991.07
2.1	现金流入									
2.2	现金流出	60229.17	3022.35	12089.41	9067.06	10880.47	8462.59	9671.53	6044.70	991.07

续表

序号	项目	合计	2018年				2019年			
			1季度	2季度	3季度	4季度	1季度	2季度	3季度	4季度
2.2.1	建设投资	60447.04	3022.35	12089.41	9067.06	10880.47	8462.59	9671.53	6044.70	1208.94
3	筹资活动净现金流量	10708.28	3022.35	12089.41	9067.06	3821.18	−4704.20	−4922.07	−4268.47	−3396.98
3.1	现金流入	55871.78	3022.35	12089.41	9067.06	10880.47	6937.50	7928.57	4955.35	991.07
3.1.1	项目资本金投入	16000.00	2000.00	6000.00	6000.00	2000.00				
3.1.2	建设投资借款	12000.00	1022.35	6089.41	3067.06	1821.18				
3.1.3	预售收入再投入	32447.04				7059.29	8462.59	9671.53	6044.70	1208.94
3.2	现金流出	45163.50				7059.29	11641.70	12850.64	9223.82	4388.05
3.2.1	偿还债务利息	399.76					158.89	119.92	80.46	40.49
3.2.2	偿还债务本金	12316.70					3020.23	3059.19	3098.65	3138.63
3.2.3	预售收入再投入	32447.04				7059.29	8462.59	9671.53	6044.70	1208.94
4	净现金流量	24635.26	0.00	0.00	0.00	789.42	6454.98	8952.52	6627.52	1810.83
5	累计盈余资金		0.00	0.00	0.00	789.42	7244.39	16196.91	22824.43	24635.26

(4）销售计划及营业收入测定

1）项目营业收入测算

至2018年第4季度项目开盘时，根据A市B区房地产发展前景分析，参照B区同类项目售价并考虑房地产开发企业的操作能力，预计销售均价14000～18000元/m^2，采用委托代理销售模式。因此，确定项目以稳健售价16800元/m^2进行营业收入测算。稳健方案可实现营业收入84485.52万元。

2）营业税金及附加测算

2018年4季度开始项目预售，至2019年4季度销售结束。

根据A市住宅项目的正常销售情况及本项目的实际情况，预计销售进度，计算各期的营业收入、营业税金及附加，其中，增值税为营业收入的5%（按照简易征收方法计提），城市维护建设税、教育费附加、地方教育费附加分别按增值税的7%、3%和2%计，营业税金及附加合计为4731.19万元。具体见营业收入、营业税金及附加和增值税估算表（表6-11）。

营业收入、营业税金及附加和增值税估算表（万元）　　表 6-11

序号	项目	合计	2018年				2019年			
			1季度	2季度	3季度	4季度	1季度	2季度	3季度	4季度
1	营业收入	84485.52				8448.55	21121.38	25345.66	21121.38	8448.55
1.1	销售收入	84485.52				8448.55	21121.38	25345.66	21121.38	8448.55
1.1.1	销售面积（m^2）	50289.00				5028.90	12572.25	15086.70	12572.25	5028.90
1.1.2	单位销售收入（元/m^2）	16800.00				16800.00	16800.00	16800.00	16800.00	16800.00
1.1.3	销售比例（%）	100.00				10.00	25.00	30.00	25.00	10.00
2	税金及附加	4731.19				473.12	1182.80	1419.36	1182.80	473.12
2.1	增值税	4224.28				422.43	1056.07	1267.28	1056.07	422.43
2.2	城市维护建设税	295.70				29.57	73.92	88.71	73.92	29.57
2.3	教育费附加	126.73				12.67	31.68	38.02	31.68	12.67
2.4	地方教育费附加	84.49				8.45	21.12	25.35	21.12	8.45
3	销售佣金	1267.28				126.73	316.82	380.18	316.82	126.73
4	净营业收入	78487.05				7848.70	19621.76	23546.11	19621.76	7848.70

3）销售佣金

销售佣金是指房地产开发企业在销售房地产产品过程中发生的委托销售代理的各项费用，主要包括代理费。参考目前该市房地产开发项目的标准，结合本项目的具体情况，销售佣金按照营业收入的1.5%计取，销售佣金为1267.28万元。

4）土地增值税估算

本项目是开发销售模式下的房地产开发项目，营业收入84485.52万元，开发成本55228.65万元（指纳税人在房地产开发时项目实际发生的成本，主要包括土地征用及拆迁补偿、前期工程费用、建筑安装工程费用、基础设施费、公共配套设施费、开发间接费），开发费用3640.60万元（指与房地产开发项目有关的销售费用、管理费用和财务费用），营业税金及附加4731.19万元，销售佣金1267.28万元，其他扣除项目11045.73万元，土地增值额8572.07万元，增值率11.29%。根据规定，纳税人建造普通标准住宅出售，其土地增值额未超过《土地增值税实施细则》第七条（一）、（二）、（三）、（五）、（六）项扣除项目金额20%的，免征土地增值税，因此，本项目免征土地增值税。具体见土地增值税估算表（表6-12）。

土地增值税估算表（万元） 表 6-12

序号	项目	计算依据	计算结果
1	营业收入		84485.52
2	扣除项目金额	以下 5 项之和	75913.45
2.1	开发成本		55228.65
2.2	开发费用		3640.60
2.3	税金及附加		4731.19
2.4	销售佣金		1267.28
2.5	其他扣除项目	取(2.1)项的 20%	11045.73
3	增值额	(1)－(2)	8572.07
4	增值率	(3)/(2)	11.29%
5	增值税税率	(4)≤20%	0.00
6	土地增值税		0.00

（5）财务评价

本项目年度财务基准收益率为 12%，则季度的财务基准收益率为 2.87%。参照我国新财会制度，结合房地产开发的实际情况，由利润及利润分配表（见表 6-13）、项目投资现金流量表（见表 6-14）计算可得：

1）静态盈利能力分析

项目总投资收益率 $= EBIT/TI \times 100\% = 14.49\%$

项目资本金净利润率 $= NP/EC \times 100\% = 40.60\%$

本项目以上静态指标与房地产行业内项目相比是较好的，故本项目可以接受。

2）动态盈利能力分析

本项目投资净现值分别为 12422.07 万元（调整所得税前）和 8883.52 万元（调整所得税后），均大于零，说明项目可以按照行业基准收益率 12%获利，在计算期内发生投资净收益，项目可行；本项目年度投资税前、税后内部收益率分别为 68.91%和 53.93%，均大于同期贷款利率 5.24%和基准收益率 12%，说明项目盈利超过同行业的收益水平，项目可行。

利润及利润分配表（万元） 表 6-13

序号	项目	合计	2018 年				2019 年			
			1 季度	2 季度	3 季度	4 季度	1 季度	2 季度	3 季度	4 季度
1	营业收入	84485.52				8448.55	21121.38	25345.66	21121.38	8448.55
2	建设投资	60447.04	3022.35	12089.41	9067.06	10880.47	8462.59	9671.53	6044.70	1208.94
3	财务费用	716.46	6.59	52.55	112.29	145.26	158.89	119.92	80.46	40.49
4	营业税金及附加	4731.19				473.12	1182.80	1419.36	1182.80	473.12

续表

序号	项目	合计	2018 年				2019 年			
			1 季度	2 季度	3 季度	4 季度	1 季度	2 季度	3 季度	4 季度
5	销售佣金	1267.28				126.73	316.82	380.18	316.82	126.73
6	利润总额	17323.55	−3028.95	−12141.96	−9179.34	−3177.03	11000.29	13754.66	13496.60	6599.28
7	弥补以前季度亏损						11000.29	13754.66	2772.32	
8	应纳税所得额						0.00	0.00	10724.27	6599.28
9	所得税	4330.89							2681.07	1649.82
10	税后利润	12992.66	−3028.95	−12141.96	−9179.34	−3177.03	11000.29	13754.66	10815.53	4949.46
10.1	盈余公积金									
10.2	未分配利润	12992.66	−3028.95	−12141.96	−9179.34	−3177.03	11000.29	13754.66	10815.53	4949.46

注：法定盈余公积金按照 10%比例计提，待长期借款还本之后提取。

项目投资现金流量表（万元）　　表 6-14

序号	项目	合计	2018 年				2019 年			
			1 季度	2 季度	3 季度	4 季度	1 季度	2 季度	3 季度	4 季度
1	现金流入	84485.52				8448.55	21121.38	25345.66	21121.38	8448.55
1.1	住宅销售收入	84485.52				8448.55	21121.38	25345.66	21121.38	8448.55
2	现金流出	66445.52	3022.35	12089.41	9067.06	11480.32	9962.20	11471.07	7544.32	1808.79
2.1	建设投资	60447.04	3022.35	12089.41	9067.06	10880.47	8462.59	9671.53	6044.70	1208.94
2.2	营业税金及附加	4731.19				473.12	1182.80	1419.36	1182.80	473.12
2.3	销售佣金	1267.28				126.73	316.82	380.18	316.82	126.73
3	税前净现金流量	18040.00	−3022.35	−12089.41	−9067.06	−3031.76	11159.18	13874.59	13577.06	6639.76
4	累计税前净现金流量		−3022.35	−15111.76	−24178.82	−27210.58	−16051.41	−2176.82	11400.24	18040.00
5	调整所得税	4361.12							2701.18	1659.94
6	税后净现金流量	13678.88	−3022.35	−12089.41	−9067.06	−3031.76	11159.18	13874.59	10875.87	4979.82
7	累计税后净现金流量		−3022.35	−15111.76	−24178.82	−27210.58	−16051.41	−2176.82	8699.06	13678.88

计算指标：项目投资税前内部收益率(%)=68.91%　项目投资税后内部收益率(%)=53.93%

项目投资财务净现值(调整所得税前)(i_c=12%)=12422.07 万元

项目投资财务净现值(调整所得税后)(i_c=12%)=8883.52 万元

3）资金平衡能力分析

根据项目财务计划现金流量表（表 6-10），本项目每季度盈余资金均不小于零，故从资金平衡角度分析，该项目可行。

4）偿债能力分析

根据借款还本付息计划表（表 6-8），按照项目整个计算期计算可得：

$$利息备付率(ICR)=\frac{息税前利润}{应付利息}=\frac{EBIT}{PI}=44.33$$

$$偿债备付率(DSCR)=\frac{用于计算还本付息资金}{应还本付息金额}=\frac{EBITDA-TAX}{PD}=1.05$$

对于一般房地产投资项目，利息备付率应该大于 1，偿债备付率应该大于 1，本项目利息备付率为 44.33，表示项目付息能力保障程度好，偿债备付率为 1.05。

（6）主要经济技术指标

本项目主要经济技术指标见表 6-15 所列。

项目主要经济技术指标 表 6-15

序号	项目	指标	单位
1	占地面积	40	亩
2	总建筑面积	52936	m^2
3	项目总投资	61163.50	万元
4	项目营业收入	84485.52	万元
5	利润总额	17323.55	万元
6	税后利润	12992.66	万元
7	项目总投资收益率	14.49	%
8	项目资本金净利润率	40.60	%
9	税前财务净现值	12422.07	万元
10	税后财务净现值	8883.52	万元
11	税前财务内部收益率	68.91	%
12	税后财务内部收益率	53.93	%

（7）结论

从项目的财务分析来看，项目的税前、税后全部投资净现值均大于零，内部收益率均大于基准收益率和贷款利率（表 6-16），且每年累计盈余资金大于零，故从盈利能力和偿债能力分析来看，该项目财务上可行。

财务评价综合表 表 6-16

<table>
<tr><th rowspan="3">项目</th><th colspan="2" rowspan="2">静态指标</th><th colspan="4">动态指标</th></tr>
<tr><th colspan="2">NPV</th><th colspan="2">IRR</th></tr>
<tr><th>项目总投资收益率</th><th>项目资本金净利润率</th><th>税前</th><th>税后</th><th>税前</th><th>税后</th></tr>
<tr><td>项目投资</td><td>14.49%</td><td>40.60%</td><td>12422.07 万元</td><td>8883.52 万元</td><td>68.91%</td><td>53.93%</td></tr>
</table>

案例分析

深港双方“深港西部通道工程”项目可行性研究的比较

深港西部通道工程包括大桥、口岸和接线3部分。其中，全长为5154 m的深圳湾大桥由深港合建，总投资15.7亿元人民币。该工程项目是经国务院批准立项的国家重点建设项目，是国家干线公路网连接香港特别行政区的唯一高速公路，是“一国两制”背景下，国内迄今规模最大的首个跨界公路工程，开创了内地和香港在大型基建领域合作的成功先例。

西部通道的可行性研究前后历经7年，期间双方进行了大量信息交换与工作内容调整，包含的内容十分广泛。下面从交通需求、建设方案、环境保护和经济评价4个方面全面回顾深港双方的可行性研究，针对“研究的出发点”“主要研究内容的完善性”“研究方法适用性、科学性及局限性对比”等几个部分比较双方的异同。

1. 研究的出发点比较

深圳方面可行性研究的出发点具有需求导向特征，是为了解决深港两地之间日益增长的交通流量问题，附带有改善环境、增强“一国两制”凝聚力、促进双方经济发展等考量，主要聚焦在通车的车流及人流上，对社区的长期发展考虑较少。香港方面研究的出发点更具战略特征，以香港2030年的远景发展规划为基础，将西部通道项目一并纳入香港整体路网，同时考虑香港的整体协调发展。例如，香港方面的可行性研究不仅关注西部通道项目车流量的增长状况，更加关注这一项目的修建会对所涉及相关地区的可持续发展能力带来什么变化（特别是人口增长情况），还关注西部通道对香港市政连接工程的接纳能力、环境及生态方面的影响。

2. 主要研究内容的完善性比较

（1）香港方面可行性研究对于西部通道项目交通需求方面的研究覆盖面更为广泛，且具有系统性，关注的影响因素也更为直接，其中对于西部通道项目满足社会需求的评估结论表述相对更为客观。港方对于西部通道项目的修建期望集中于提升跨界交通流量带来的直接综合经济收益，并由此得出了重视关联附属工程项目的结论，且从多个角度提供了翔实数据支撑。深方所编制的可行性研究报告主要围绕西部通道本身而展开，并没有充分考虑一些附属的必要连接通道项目对其运营效能的影响。而香港方面在一开始就将西部通道项目的可行性报告一并列入“跨境通道项目”作为系统工程进行研究，而不是将其单独列出评估影响。从后来的建造过程和运营现状来看，港方的评估结论更能全面地反映实际情况。

（2）深圳方面的建设方案是从建设规模与技术标准、建设条件、桥位选择、桥型方案选择、一线口岸等方面进行建设方案的可行性评估，研究覆盖的面要比香港更广，而且深方在相应的研究点上做的工作更加深入。港方在建设方案研究中则特别重视方案造成的环境影响，把环境评估作为决定方案优劣的极其重要因素，而深方则更重视从技术可行性的角度来考虑建设方案，这体现了港方和深方在建设方案上选择的侧重点不同。

（3）深港双方在西部通道项目可行性研究环境评估部分的内容上三要有两点差异：

①港方更加全面地考虑社会环境，即更加关注项目周边人群对西部通道项目建设可能的反应；②港方更加关注西部通道未来运营时的影响，香港的环境评估研究报告一开始就定位于2020年的系统性状况，综合考虑了项目的个体影响和因项目修建而引发的累积影响，而深方则更多地集中在项目的施工过程上。

（4）经济评价是拟建项目工程可行性研究的重要内容，其目的是根据项目所在地区的经济发展规划，结合交通量预测和工程建设规模等研究情况，计算项目的费用和效益，对拟建项目的经济合理性、财务可行性作出评价，为建设方案的比选、决策提供科学依据。在针对经济评价模块的研究中，深方的主要内容：评价依据、评价内容、评价方法、评价参数、费用调整、汽车运输成本调整、效益计算、国民经济评价指标计算、敏感性分析和国民经济评价结果等。港方的主要内容：以香港角度对跨界通道各项建议的成本及效益进行概括经济评估，把道路工程项目的成本（如建筑成本及行程时间成本）及效益（如增加跨界贸易和商务活动及提高土地价值）的差异进行比较。此外，对是否符合全部跨界交通预测的需求还进行了经济影响质量评估，并评审各工程建议对政府财政预算的影响及可能出现的财务风险。

3. 主要研究方法适用性、科学性及局限性比较

从数据预测和分析方法上看，香港方面所应用的数据分析方法具有更加严密的逻辑性。在交通需求部分，港方应用的模型综合考虑了内地的经济增长预测、香港与内地间的贸易增长、内地人口预测、空间分布以及香港的人口及就业数据在未来的规划发展状况，是多元因果预测模型。而深圳方面的预可行性研究则主要应用的是一元回归方法，即认为只有一个因素在显著影响着跨界交通量。不难看出，深圳方面所建立的预测模型中过于简化了影响跨界交通的变量；另外，深圳方面在预可行性研究中，预测交通流量的因变量选择的是内地国内生产总值、工农业生产总值等因素，没有考虑到跨界交通流量是由深港双方因素互动所产生的结果。虽然在深方2001年完成的工程可行性研究中对交通量预测采用了更为精密的二元回归方法，但因变量仍只取决于独立经济数据，对于深港两地之间的贸易等联合数据考虑不足。敏感性分析的方法也都用于双方的交通量预测之中，所不同的是深圳方面主要是考虑口岸所提供的实际通过能力发生的变化，而香港方面则考虑的是香港人口数量可能发生的变化。（案例来源：改编自莫力科，陆绍凯，牛永宁．深港大型跨界工程项目可行性研究的比较与启示——以深港西部通道项目为例［J］．广州大学学报（自然科学版），2010，01：74-78.）

［案例思考］

1. 结合深港双方可行性研究报告的比较分析，谈谈你对工程项目可行性研究工作的理解和认识。

2. 可行性研究中数据的搜集与处理过程要注意什么？

思考题

1. 可行性研究为什么要分段进行？
2. 简述可行性研究的基本工作程序。
3. 可行性研究的编制依据有哪些？

4. 可行性研究的作用是什么?
5. 市场分析在可行性研究中的地位是什么?
6. 可行性研究的工作原则有哪些?
7. 市场调查的方法有哪些?

第7章 建设项目财务分析

引例

阳谷祥光铜冶炼项目

山东阳谷祥光铜冶炼项目，是全世界一次建成的规模最大的铜冶炼厂，是继美国肯尼柯特公司之后的世界上第二座采用闪速熔炼和闪速吹炼——“双闪速炉”工艺的铜冶炼厂，是当今世界上技术最先进、环保、节能、高效的现代化铜冶炼厂。项目总投资56亿元，年可生产40万t阴极铜、20t黄金、600t白银、140万t硫酸及相关产品。

项目立足发展循环经济，创建资源节约型企业，以资源循环带动经济循环，特别是废水重复利用、废气回收制酸、废渣提取稀散金属的综合利用，有效解决了“三废”问题，实现了经济效益、环境效益和社会效益的协调发展。一是环保。冶炼过程中产生的烟气，在密封的烟道内回收造酸，其中SO_2转化率为99.8%，SO_3吸收率为99.99%，尾气中硫的总固化率达99.9%；水的循环利用率达到99%，外排废水仅0.9%，且无重金属排放。项目还投资建立了配套的污水处理中心，将凤祥集团和周边的工业及生活废水处理后，集中送往祥光铜业作为工业用水，可极大地保护和改善当地的生态环境。二是节能。项目采用了世界上先进的电解工艺，降低了能耗。对尾气余热进行回收发电，每年可发电约1.4亿kW·h。一系列先进的技术和工艺使全厂总能耗指标仅为570kg标煤/t阴极铜，比国家规定的铜行业准入指标低31.74%。三是高效。“双闪速炉”工艺实现了铜冶炼的持续运行，与传统的“PS转炉”分炉次冶炼相比极大地提高了生产效率。同时，项目引进国外先进的卡尔多炉贵金属回收技术，对金、银等金属进行回收，极大地提高了资源的利用率。该项目还可从废弃渣中进一步回收铜，最终废渣按照工业生态链原理，采取就近、互补、分类、共生等方式，成为其他下游企业的优等原材料。另外，项目建设过程中通过引进、消化、吸收国内外先进技术，走自主创新之路，极大地节约了建设资金，缩短了建设周期。

启　　示

由中国瑞林工程技术有限公司设计的祥光铜冶炼项目，以其先进的技术和环保优势，被山东省政府列为省重点建设项目。该项目符合国家产业政策，属于国家鼓励类发展项目，进口设备享受免关税政策。同时，国家发展改革委还同意祥光铜业利用北欧投资银行贷款4500万美元用于项目建设。2006年6月15日，北欧投资银行董事会按照世界银行的环保标准，一致通过该项目。

本章知识结构图

工程项目经济评价是在完成市场调查与预测、拟建规模、营销策划、资源优化、技术方案论证、环境保护、投资估算与资金筹措等可行性分析的基础上，对拟建项目各方案投入与产出的基础数据进行推测、估算，对拟建项目各方案进行评价和选优的过程。经济评价的工作成果融汇了可行性研究的结论性意见和建议，是投资主体决策的重要依据。

工程项目经济评价包括财务分析、费用效益分析和费用效果分析。本章介绍财务分析的主要内容及其理论和方法。本章知识结构如下图所示。

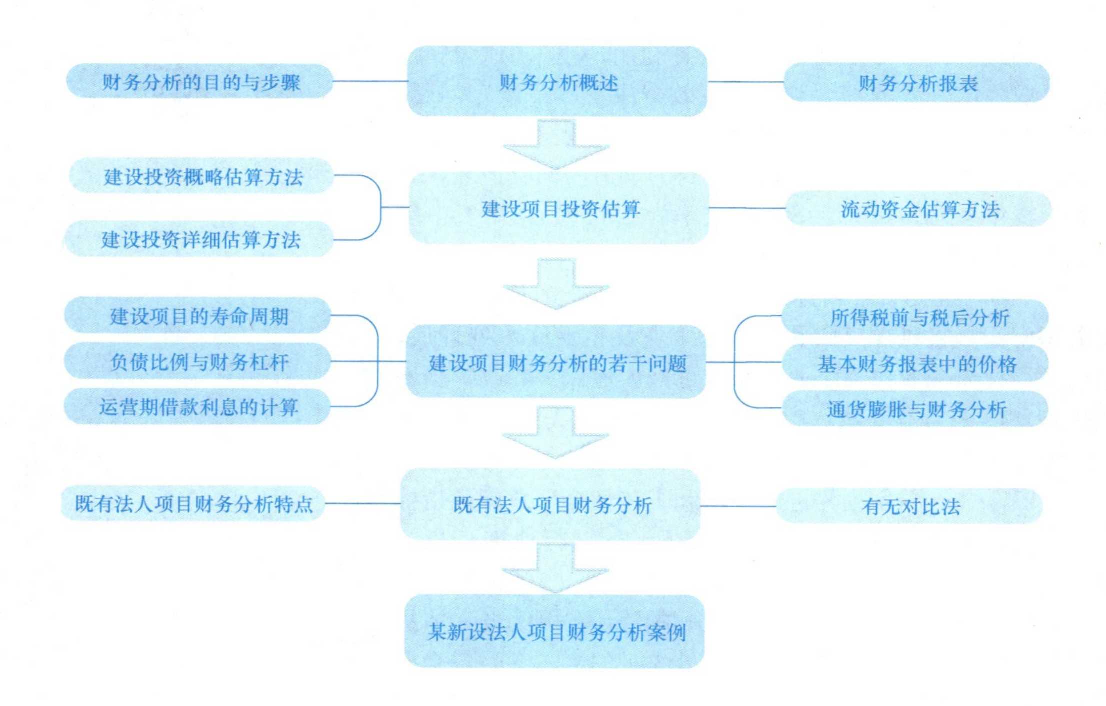

7.1　财务分析概述

财务分析是在国家现行财税制度和市场价格体系下，分析预测项目的财务效益与费用，计算财务分析指标，考察拟建项目的盈利能力和清偿能力，据以判断项目的财务可行性。

7.1.1 财务分析的目的

1. 衡量经营性项目的盈利能力和清偿能力

我国实行企业（项目）法人责任制后，企业法人要对建设项目的筹划、筹资、建设直至生产经营、归还贷款或债券本息以及资产的保值、增值实行全过程负责，承担投资风险。除需要国家安排资金和外部条件需要统筹安排的，应按规定报批外，凡符合国家产业政策，由企业投资的经营性项目，其可行性研究报告和初步设计，均由企业法人自主决策。因决策失误或管理不善造成企业法人无力偿还债务的，银行有权依据合同取得抵押资产或由担保人负责偿还债务。因此，企业所有者和经营者对项目盈利水平如何、能否达到行业的基准收益率或企业目标收益率，项目清偿能力如何、是否低于行业基准回收期，能否按银行要求的期限偿还贷款等，将十分关心。此外，国家和地方各级决策部门、财务部门和贷款部门（如银行）对此也非常关心。为了使项目在财务上能站得住脚，有必要进行项目财务分析。

2. 衡量非经营性项目的财务生存能力

对于非经营性项目，如公益性项目和基础性项目，在经过有关部门批准的情况下，可以实行还本付息价格或微利价格，在这类项目决策中，为了权衡项目在多大程度上要由国家或地方财政给予必要的支持，例如进行政策性的补贴或实行减免税等经济优惠措施，同样需要进行财务计算和评价。由于基础性项目大部分属于政策性投融资范围，主要由政府通过经济实体进行投资，并吸引地方、企业参与投资，有的也可吸引外商直接投资，因而这类项目的投融资既要注重社会效益，又要遵循市场规律，讲求经济效益。

3. 合营项目谈判签约的重要依据

合同条款是中外合资项目和合作项目双方合作的首要前提，而合同的正式签订又离不开经济效益分析，实际上合同条款的谈判过程就是财务评价的测算过程。

4. 项目资金规划的重要依据

建设项目的投资规模、资金的可能来源、用款计划的安排和筹资方案的选择都是财务评价要解决的问题。为了保证项目所需资金按时提供（资金到位），投资者（国家、地方、企业和其他投资者）、项目经营者和贷款部门也都要知道拟建项目的投资金额，并据此安排资金计划和国家预算。

7.1.2 财务分析的基本步骤

财务分析主要是利用有关基础数据，通过财务分析报表，计算财务指标，进行分析和评价。财务评价的一般步骤如下：

1. 财务评价前的准备

（1）实地调研，熟悉拟建项目的基本情况，收集整理相关信息。

（2）编制部分财务分析辅助报表。包括：建设投资估算表、流动资金估算表、营业收入和营业税金及附加估算表、总成本费用估算表等。

2. 进行融资前分析

融资前分析属于项目投资决策，是不考虑债务融资条件下的财务分析，重在考察项目净现金流量的价值是否大于其投资成本。融资前分析只进行盈利能力分析。融资前分析的基本步骤如下：

(1) 编制项目投资现金流量表，计算项目投资内部收益率、净现值和项目投资回收期等指标；

(2) 如果分析结果表明项目效益符合要求，再考虑融资方案，继续进行融资后分析；

(3) 如果分析结果不能满足要求，可通过修改方案设计完善项目方案，必要时甚至可据此作出放弃项目的建议。

3. 进行融资后分析

融资后分析属于项目融资决策，是以设定的融资方案为基础进行的财务分析，重在考察项目资金筹措方案能否满足要求。融资后分析包括盈利能力分析、清偿能力分析和财务生存能力分析。融资后分析的基本步骤如下：

(1) 在融资前分析结论满足要求的情况下，初步设定融资方案；

(2) 在已有财务分析辅助报表的基础上，编制项目总投资使用计划与资金筹措表和建设期利息估算表；

(3) 编制项目资本金现金流量表，计算项目资本金财务内部收益率指标，考察项目资本金可获得的收益水平。

(4) 编制投资各方现金流量表，计算投资各方的财务内部收益率指标，考察投资各方可获得的收益水平。

在项目的初期研究阶段，也可只进行融资前分析。

7.1.3 财务分析报表

(1) 现金流量表。现金流量表反映项目计算期内各年的现金收支，用以计算各项动态和静态评价指标，进行项目财务盈利能力分析。现金流量表分为：

1) 项目投资现金流量表（参见案例分析表 7-8）。对于新设项目法人项目，该表不分投资资金来源，以全部投资作为计算基础，用于计算项目投入全部资金的财务内部收益率、财务净现值、项目静态和动态投资回收期等评价指标，考察项目全部投资的盈利能力，为各个投资方案（不论其资金来源及利息多少）进行比较建立共同基础。

2) 项目资本金现金流量表（参见案例分析表 7-9），用于计算项目资本金财务内部收益率。

3) 投资各方财务现金流量表（参见案例分析表 7-10），用于计算投资各方财务内部收益率。

(2) 利润和利润分配表（参见案例分析表 7-11），反映项目计算期内各年的营业收入、总成本费用、利润总额等情况，以及所得税后利润的分配，用以计算总投资收益率、项目资本金净利润率等指标。

(3) 财务计划现金流量表（参见案例分析表 7-12），反映项目计算期内各年的投资、融资及经营活动的资金流入和流出，用于计算累计盈余资金，分析项目的财务生存能力。

(4) 资产负债表，用于综合反映项目计算期内各年年末资产、负债和所有者权益的增减变化及对应关系，计算资产负债率。

(5) 借款还本付息计划表（参见案例分析表 7-13），用于反映项目计算期内各年借款本金偿还和利息支付情况，计算偿债备付率和利息备付率等指标。

财务分析报表与评价指标之间的关系见表 7-1 所列。

财务分析报表与财务评价指标的关系　　表 7-1

评价内容	基本报表	静态指标	动态指标
盈利能力分析	项目投资现金流量表	项目投资静态回收期	项目投资财务内部收益率 项目投资财务净现值 项目投资动态回收期
	项目资本金现金流量表		项目资本金财务内部收益率
	投资各方现金流量表		投资各方财务内部收益率
	利润与利润分配表	总投资收益率 项目资本金净利润率	
清偿能力分析	资产负债表	资产负债率 偿债备付率 利息备付率	
财务生存能力	财务计划现金流量表	累计盈余资金	

在财务评价过程中，工程经济分析人员可以根据项目的具体情况和委托方的要求对评价指标进行取舍。

7.2 建设项目投资估算

投资估算是在对项目的建设规模、产品方案、工艺技术及设备方案、工程方案及项目实施进度等进行研究并基本确定的基础上，估算项目所需资金总额（包括建设投资、建设期利息和流动资金）并测算建设期分年资金使用计划。投资估算是拟建项目编制项目建议书、可行性研究报告的重要组成部分，是项目经济评价的重要依据之一。

7.2.1 建设投资概略估算方法

所谓概略估算是指根据实际经验和历史资料，对建设投资进行综合估算。这类方法虽然精确度不高，但在建设投资的毛估或初估阶段是十分必要的，所以在国外普遍采用。建设投资典型的概略估算方法有：生产规模指数法、资金周转率法、分项比例估算法和单元指标估算法。

1. 生产规模指数法

该法是利用已经建成项目的投资额或其设备投资额，估算同类而不司生产规模的项目投资或其设备投资的方法，其估算数学公式为：

$$C_2 = C_1\left(\frac{x_2}{x_1}\right)^n \times C_f \tag{7-1}$$

式中　C_2——拟建项目的投资额；

C_1——已建同类型项目的投资额；

x_2——拟建项目的生产规模；

x_1——已建同类型项目的生产规模；

C_f——综合调整系数；

n——生产规模指数。

该法中，生产规模指数 n 是一个关键因素，不同行业、性质、工艺流程、建设水平、生产率水平的项目，应取不同的指数值。选取 n 值的原则是：靠增加设备、装置的数量以及靠增大生产场所扩大生产规模时，n 取 0.8～1.0；靠提高设备、装置的功能和效率扩大生产规模时，n 取 0.6～0.7。另外，拟估投资项目生产能力与已建同类项目生产能力的比值应有一定的限制范围，一般这一比值不能超过 50 倍，而在 10 倍以内效果较好。

2. 资金周转率法

这是在国际上普遍使用的方法，它是从资金周转的定义出发推算出建设投资的一种方法。

当资金周转率为已知时，则：

$$C=\frac{Q\times P}{T} \tag{7-2}$$

式中 C——拟建项目建设投资；

Q——产品年产量；

P——产品单价；

T——资金周转率，$T=\frac{\text{年销售总额}}{\text{建设投资}}$。

该法概念简单明了，方便易行。但不同性质的工厂或生产不同产品的车间，资金周转率都不同，要提高投资估算的精确度，必须做好相关的基础工作。

3. 分项比例估算法

该法是以拟建项目的设备费为基数，根据已建成的同类项目的建筑安装工程费、其他费用等占设备价值的百分比，求出相应的建筑安装工程费及其他有关费用，其总和即为拟建项目建设投资。计算公式表达如下：

$$C=E(1+f_1P_1+f_2P_2+f_3P_3)+I \tag{7-3}$$

式中 C——拟建项目的建设投资；

E——根据设备清单按现行价格计算的设备费（包括运杂费）的总和；

P_1，P_2，P_3——已建成项目中的建筑、安装及其他工程费用分别占设备费的百分比；

f_1，f_2，f_3——由于时间因素引起的定额、价格、费用标准等变化的综合调整系数；

I——拟建项目的其他费用。

式中各个部分的系数及指数值都是通过对大量的统计数据进行处理得出的。

4. 单元指标估算法

（1）工业建设项目单元指标估算法

$$\text{项目建设投资额}=\text{单元指标}\times\text{生产能力}\times\text{物价浮动指数} \tag{7-4}$$

（2）民用建设项目单元指标估算法

$$\text{项目建设投资额}=\text{单元指标}\times\text{民用建筑规模}\times\text{物价浮动指数} \tag{7-5}$$

单元指标指每个估算单位的建设投资额。例如，饭店单位客房投资指标、医院每个床位投资指标、钢铁厂每吨钢投资指标、民用建筑单位面积或单位体积投资指标等。

在使用单元指标估算法时，应注意以下几点：

（1）指标是否包括管理费、试车费以及工程的其他各项费用；

（2）产量少、规模小的工程，指标可适当调增，反之指标可适当调减；

（3）当拟建项目的结构、建筑与指标局部不相符时，应对指标进行适当的修正。

7.2.2 建设投资详细估算方法

1. 建筑工程费估算

建筑工程投资估算一般采用以下方法：

（1）单位建筑工程投资估算法

该种方法是以单位建筑工程量投资乘以建筑工程总量计算建筑工程投资。一般工业与民用建筑以单位建筑面积（m^2）的投资，工业窑炉砌筑以单位容积（m^3）的投资，水库以水坝单位长度（m）的投资，铁路路基以单位长度（km）的投资，矿山掘进以单位长度（m）的投资，乘以相应的建筑工程总量计算建筑工程费。

（2）概算指标投资估算法

对于没有上述估算指标且建筑工程费占总投资比例较大的项目，可采用概算指标估算法。采用这种估算法，应占有较为详细的基础数据和工程资料。

建筑工程费用估算一般应编制建筑工程费用估算表。见表7-2所列。

某小型水电工程拦河坝工程建筑工程费用估算表 表7-2

序号	工程或费用	单位	数量	单价（元）	合价（万元）
1	覆盖层开挖	m^3	1550	16.87	2.61
2	石方明挖	m^3	9469	38.61	36.56
3	灌浆平洞石方	m^3	684	203.32	13.91
4	土石回填	m^3	2500	24.24	6.06
5	混凝土	m^3	10595	341.18	361.48
6	倒垂孔	m	20	1509.92	3.02
7	帷幕灌浆	m	551	483.95	26.67
8	钢筋	t	104	5077.35	52.80
9	其他工程	m^3	10595	10.70	11.34
10	合计				514.45

2. 安装工程费估算

安装工程费包括各种机电设备装配和安装工程费用；与设备相连的工作台、梯子及其装设工程费用；附属于被安装设备的管线敷设工程费用；安装设备的绝缘、保温、防腐等工程费用；单体试运转和联动无负荷试运转费用等。

安装工程费通常按行业或专业机构发布的安装工程定额、取费标准和指标估算投资。具体计算可按安装费率、每吨设备安装费或者每单位安装实物工程量的费用估算，即：

$$安装工程费 = 设备原价 \times 安装费率 \tag{7-6a}$$

$$安装工程费 = 设备吨位 \times 每吨安装费 \tag{7-6b}$$

$$安装工程费 = 安装工程实物量 \times 安装费用标准 \tag{7-6c}$$

3. 设备购置费（含工器具及生产家具购置费）估算

设备购置费估算应根据项目主要设备表及价格、费用资料编制。工器具及生产家具购置费一般按占设备费的一定比例计取。

对于价值高的设备应按单台（套）估算购置费；价值较小的设备可按类估算。国内设备和进口设备的设备购置费应分别估算。

国内设备购置费为设备出厂价加运杂费。设备运杂费主要包括运输费、装卸费和仓库保管费等，运杂费可按设备出厂价的一定百分比计算。

进口设备购置费由进口设备货价、进口从属费用及国内运杂费组成。进口设备货价按交货地点和方式的不同，分为离岸价（*FOB*）与到岸价（*CIF*）两种价格。如果采用 *FOB* 价格，进口从属费用包括国外运费、国外运输保险费、进口关税、进口环节消费税、增值税、外贸手续费、银行财务费和海关监管手续费。

进口设备到岸价与离岸价的关系如下式所示：

$$进口设备到岸价(CIF) = 离岸价(FOB) + 国外运费 + 国外运输保险费 \tag{7-7}$$

$$国外运费 = 离岸价 \times 运费率 \quad 或 \quad 国外运费 = 单位运价 \times 运量; \tag{7-8}$$

$$国外运输保险费 = (离岸价 + 国外运费) \times 国外运输保险费率 / (1 - 国外运输保险费率) \tag{7-9}$$

进口设备的其他几项从属费用通常按下面公式估算：

$$进口关税 = 进口设备到岸价 \times 人民币外汇牌价 \times 进口关税率 \tag{7-10}$$

$$消费税 = (到岸价 + 进口关税) \times 消费税率 /(1 - 消费税率) \tag{7-11}$$

$$进口环节增值税 = (进口设备到岸价 \times 人民币外汇牌价 + 进口关税 + 消费税) \times 增值税率 \tag{7-12}$$

$$外贸手续费 = 进口设备到岸价 \times 人民币外汇牌价 \times 外贸手续费率 \tag{7-13}$$

$$银行财务费 = 进口设备货价 \times 人民币外汇牌价 \times 银行财务费率 \tag{7-14}$$

$$海关监管手续费 = 进口设备到岸价 \times 人民币外汇牌价 \times 海关监管手续费率 \tag{7-15}$$

海关监管手续费是指海关对发生减免进口税或实行保税的进口设备，实施监管和提供服务收取的手续费。全额征收关税的设备，不收取海关监管手续费。

国内运杂费包括运输费、装卸费、运输保险费等。国内运杂费按运输方式，根据运量或者设备费金额估算。

设备购置费及安装工程费估算一般应编制相应的表格，见表 7-3 所列。

某建设工程水轮机设备及安装工程费估算　　表 7-3

序号	设备名称及规格	单位	数量	单价（元）		合价（万元）	
				设备费	安装费	设备费	安装费
1	水轮机	台	3	2924000.00		877.20	
2	微机调速器	台	3	350000.00		105.00	
3	油压装置	台	3	85000.00		25.50	
4	自动化元件	套	3	85000.00		25.50	
5	透平油	t	57	7500.00		42.75	
6	运杂费（费率 6.81%）					73.27	
7	安装费（费率 10.52%）	台	3		362219.25		108.67
8	合计					1149.22	108.67

4. 工程建设其他费用估算

工程建设其他费用按各项费用科目的费率或者取费标准估算。某水电工程建设其他费用估算表见表 7-4 所列。其中费用内容可根据每个项目的情况进行取舍。

某项目其他费用估算表　　表 7-4

序号	费用名称	费率或标准	计算依据（万元）	合价（万元）
1	土地费用			380.50
2	建设单位管理费	0.50%	28018.18	140.09
3	勘察设计费			384.26
4	研究试验费	0.50%	28018.18	140.09
5	建设单位临时设施费			154.00
6	工程建设监理费			350.00
7	工程保险费	0.50%	33569.00	167.85
8	施工机构迁移费	3.50%	28018.18	980.63
9	联合试运转费			3.62
10	生产职工培训费			335.47
11	办公及生活家具购置费			254.10
12	合计			3290.61

5. 基本预备费估算

基本预备费以建筑工程费、设备购置费、安装工程费及工程建设其他费用之和为计算基数，乘以基本预备费率计算。

6. 涨价预备费估算

涨价预备费以建筑工程费、安装工程费、设备购置费之和为计算基数。计算公式为：

$$PC = \sum_{t=1}^{n} I_t[(1+f)^t - 1] \tag{7-16}$$

式中 PC——涨价预备费；

I_t——第 t 年的建筑工程费、安装工程费、设备购置费之和；

f——建设期价格上涨指数；

n——建设期。

建设期价格上涨指数，政府部门有规定的按规定执行，没有规定的由可行性研究人员预测。

【例 7-1】 某建设工程在建设期初的建安工程费和设备购置费为 45000 万元。按本项目实施进度计划，项目建设期为 3 年，投资分年使用比例为：第一年 25%，第二年 55%，第三年 20%，投资在每年平均支用，建设期内预计年平均价格总水平上涨率为 5%。建设工程其他费用为 3860 万元，基本预备费率为 10%。试估算该项目的建设投资。

【解】（1）计算项目的涨价预备费

第一年末的涨价预备费 $=45000\times25\%\times[(1+0.05)^{1/2}-1]=277.82$ 万元

第二年末的涨价预备费 $=45000\times55\%\times[(1+0.05)^{1+1/2}-1]=1879.26$ 万元

第三年末的涨价预备费 $=45000\times20\%\times[(1+0.05)^{2+1/2}-1]=1167.54$ 万元

该项目建设期的涨价预备费 $=277.82+1879.26+1167.54=3324.62$ 万元

（2）计算项目的建设投资

建设投资 = 建安工程费 + 设备购置费 + 工程建设其他费用 + 基本预备费 + 涨价预备费

$=(45000+3860)\times(1+10\%)+3324.62=57070.62$ 万元

7.2.3 流动资金估算

流动资金是指生产经营性项目投产后，为进行正常生产运营，用于购买原材料、燃料，支付工资及其他经营费用等所需的周转资金。流动资金估算一般是参照现有同类企业的状况采用分项详细估算法，个别情况或者小型项目可采用扩大指标法。

1. 分项详细估算法

对计算流动资金需要掌握的流动资产和流动负债这两类因素应分别进行估算。在可行性研究中，为简化计算，仅对存货、现金、应收账款、预付账款等流动资产和应付账款、预收账款等流动负债进行估算，计算公式如下：

$$\text{流动资金}=\text{流动资产}-\text{流动负债} \tag{7-17}$$

$$\text{流动资产}=\text{应收账款}+\text{预付账款}+\text{存货}+\text{现金} \tag{7-18}$$

$$\text{流动负债}=\text{应付账款}+\text{预收账款} \tag{7-19}$$

$$\text{流动资金本年增加额}=\text{本年流动资金}-\text{上年流动资金} \tag{7-20}$$

$$\text{应收账款}=\frac{\text{年经营成本}}{\text{应收账款周转次数}} \tag{7-21}$$

$$\text{预付账款}=\frac{\text{外购商品或服务年费用金额}}{\text{预付账款周转次数}} \tag{7-22}$$

$$\text{存货}=\text{外购原材料}+\text{外购燃料}+\text{其他材料}+\text{在产品}+\text{产成品} \tag{7-23}$$

$$外购原材料=\frac{年外购原材料}{按种类分项周转次数} \tag{7-24}$$

$$外购燃料=\frac{年外购燃料}{按种类分项周转次数} \tag{7-25}$$

$$在产品=\frac{\left(\begin{matrix}年外购\\原材料\end{matrix}+\begin{matrix}年外购\\燃料\end{matrix}+\begin{matrix}年工资及\\福利费\end{matrix}+\begin{matrix}年修\\理费\end{matrix}+\begin{matrix}年其他制\\造费用\end{matrix}\right)}{在产品周转次数} \tag{7-26}$$

$$产成品=\frac{年经营成本}{产成品周转次数} \tag{7-27}$$

$$现金需要量=\frac{(年工资及福利费+年其他费用)}{现金周转次数} \tag{7-28}$$

$$年其他费用=制造费用+管理费用+营业费用-(以上三项费用中所含的工资及福利费、折旧费、摊销费、修理费) \tag{7-29}$$

$$应付账款=\frac{(年外购原材料+年外购燃料+年其他材料费)}{应付账款周转次数} \tag{7-30}$$

$$预收账款=\frac{年预收的营业收入金额}{预收账款周转次数} \tag{7-31}$$

2. 扩大指标估算法

（1）按建设投资的一定比例估算。例如，国外化工企业的流动资金，一般是按建设投资的15%～20%计算。

（2）按经营成本的一定比例估算。

（3）按年营业收入的一定比例估算。

（4）按单位产量占用流动资金的比例估算。

流动资金一般在投产前开始筹措。在投产第一年开始按生产负荷进行安排，其借款部分按全年计算利息。流动资金利息应计入财务费用。项目计算期末回收全部流动资金。

7.3 建设项目财务分析的若干问题

7.3.1 工程项目的寿命周期

1. 项目寿命周期的概念

所谓项目寿命周期（Life Cycle ）是指工程项目正常生产经营能够持续的年限，一般用年表示。项目寿命周期是工程项目投资决策分析的基本参数，寿命周期长短对投资方案的经济效益影响很大。因此需要认真分析，合理地加以确定。

2. 确定项目寿命周期的方法

（1）按产品的寿命周期确定

随着科学技术的迅猛发展，产品更新换代的速度越来越快。对于特定性较强的工程项目，由于其厂房和设备的专用性，当产品已无销路时，必须终止生产，同时又很难转产，不得不重建或改建项目。因此，对轻工和家电产品这类新陈代谢较快的项目就适合按产品的寿命周期确定项目的寿命周期。

（2）按主要工艺设备的经济寿命确定

这种方法适用于通用性较强的制造企业，或者生产产品的技术比较成熟，因而更新速度较慢的工程项目类型。

（3）综合分析确定

一般大型复杂的综合项目采用综合分析法确定其寿命周期。如钢铁联合企业规模大，涉及问题多，综合各种因素，我国规定其寿命周期为 20 年左右；而机械制造企业一般为 10 年左右。

3. 建设项目经济分析中的计算期

建设项目的计算期一般包括两部分：建设期和运营期。运营期即项目的经济寿命周期。运营期又分为投产期和达产期两个阶段。建设期是经济主体为了获得未来的经济效益而筹措资金、垫付资金或其他资源的过程，在此期间，只有投资，没有收入，因此要求项目建设期越短越好。而运营期是投资的回收期和回报期，因而投资者希望其越长越好。

计算期较长且现金流量变化较平稳的项目多以年为时间单位。计算期较短且现金流量在较短的时间间隔内（如月、季、半年或其他非日历时间间隔）有较大变化的项目，如油田钻井开发项目、高科技产业项目等，可视项目的具体情况选择合适的时间单位。

由于建设项目要历经资金的筹集、资金的投入、生产经营和资金的回收等若干阶段才能达到预期的目标，因而工程项目的现金流量也兼有了投资活动、筹资活动和经营活动的特点，具有一定的综合性。

7.3.2 负债比例与财务杠杆

负债比例是指项目所使用的债务资金与资本金的数量比率。财务杠杆是指负债比例对资本金收益率的缩放作用。不同来源的资金所需付出的代价是不同的，因此，项目资本金收益率不仅与项目收益率有关，也与负债比例密切相关。所以有必要对负债比例加以分析。

一般说来，在有负债的情况下，全部资金的投资效果与资本金的投资效果是不同的。拿总投资收益率指标来说，项目总投资收益率一般不等于借款利率，这两种利率差额的后果将被资本金所承担，从而使资本金利润率上升或下降。

设项目总投资为 K，资本金为 K_0，借款为 K_L，项目总投资收益率为 R，借款利率为 R_L，资本金利润率为 R_0，由资本金利润率公式，可得：

$$K = K_0 + K_L$$

$$\begin{aligned} R_0 &= \frac{(K \times R - K_L \times R_L)}{K_0} \\ &= \frac{(K_0 + K_L) \times R - K_L \times R_L}{K_0} \\ &= R + \frac{K_L}{K_0} \times (R - R_L) \end{aligned} \tag{7-32}$$

由式（7-32）可知，当 $R>R_L$ 时，$R_0>R$；当 $R<R_L$ 时，$R_0<R$。而且资本金利润率与总投资收益率的差别被负债比例所放大。这种放大效应就称为财务杠杆效应。

【例 7-2】某建设项目有三种方案，总投资收益率 R 分别为 6%、10%、15%，借款利率为 10%，试比较负债比例分别为 0、1 和 4 时的资本金利润率。

【解】利用式（7-32），计算结果列于表 7-5。

［例 7-2］不同负债比例下的资本金利润率　　表 7-5

负债比例 / 资本金利润率 R_0 / 方案	$K_L/K_0=0$	$K_L/K_0=1$	$K_L/K_0=4$
方案 $A(R=6\%)$	6%	2%	−10%
方案 $B(R=10\%)$	10%	10%	10%
方案 $C(R=15\%)$	15%	20%	35%

方案 A，$R<R_L$，负债比率越大，R_0 越低，甚至为负值；方案 B，$R=R_L$，R_0 不随负债比例改变；方案 C，$R>R_L$，负债比例越大，R_0 越高。由此可以看出负债比例的放大作用。

假设投资在 100 万～500 万元的范围内上述三个方案的总投资收益率不变，借款利息率为 10%，若有一企业拥有资本金 100 万元，现在来分析该企业在以上三种情况下如何选择负债比例。

对于方案 A，如果总投资等于资本金 100 万元，则项目的获利就是投资者的获利，为每年利润 6 万元；如果资本金和借款各为 100 万元，则可得总利润 12 万元。在借款偿还之前，每年要付利息 10 万元，投资者获利 2 万元；如果除资本金 100 万元以外，项目又借款 400 万元，则项目总利润为 30 万元，每年应付利息 40 万元，投资者亏损 10 万元。显然，在这种情况下，项目是不宜借款的，借得越多，损失越大。

对于方案 B，借款多少对投资者的利润都没有影响。

对于方案 C，如果仅用资本金 100 万元作项目总投资，项目的获利就是投资者的获利，为 15 万元；如果除资本金外，项目又借款 100 万元，则在偿付利息后，投资者可获利 20 万元；如果项目除资本金外借款 400 万元，在付利息后投资者可获利达 35 万元。在这种情况下，项目有借款比无借款有利，且负债比例越大越有利。

可见，选择不同的负债比例对投资者的收益会产生很大的影响。

7.3.3 运营期借款利息的计算

运营期借款利息支出指建设投资借款利息和流动资金借款利息之和。

建设投资借款的利息计算方式与建设投资借款的还本付息方式密切相关。建设投资借款的还本付息方式有以下几种：

（1）等额利息法。每期付息额相等，期中不还本金，最后一期归还本期利息和本金。

$$I_t=L_a\times i \qquad (t=1, 2, \cdots, n) \tag{7-33}$$

$$CP_t = \begin{cases} 0 & (t=1, 2, \cdots, n-1) \\ L_a & (t=n) \end{cases} \tag{7-34}$$

式中 I_t——第 t 期付息额；

CP_t——第 t 期还本额；

n——贷款期限；

i——贷款利率；

L_a——贷款总额。

（2）等额本金法。每期偿还相等的本金和相应的利息。

（3）等额摊还法。每期偿还本利相等。

（4）一次性偿付法。最后一次偿还本利。

（5）量入偿付法。根据项目的盈利大小，任意偿还本利，到期末全部还清本息。

在以上建设投资借款的还本付息方式中，最常用的是量入偿付法。对于量入偿付法，建设投资借款在生产期发生的利息计算公式为：

$$每年支付利息 = 年初本金累计额 \times 年利率 \tag{7-35}$$

为简化计算，还款当年按年末偿还，全年计息。

流动资金利息计算公式为：

$$流动资金利息 = 流动资金借款累计金额 \times 年利率 \tag{7-36}$$

7.3.4 所得税前分析与所得税后分析

在融资前针对建设项目投资总获利能力进行的财务评价中，通常有两种基本的分析形式，一种是所得税前分析，另一种是所得税后分析。所得税前和所得税后分析的现金流入完全相同，但现金流出略有不同，所得税前分析不将所得税作为现金流出，所得税后分析视所得税为现金流出。

项目投资息税前财务内部收益率（*FIRR*）和项目投资息税前财务净现值（*FNPV*），是投资盈利能力的完整体现，用以考察由项目方案设计本身所决定的财务盈利能力，它不受融资方案和所得税政策变化的影响，仅仅体现项目方案本身的合理性。所得税前指标特别适用于建设方案设计中的方案比选，是初步投资决策的主要指标，用于考察项目是否基本可行，并值得去为之融资。在国外，公共项目、政府所属的公司和特殊免税的非盈利项目，一般也只进行所得税前分析。

为了体现与融资方案无关的要求，项目投资现金流量表中的基础数据都需要剔除利息的影响。因此，项目投资现金流量表中的“所得税”应根据利润与利润分配表中的息税前利润（*EBIT*）乘以所得税率计算，称为“调整所得税”。

所得税后分析是所得税前分析的延伸，主要用于在融资条件下判断项目投资对企业价值的贡献，因而在项目融资前后财务评价中，特别是融资后财务评价中，是企业投资决策依据的主要指标。

对于经营性项目则需进行所得税后分析，因为所得税对于该类项目来说，是一项重要的现金流出，应该反映在项目的现金流量表中。特别是当各个方案的折旧方法具有显著差别以及其减免税优惠条件不同时，更需进行税后分析。

有时决定是进行所得税前分析还是所得税后分析，主要取决于财务基准收益率是所得税前确定的，还是所得税后确定的。

7.3.5 基本财务报表中的价格

我国目前实行以增值税为基础的流转税制。增值税实行价外计税的形式。

$$\text{不含税价格} = \frac{\text{含税价格}}{(1+\text{增值税率})} \tag{7-37a}$$

$$\text{不含税销售额} = \frac{\text{含税销售额}}{(1+\text{增值税率})} \tag{7-37b}$$

如果项目成本计算中剔除了增值税额因素，则项目成本不受增值税额的影响，同时，产品销售额如果也不含增值税，则增值税与现金流入之间就不再存在彼此消长的联系。无论税负如何变化，对项目利润均不会产生影响，亦即增值税是由最终消费者负担，并不增加项目的实际负担。

按投入物和产出物的价格中是否包括增值税，基本报表可归纳为含增值税和不含增值税两种处理方法。直接涉及增值税的基本报表有利润与利润分配表和现金流量表。下面通过某项目正常生产年份的利润与利润分配表和现金流量表说明基本报表的两种处理方法及其结果。

（1）利润与利润分配表，按含增值税与不含增值税计算，见表7-6所列。

利润与利润分配表（按含税与不含税计算，万元） 表7-6

序号	项目	按不含增值税计算	按含增值税计算
1	营业收入	10000	10000
2	销项增值税额	—	1700
3	增值税(2－7)	—	1400
4	城市维护建设税(7%)	98	98
5	教育费附加(3%)	42	42
6	总成本费用	3000	3000
7	进项增值税额	—	300
8	利润总额(1＋2－3－7－5－6－7)	6860	6860
9	所得税	2263.8	2263.8
10	净利润	4596.2	4596.2

（2）项目财务现金流量表，仅考虑经营期的现金流量，按含增值税与不含增值税计算，见表7-7所列。

项目投资财务现金流量表（按含税与不含税计算，万元） 表7-7

序号	项目	按不含增值税计算	按含增值税计算
1	现金流入	10000	11700
1.1	营业收入	10000	10000
1.2	销项增值税额	—	1700
2	现金流出	5275.6	6975.6
2.1	经营成本	2850	2850
2.2	进项增值税额	—	300
2.3	增值税	—	1400
2.4	城市维护建设税	98	98
2.5	教育费附加	42	42
2.6	调整所得税	2285.6	2285.6
3	净现金流量	4724.4	4724.4

从上面的比较可以看出，两种方法的计算结果完全相同。相比之下，含税计算方法的优点是，如实地反映了增值税通过价格附加的形式全部转嫁给产品用户的过程。从财务评价的主要功能来看，不含增值税计算方法的优点是：简单、方便，有助于指标的计算。一般来说，为了真实反映项目的清偿能力和盈利能力，项目投资估算应采用含增值税价格，包括建设投资、流动资金和运营期内的维持运营投资。在项目运营期内，为与企业实际财务报表数字相匹配，投入与产出采用的价格统一使用不含增值税价格。

7.3.6 通货膨胀与项目财务分析

通货膨胀对项目财务评价的影响，主要有以下几个方面：

1. 财务分析基本数据

（1）建设投资。建设投资是以基期的价格水平为依据来估算的。在几年的建设中，由于存在通货膨胀，实际的投资额高于基期的建设投资。为了使投资不留缺口，通常的做法是，在通货膨胀率不高的情况下，结合投资构成中的基本预备费一并考虑；在通货膨胀率较高的情况下，除去基本预备费外，再加一项专门应付通货膨胀的涨价预备费。

（2）产出物价格。通货膨胀会使产品市场价格（时价）持续升高，从而直接影响营业收入的大小。

（3）投入物价格。通货膨胀对原材料、辅助材料、燃料动力等价格都产生影响，从而直接影响产品的成本估算。

2. 借款利率

设 f 表示通货膨胀率，由于 f 的介入，利率可分为浮动利率 i_m 和实际利率 i_r。浮动利率是指不剔除通货膨胀等因素的影响的利率，亦即，银行执行的利率。实际利率是指人们预期价格不变时所要求的利率，亦即，扣除通货膨胀后的利率。f、i_m、i_r 之间的关系可以推导如下：

由 $$i_m=(1+i_r)(1+f)-1 \tag{7-38}$$

得 $$i_r=\frac{1+i_m}{1+f}-1$$

$$i_r=i_m-f-i_rf \tag{7-39}$$

当 i_rf 很小时，可以忽略利息购买力的贬值，式（7-38）可简化为：

$$i_r=i_m-f \tag{7-40}$$

【例 7-3】有一笔 100 万元的借款，期限 1 年，浮动利率为 10%，通货膨胀率为 5%，求实际利率。

【解】（1）较为精确的方法

$$i_r=\frac{1+10\%}{1+5\%}-1=4.76\%$$

（2）较为粗略的方法

$$i_r=10\%-5\%=5\%$$

从上述计算公式中可以看出，i_r不外乎三种情况：

第一，当 $i_r>0$ 时，即 $i_m>f$，i_r为正值，则银行借款除回收本金外，还可以得到利率为 i_r的利息。

第二，当 $i_r=0$ 时，即 $i_m=f$，则银行借款只能收回本金，利息为零。

第三，当 $i_r<0$ 时，即 $i_m<f$，则银行借款不仅得不到利息，而且要亏本。

3. 项目财务盈利能力分析

（1）所得税前分析

当项目净现金流量在计算期内各年受相同通货膨胀率影响时，有通货膨胀和无通货膨胀两种情况下的所得税税前内部收益率的实际值是相同的。由于通货膨涨影响，税前内部收益率的实际值（IRR_r）将低于其浮动值（IRR_m）。二者的换算公式为：

$$IRR_r=\frac{1+IRR_m}{1+f}-1 \tag{7-41}$$

$$IRR_r=IRR_m-f-IRR_rf \tag{7-42}$$

或 $$IRR_r=IRR_m-f \tag{7-43}$$

显然，以上公式与实际利率和浮动利率的换算公式完全相同。

（2）所得税后分析

在有、无通货膨胀两种情况下的所得税税后内部收益率的实际值是不相同的。这是因为，虽然未来的收益将因通货膨胀而增加，但是各年的折旧费却是一个固定值，并不因通货膨胀而增加。因此，应纳税所得额和所得税额将因通货膨胀而增加，从而使各年税后净现金流减少，进而税后内部收益率降低。通货膨胀率越高，税后内部收益率的实际值越小。有、无通货膨胀的内部收益率的关系可通过某实例体现出来，其对照表见表 7-8。

税前税后内部收益率比较表 表 7-8

情况			税前内部收益率（%）		税后内部收益率（%）	
			名义值	实际值	名义值	实际值
1	无通货膨胀（$f=0$）		11.99	11.99	8.24	8.24
2	有通货膨胀	① $f=6\%$	18.71	11.99	12.78	6.4
		② $f=12\%$	25.43	11.99	17.61	5.01

4. 考虑通货膨胀的财务评价方法

（1）盈利能力分析

1）不变价格法

该方法采用基期不变价格，投入物和产出物都不考虑通货膨胀率。优点是在经济稳定通货膨胀率较小时，可以获得较可靠的评价数据，且简单易行；缺点是在通货膨胀率较高的情况下，按不变价格计算的各项收支金额，不能满足项目建设期用款计划。

2）建设期时价法

该法是工程项目盈利能力分析时常用的方法。它只考虑建设期的通货膨胀因素，以基期数据为基础，投入物和产出物考虑通货膨胀因素到建设期末，但不考虑生产期各种因素的通货膨胀因素。优点是建设期通货膨胀率较好预测；缺点是通货膨胀因素考虑得不够全面。

3）计算期时价法

该法是在考虑建设期通货膨胀的基础上再进一步考虑运营期的通货膨胀因素，以基期数据为基础，投入物和产出物都考虑通货膨胀因素到生产期末。优点是克服了前两种方法的不足；缺点是整个计算期的通货膨胀率不好预测。

（2）清偿能力分析

进行清偿能力分析时，预测计算期内可能存在较为严重的通货膨胀时，应在整个计算期采用包括通货膨胀影响的变动价格计算偿债能力指标，以反映通货膨胀因素对偿债能力的影响。

7.4 既有法人项目财务分析

既有法人项目财务分析与新设项目法人项目财务分析相比具有两个显著特点，第一，项目在不同程度上利用了原有资产和资源，以增量调动存量，以较小的新增投入取得较大的新增效益。因此，项目与原企业既有区别又有联系，有些问题的分析范围需要从项目扩展至企业。第二，原来已在生产经营的企业，其状况还会发生变化，因此项目效益和费用的识别、计算较复杂。

如果既有法人项目所涉及的费用、收益可以清楚地从原有企业产生的费用和收益分离出来，那么这样的项目就和新建项目没有区别，例如，企业新建车间或新建分厂。但是，对多数既有法人项目来说，实现这种分离是困难的，本节将着重讨论这种情形。

既有法人项目更多地属于改扩建和技改项目，这类项目的财务分析一般采用有无对比法，即改扩建后（“有项目”）的未来情况与不改扩建（“无项目”）的未来情况相对比，而不是改扩建前和后的情况对比。用总量指标或增量指标判断项目财务可行性和经济合理性。

“无项目”与“有项目”实际上是有待决策的两个方案，这两个方案是互相排斥的，因此改扩建和技改项目评价的实质是互斥方案比较的研究。

方案对比时应注意：

（1）和现状相比，“无项目”情况下的效益和费用在计算期内可能增加，可能减少，也可能保持不变。必须预测这些趋势，以避免人为地低估或夸大项目的效果。

（2）为使计算期保持一致，应以“有项目”的计算期为基准，对“无项目”的计算期进行调整。既可将“无项目”延长到与“有项目”的计算期相同，并在计算期末将固定资产余值回收，也可将“无项目”的经营期适时终止，其后各年的现金流量为零。

（3）如果由于改扩建与技术改造而使部分原有资产不再有用并能转让出售或作其他有价处理，应把转让资产的收入视作现金流入。

【例 7-4】某改造项目原有资产的重估值为 200 万元，其中 100 万元的资产将在改造后被拆除变卖，其余的 100 万元资产继续留用。改造的新增投资估计为 300 万元，改造后预计每年的净收益可达 100 万元，而不改造每年的净收益预计只有 40 万元。假定改造、不改造的寿命期均为 8 年，基准收益率 $i_c=10\%$，问该企业是否应当进行技术改造？

【解】“有项目”和“无项目”的现金流量图如图 7-1 所示。

$NPV_{无}=-200+40(P/A,10\%,8)=13.4$ 万元

$NPV_{有}=-400+100\times5.335=133.5$ 万元

$\because NPV_{有}>NPV_{无}>0$

$\therefore$应对企业进行技术改造。

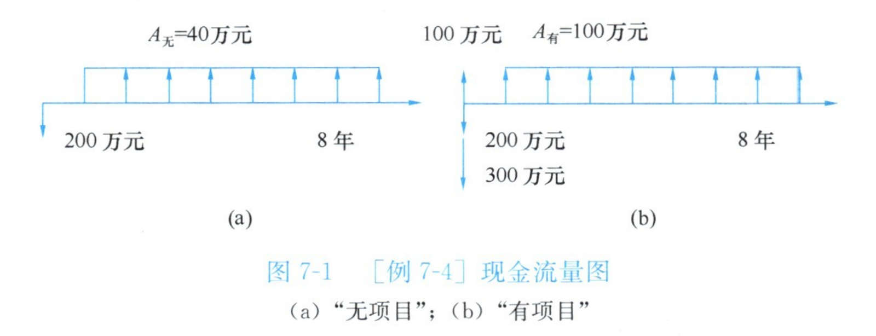

图 7-1 ［例 7-4］现金流量图

（a）“无项目”；（b）“有项目”

案例分析

某新设法人项目财务分析

1. 项目概况

某高新技术产业化项目，其可行性研究已完成市场需求预测、生产规模、工艺技术方案、建厂条件和厂址方案、环境保护、工厂组织和劳动定员以及项目实施规划诸方面的研究论证和多方案比较。项目财务分析在此基础上进行。项目基准收益率为 12%（融资前税前），基准投资回收期为 8.3 年（融资前税前）。

2. 基础数据

（1）生产规模和产品方案。生产规模为年产 1.2 万 t 某工业原料。产品方案为 A 型及

B 型两种，以 *A* 型为主。

（2）实施进度。项目拟两年建成，第三年投产，当年生产负荷达到设计能力的 70%，第四年达到 90%，第五年达到 100%。生产期按 8 年计算，计算期为 10 年。

（3）建设投资估算。建设投资估算见案例分析表 7-1。

（4）流动资金估算采用分项详细估算法进行估算，估算总额为 3133.95 万元。流动资金借款为 2325.63 万元。流动资金估算见案例分析表 7-2。

（5）资金来源。项目资本金为 7121.43 万元，其中用于流动资金 808.32 万元，其余为借款。资本金由甲、乙两个投资方出资，其中甲方出资 3000 万元，分别于建设期每年年初投入 1500 万元，从还完建设投资长期借款年开始，每年分红按出资额的 25%进行，经营期末收回投资。建设投资债务资金由中国银行和中国建设银行提供贷款，其中中国银行贷款年利率为 7.47%，中国建设银行贷款年利率为 7.56%；流动资金由中国工商银行提供贷款，年利率 7.29%。投资分年使用计划按第一年 60%，第二年 40%的比例分配。项目总投资使用计划与资金筹措见案例分析表 7-3。

（6）工资及福利费估算。全厂定员 100 人，工资及福利费按每人每年 40000 元估算，全年工资及福利费估算为 400 万元（其中福利费按工资总额的 14%计算）。

（7）年营业收入、年营业税金及附加。产品售价以市场价格为基础，预测到生产期初的市场价格，每吨出厂价按 16150 元计算（不含增值税）。产品增值税税率为 17%。本项目采用价外计税方式考虑增值税。城市维护建设税按增值税的 7%计算，教育费附加按增值税的 3%计算。年营业收入和年营业税金及附加见案例分析表 7-4。

（8）产品成本估算。总成本费用估算见案例分析表 7-5。成本估算说明如下：

1）固定资产原值中除工程费用中的设备及工器具投资、建筑安装工程投资及其他费用中的土地费用外，还包括建设期利息以及预备费用。固定资产原值为 19458.65 万元，按平均年限法计算折旧，折旧年限为 8 年，残值率为 5%，折旧率为 11.88%，年折旧额为 2310.71 万元。固定资产折旧费估算见案例分析表 7-6。

2）其他费用中其余部分均作为无形资产及其他资产。无形资产为 368.90 万元，采用平均年限法，按 8 年摊销，年摊销额为 46.11 万元。其他资产为 400 万元，采用平均年限法，按 5 年摊销，年摊销额为 80 万元。无形资产及其他资产摊销费估算见案例分析表 7-7。

3）修理费计算。修理费按年折旧额的 50%提取，每年 1155.36 万元。

4）借款利息计算。流动资金借款年应计利息为 169.54 万元，建设投资长期借款采用量入偿付法的方式清偿，利息计算见案例分析表 7-13。

5）固定成本和可变成本。可变成本包含外购原材料、外购燃料、动力费。固定成本包含总成本费用中除可变成本外的费用。

（9）利润与利润分配。利润与利润分配表见案例分析表 7-11。利润总额正常年为 3950.18 万元。所得税按利润总额的 25%计取，法定盈余公积金在长期借款还本之后提取，按税后利润的 10%计取。

3. 融资前分析

项目投资现金流量表，见案例分析表 7-8。根据该表计算的评价指标为：

所得税前项目投资财务内部收益率（*FIRR*）为 15.4%，项目投资财务净现值（i_c=

12%时）为3868.54万元，静态投资回收期（含建设期）5.97年；所得税后项目投资财务内部收益率（*FIRR*）为12.41%，项目投资财务净现值（i_c=12%时）为439.73万元，静态投资回收期（含建设期）6.54年。

项目投资财务内部收益率大于基准收益率，项目投资财务净现值大于零，该项目在财务上是可以接受的。

4. 融资后分析

（1）项目资本金现金流量表见案例分析表7-9，根据该表计算资本金财务内部收益率为18.59%。

（2）甲方投资财务现金流量表见案例分析表7-10，根据该表计算甲方投资财务内部收益率为10.27%。

（3）根据利润与利润分配表（案例分析表7-11）、资金使用计划与资金筹措表（案例分析表7-3）计算以下指标：

$$\text{总投资收益率}=\frac{\text{运营期内年平均息税前利润}}{\text{总投资}}\times 100\%$$

$$=\frac{29136.89/8}{23361.5}\times 100\%=\frac{3642.11}{23361.5}\times 100\%=15.59\%$$

该项目投资收益率大于行业平均利润率8%，说明单位投资收益水平达到行业标准。

$$\text{项目资本金净利润率}=\frac{\text{运营期内年平均净利润}}{\text{项目资本金}}\times 100\%$$

$$=\frac{18947.34/8}{7121.43}\times 100\%=\frac{2368.42}{7121.43}\times 100\%=33.26\%$$

（4）根据利润与利润分配表（案例分析表7-11）、财务计划现金流量表（案例分析表7-12）、建设期利息估算及还本付息计划表（案例分析表7-13）、固定资产折旧估算表（案例分析表7-6）、无形资产及其他资产摊销估算表（案例分析表7-7）计算借款偿还期内以下项目综合利息备付率和综合偿债备付率。各年利息备付率与偿债备付率见案例分析表7-13。

$$\text{利息备付率}=\frac{\text{息税前利润}}{\text{当期应付利息费用}}=\frac{12738.02}{3195.62}=3.99$$

$$\text{偿债备付率}=\frac{\text{当期用于还本付息资金}}{\text{当期应还本付息金额}}$$

$$=\frac{\text{息税前利润}+\text{折旧}+\text{摊销}-\text{所得税}}{\text{借款利息支付}+\text{借款本金偿还}}$$

$$=\frac{12738.02+9242.86+504.45-2385.6}{3195.62+13914.45}=1.17$$

式中利息支付的计算见案例分析表7-14所列。

通过计算，项目综合利息备付率3.99，综合偿债备付率1.17。借款偿还期内第1年利息备付率小于2，其余各年利息备付率均大于2，并随着借款本金的偿还而逐年上升，借款偿还期末利息备付率达12.03，项目付息保证程度较高。项目按照最大能力偿还借款本金，借款偿还期内前3年偿债备付率均为1，偿还期末偿债备付率达2.17，说明项目的偿债能力较强。

（5）根据财务计划现金流量表（案例分析表7-12），项目计算期内各年的净现金流量及累计盈余均为正值，各年均有足够的净现金流量维持项目的正常运营，可保证项目财务的可持续性。

5. 财务分析说明

（1）本项目财务分析分为融资前分析和融资后分析两个层次。融资前分析从项目投资总获利能力角度，考察项目方案设计的合理性，重在考察项目净现金流的价值是否大于其投资成本，为项目投资决策提供依据；融资后分析重在考察资金筹措方案能否满足要求，融资后分析包括项目的盈利能力分析、偿债能力分析以及财务生存能力分析，进而判断项目方案在融资条件下的合理性。

（2）本项目采用量入偿付法归还长期借款本金。总成本费用估算表（案例分析表 7-5）、利润与利润分配表（案例分析表 7-11）及建设期利息估算及还本付息计划表（案例分析表 7-13），通过利息支出、当年还本和净利润互相联系，利用三表联算得出借款偿还计划；在全部借款偿还后，再计提法定盈余公积金和确定利润分配方案。财务分析的内容和步骤如案例分析图 7-1 所示。

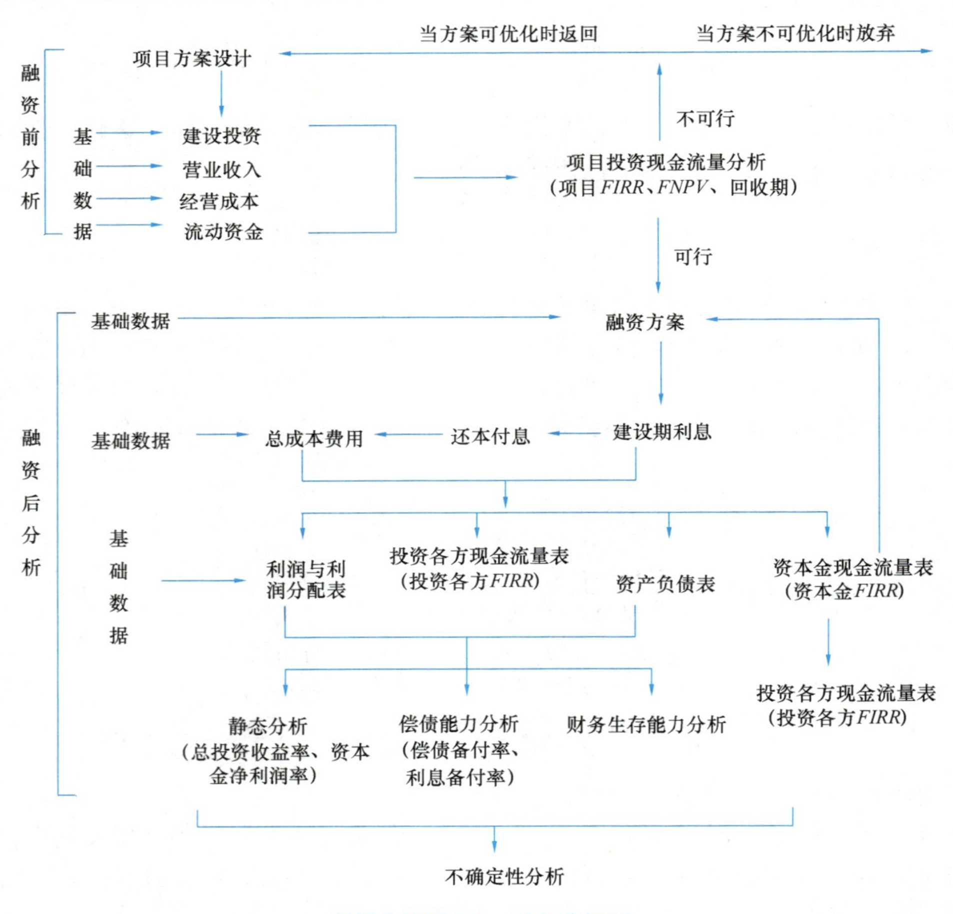

案例分析图 7-1 财务分析图

6. 评价结论

财务分析结论详见财务分析结论汇总表（案例分析表 7-15）。

从主要指标上看，财务分析结果均可行，而且生产的产品是国家急需的，所以项目是可以接受的。

建设投资估算表（万元）　　案例分析表 7-1

序号	工程或费用名称	估算价值					占总值比（%）
		建筑工程	设备费用	安装工程	其他费用	总值	
1	工程费用	1559.25	10048.95	3892.95		15501.15	81
1.1	主要生产项目	463.5	7849.35	3294		11606.85	
1.2	辅助生产车间	172.35	473.4	22.95		668.7	
1.3	公用工程	202.05	1119.6	457.65		1779.3	
1.4	环境保护工程	83.25	495	101.25		679.5	
1.5	总图运输	23.4	111.6			135	
1.6	厂区服务性工程	117.9				117.9	
1.7	生活福利工程	496.8				496.8	
1.8	厂外工程			17.1		17.1	
2	工程建设其他费用				1368.9	1368.9	7
	其中：土地费用				600	600	
3	预备费用				2273.4	2273.4	12
4	建设投资合计	1559.25	10048.95	3892.95	3642.3	19143.45	100
	比例（%）	8	53	20	19	100	

流动资金估算表（万元）　　案例分析表 7-2

序号	年份 / 项目	最低周转天数	周转次数	投产期		达到设计生产能力期			
				3	4	5	6	7	8
1	流动资产			2952.29	3668.08	4024.15	4024.15	4024.15	4024.15
1.1	应收账款	30	12	795.96	973.96	1062.96	1062.96	1062.96	1062.96
1.2	存货			2117.99	2655.78	2922.85	2922.85	2922.85	2922.85
1.3	现金	15	24	38.34	38.34	38.34	38.34	38.34	38.34
2	流动负债			622.80	800.93	890.20	890.20	890.20	890.20
2.1	应付账款	30	12	622.80	800.93	890.20	890.20	890.20	890.20
2.2	预收账款								
3	流动资金（1—2）			2329.49	2867.15	3133.95	3133.95	3133.95	3133.95
4	流动资产增加额			2329.49	537.66	266.80			

资金使用计划与资金筹措表（万元）　　案例分析表 7-3

序号	项目＼年份	合计	0	1	2	3	4
1	总投资	23361.50	11486.07	7947.09	3123.88	537.66	266.80
1.1	建设投资	19143.45	11486.07	7657.38			
1.2	建设期利息	1084.10		289.71	794.39		
1.3	流动资金	3133.95			2329.49	537.66	266.80
2	资金筹措	23361.50	11486.07	7947.09	3123.88	537.66	266.80
2.1	项目资本金	7121.43	3787.87	2525.24	808.32	0.00	0.00
2.1.1	用于建设投资	6313.11	3787.87	2525.24			
2.1.2	用于流动资金	808.32			808.32		
2.1.3	用于建设期利息	0.00					
2.2	债务资金	16240.07	7698.20	5421.85	2315.56	537.66	266.80
2.2.1	用于建设投资	12830.34	7698.20	5132.14			
2.2.2	用于流动资金	2325.63			1521.17	537.66	266.80
2.2.3	用于建设期利息	1084.10		289.71	794.39		
2.3	其他资金						

营业收入、营业税金及附加和增值税估算表（万元）　　案例分析表 7-4

序号	项目＼年份	合计	3	4	5	6～10
			生产负荷 70%	生产负荷 90%	生产负荷 100%	生产负荷 100%
1	产品营业收入	147288	13566	17442	19380	19380
	单价（元）		16150	16150	16150	16150
	数量（t）	91200	8400	10800	12000	12000
	销项税额	25038.96	2306.22	2965.14	3294.6	3294.6
2	营业税金及附加	1124.04	103.53	133.11	147.9	147.9
2.1	增值税	11240.4	1035.3	1331.1	1479	1479
	增值税销项	25038.96	2306.22	2965.14	3294.6	3294.6
	增值税进项	13798.56	1270.92	1634.04	1815.6	1815.6
2.2	消费税					
2.3	城市维护建设税	786.83	72.47	93.18	103.53	103.53
2.4	教育费附加	337.21	31.06	39.93	44.37	44.37

注：1. 增值税仅为计算城市维护建设税和教育费附加的依据。

2. 本报表税金的计算方法采用不含增值税的计算方法。

总成本费用估算表（万元）　　案例分析表 7-5

序号	项目＼年份	合计	投产期		达到设计生产能力期					
			3	4	5	6	7	8	9	10
	生产负荷（%）		70	90	100	100	100	100	100	100
1	外购原材料	71811	6614.4	8503.8	9448.8	9448.8	9448.8	9448.8	9448.8	9448.8
2	外购燃料、动力	9357	861.6	1108.2	1231.2	1231.2	1231.2	1231.2	1231.2	1231.2
3	工资及福利费	3200	400	400	400	400	400	400	400	400
4	修理费	9242.86	1155.36	1155.36	1155.36	1155.36	1155.36	1155.36	1155.36	1155.36
5	折旧费	18485.72	2310.71	2310.71	2310.71	2310.71	2310.71	2310.71	2310.71	2310.71
6	摊销费	768.9	126.11	126.11	126.11	126.11	126.11	46.11	46.11	46.11
7	财务费用（利息、汇兑损失）	3873.77	1158.21	995.28	706.37	335.76	169.54	169.54	169.54	169.54
7.1	其中：利息支出	3873.77	1158.21	995.28	706.37	335.76	169.54	169.54	169.54	169.54
7.1.1	长期借款利息	2595.56	1047.32	845.19	536.83	166.22				
7.1.2	流动资金借款利息	1278.21	110.89	150.09	169.54	169.54	169.54	169.54	169.54	169.54
8	其他费用	4161.6	520.2	520.2	520.2	520.2	520.2	520.2	520.2	520.2
9	总成本费用（1+2+3+4+5+6+7+8）	120900.85	13146.60	15119.66	15898.76	15528.14	15361.92	15281.92	15281.92	15281.92
	其中：固定成本（3+4+5+6+7+8）	39732.84	5670.60	5507.66	5218.76	4848.14	4681.92	4601.92	4601.92	4601.92
	可变成本	81168	7476	9612	10680	10680	10680	10680	10680	10680
10	经营成本（9—5—6—7.1）	97772.46	9551.56	11687.56	12755.56	12755.56	12755.56	12755.56	12755.56	12755.56

固定资产折旧费估算表（万元）　　案例分析表 7-6

序号	项目＼年份	合计	投产期		达到设计生产能力期					
			3	4	5	6	7	8	9	10
1	固定资产									
1.1	原值	19458.65								
1.2	当期折旧费	18485.72	2310.71	2310.71	2310.71	2310.71	2310.71	2310.71	2310.71	2310.71
	净值		17147.93	14837.22	12526.51	10215.79	7905.08	5594.36	3283.65	972.93

无形资产及其他资产摊销费估算表（万元）　　案例分析表 7-7

序号	项目＼年份	摊销年限	原值	投产期		达到设计生产能大期					
				3	4	5	6	7	8	9	10
1	无形资产	8	368.90								
1.1	摊销			46.11	46.11	46.11	46.11	46.11	46.11	46.11	46.11
1.2	净值			322.79	276.68	230.56	184.45	138.34	92.22	46.11	0.00
2	其他资产（开办费）	5	400.00								
2.1	摊销			80.00	80.00	80.00	80.00	80.00			
2.2	净值			320.00	240.00	160.00	80.00	0.00			
3	无形及其他资产合计		768.90								
3.1	摊销			126.11	126.11	126.11	126.11	126.11	46.11	46.11	46.11
3.2	净值			642.79	516.68	390.56	264.45	138.34	92.22	46.11	0.00

项目投资现金流量表（万元） **案例分析表 7-8**

序号	项目 \ 年份	合计	建设期			投产期		达到设计生产能力期					
			0	1	2	3	4	5	6	7	8	9	10
	生产负荷（%）					70	90	100	100	100	100	100	100
1	现金流入	151394.88				13566.00	17442.00	19380.00	19380.00	19380.00	19380.00	19380.00	23486.88
1.1	营业收入	147288.00				13566.00	17442.00	19380.00	19380.00	19380.00	19380.00	19380.00	19380.00
1.2	补贴收入												
1.3	回收固定资产余值	972.93											972.93
1.4	回收流动资金	3133.95											3133.95
2	现金流出	121173.90	11486.07	7657.38	2329.49	10192.75	12087.47	12903.46	12903.46	12903.46	12903.46	12903.46	12903.46
2.1	建设投资	19143.45	11486.07	7657.38									
2.2	流动资金	3133.95			2329.49	537.66	266.80						
2.3	经营成本	97772.46				9551.56	11687.56	12755.56	12755.56	12755.56	12755.56	12755.56	12755.56
2.4	营业税金及附加	1124.04				103.53	133.11	147.90	147.90	147.90	147.90	147.90	147.90
2.5	维护运营投资	0.00											
3	所得税前净现金流量（1—2）	30220.98	−11486.07	−7657.38	−2329.49	3373.25	5354.53	6476.54	6476.54	6476.54	6476.54	6476.54	10583.43
4	累计所得税前净现金流量		−11486.07	−19143.45	−21472.94	−18099.69	−12745.15	−6268.61	207.93	6684.47	13161.02	19637.56	30220.98
5	调整所得税	7284.22				368.52	796.13	1009.93	1009.93	1009.93	1029.93	1029.93	1029.93
6	所得税后净现金流量（3—5）	22936.76	−11486.07	−7657.38	−2329.49	3004.73	4558.41	5466.61	5466.61	5466.61	5446.61	5446.61	9553.50
7	累计所得税后净现金流量		−11486.07	−19143.45	−21472.94	−18468.21	−13909.80	−8443.19	−2976.57	2490.04	7936.65	13383.27	22936.76

计算指标：项目投资财务内部收益率（*FIRR*）=15.40%（调整所得税前）；项目投资财务净现值（*FNPV*）（i_c=12%）=3868.54 万元（调整所得税前）。

项目投资财务内部收益率（*FIRR*）=12.41%（调整所得税后）；项目投资财务净现值（*FNPV*）（i_c=12%）=439.73 万元（调整所得税后）。

项目投资回收期（从建设期算起）=5.97 年（调整所得税前）；项目投资回收期（从建设期算起）=6.54 年（调整所得税后）。

项目资本金现金流量表（万元） 案例分析表 7-9

序号	项目＼年份	合计	建设期			投产期		达到设计生产能力期					
			0	1	2	3	4	5	6	7	8	9	10
	生产负荷（%）					70	90	100	100	100	100	100	100
1	现金流入	151394.88				13566.00	17442.00	19380.00	19380.00	19380.00	19380.00	19380.00	23486.88
1.1	营业收入	147288.00				13566.00	17442.00	19380.00	19380.00	19380.00	19380.00	19380.00	19380.00
1.2	补贴收入	0.00											
1.3	回收固定资产余值	972.93											972.93
1.4	回收流动资金	3133.95											3133.95
2	现金流出	132447.56	3787.87	2525.24	808.32	13566.00	17442.00	19380.00	16390.34	14040.54	14060.54	14060.54	16386.17
2.1	项目资本金	7121.43	3787.87	2525.24	808.32								
2.2	借款本金偿还	16240.08				2673.73	4078.75	4936.83	2225.13				2325.63
2.3	借款利息支付	3873.77				1158.21	995.28	706.37	335.76	169.54	169.54	169.54	169.54
2.4	经营成本	97772.46				9551.56	11687.56	12755.56	12755.56	12755.56	12755.56	12755.56	12755.56
2.5	营业税金及附加	1124.04				103.53	133.11	147.90	147.90	147.90	147.90	147.90	147.90
2.6	所得税	6315.78				78.97	547.31	833.34	925.99	967.54	987.54	987.54	987.54
2.7	维护运营投资	0.00											
3	净现金流量（1−2）	18947.33	−3787.87	−2525.24	−808.32	0.00	0.00	0.00	2989.66	5339.46	5319.46	5319.46	7100.71

计算指标：资本金财务内部收益率为 18.59%。

甲方投资财务现金流量表（万元）　　案例分析表 7-10

序号	项目＼年份	合计	建设期			投产期		达到设计生产能力期					
			0	1	2	3	4	5	6	7	8	9	10
	生产负荷（%）					70	90	100	100	100	100	100	100
1	现金流入	6750							750	750	750	750	3750
1.1	股利分配	6750							750	750	750	750	3750
1.2	资产处置收益分配												
1.3	租赁费收入												
1.4	技术转让收入												
1.5	其他现金流入												
2	现金流出	3000	1500	1500									
2.1	股权投资	3000	1500	1500									
2.2	租赁资产支出												
2.3	其他现金流出												
3	净现金流量	3750	－1500	－1500	0	0	0	0	750	750	750	750	3750

计算指标：甲方投资财务内部收益率为 10.27%。

利润与利润分配表（万元）　　案例分析表 7-11

序号	项目＼年份	合计	投产期		达到设计生产能力期					
			3	4	5	6	7	8	9	10
	生产负荷（%）		70	90	100	100	100	100	100	100
1	营业收入	147288.00	13566.00	17442.00	19380.00	19380.00	19380.00	19380.00	19380.00	19380.00
2	营业税金及附加	1124.04	103.53	133.11	147.90	147.90	147.90	147.90	147.90	147.90
3	总成本费用	120900.85	13146.60	15119.66	15898.76	15528.14	15361.92	15281.92	15281.92	15281.92
4	利润总额（1—2—3）	25263.11	315.87	2189.23	3333.34	3703.96	3870.18	3950.18	3950.18	3950.18
5	弥补以前年度亏损									
6	应纳税所得额	25263.11	315.87	2189.23	3333.34	3703.96	3870.18	3950.18	3950.18	3950.18
7	所得税	6315.78	78.97	547.31	833.34	925.99	967.54	987.54	987.54	987.54
8	净利润（4—7）	18947.34	236.90	1641.92	2500.01	2777.97	2902.63	2962.63	2962.63	2962.63
9	可供分配的利润	18947.34	236.90	1641.92	2500.01	2777.97	2902.63	2962.63	2962.63	2962.63
10	提取法定盈余公积金	1179.05					290.26	296.26	296.26	296.26
11	未分配利润	17768.28	236.90	1641.92	2500.01	2777.97	2612.37	2666.37	2666.37	2666.37
12	息税前利润（利润总额＋利息支出）	29136.89	1474.09	3184.51	4039.72	4039.72	4039.72	4119.72	4119.72	4119.72
13	息税折旧摊销前利润（息税前利润＋折旧＋摊销）	48391.50	3910.91	5621.33	6476.54	6476.54	6476.54	6476.54	6476.54	6476.54

其中：提取法定盈余公积金按 10%比例，待长期借款还本之后提取。

财务计划现金流量表（万元）　　案例分析表 7-12

序号	项目＼年份	合计	建设期			投产期		达到设计生产能力期					
			0	1	2	3	4	5	6	7	8	9	10
	生产负荷（%）					70	90	100	100	100	100	100	100
1	经营活动现金流量（1.1—1.2）	42075.72	0.00	0.00	0.00	3831.94	5074.03	5643.21	5550.55	5509.00	5489.00	5489.00	5489.00
1.1	现金流入	172326.96				15872.22	20407.14	22674.60	22674.60	22674.60	22674.60	22674.60	22674.60
1.1.1	营业收入	147288.00				13566.00	17442.00	19380.00	19380.00	19380.00	19380.00	19380.00	19380.00
1.1.2	增值税销项税额	25038.96				2306.22	2965.14	3294.60	3294.60	3294.60	3294.60	3294.60	3294.60
1.2	现金流出	130251.24				12040.28	15333.11	17031.39	17124.05	17165.60	17185.60	17185.60	17185.60
1.2.1	经营成本	97772.46				9551.56	11687.56	12755.56	12755.56	12755.56	12755.56	12755.56	12755.56
1.2.2	增值税进项税	13798.56				1270.92	1634.04	1815.60	1815.60	1815.60	1815.60	1815.60	1815.60
1.2.3	营业税金及附加	1124.04				103.53	133.11	147.90	147.90	147.90	147.90	147.90	147.90
1.2.4	增值税	11240.40				1035.30	1331.10	1479.00	1479.00	1479.00	1479.00	1479.00	1479.00
1.2.5	所得税	6315.78				78.97	547.31	833.34	925.99	967.54	987.54	987.54	987.54
2	投资活动净现金流量（2.1—2.2）	—22277.40	—11486.07	—7657.38	—2329.49	—537.66	—266.80	0.00					
2.1	现金流入												
2.2	现金流出	22277.40	11486.07	7657.38	2329.49	537.66	266.80	0.00					
2.2.1	建设投资	19143.45	11486.07	7657.38									
2.2.2	流动资金	3133.95			2329.49	537.66	266.80						
3	筹资活动净现金流量（3.1—3.2）	2163.54	11486.07	7657.38	2329.49	—3294.28	—4807.23	—5643.21	—2560.89	—169.54	—169.54	—169.54	—2495.17
3.1	现金流入	22277.40	11486.07	7657.38	2329.49	537.66	266.80	0.00	0.00	0.00	0.00		
3.1.1	项目资本金投入	7121.43	3787.87	2525.24	808.32								
3.1.2	建设投资借款	12830.34	7698.20	5132.14									
3.1.3	流动资金借款	2325.63			1521.17	537.66	266.80						
3.2	现金流出	20113.85				3831.94	5074.03	5643.21	2560.89	169.54	169.54	169.54	2495.17
3.2.1	各种利息支出	3873.77				1158.21	995.28	706.37	335.76	169.54	169.54	169.54	169.54
3.2.2	偿还债务本金	16240.08				2673.73	4078.75	4936.83	2225.13				2325.63
4	净现金流量	21961.87	0.00	0.00	0.00	0.00	0.00	0.00	2989.66	5339.46	5319.46	5319.46	2993.83
5	累计盈余资金		0.00	0.00	0.00	0.00	0.00	0.00	2989.66	8329.12	13648.58	18968.04	21961.87

建设期利息估算及还本付息计划表（万元） 案例分析表 7-13

序号	项目 \ 年份	合计	建设期		投产期		达到设计生产能力期	
			1	2	3	4	5	6
1	中国建设银行借款							
1.1	建设期利息	687.73	183.77	503.96				
1.1.1	期初借款余额		0.00	5045.50	8790.61	6116.88	2038.13	
1.1.2	当期借款	8102.88	4861.73	3241.15				
1.1.3	当期应计利息	1968.82	183.77	503.96	664.57	462.44	154.08	
1.1.4	期末借款余额		5045.50	8790.61	6116.88	2038.13		
1.2	其他融资费用							
1.3	小计（1.1+1.2）	687.73	183.77	503.96				
2	中国银行借款							
2.1	建设期利息	396.37	105.94	290.43				
2.1.1	期初借款余额		0.00	2942.42	5123.84	5123.84	5123.84	2225.13
2.1.2	当期借款	4727.47	2836.48	1890.99				
2.1.3	当期应计利息	1710.84	105.94	290.43	382.75	382.75	382.75	166.22
2.1.4	期末借款余额		2942.42	5123.84	5123.84	5123.84	2225.13	
2.2	其他融资费用							
2.3	小计（2.1+2.2）	396.37	105.94	290.43				
3	当期还本付息	16510.01			3721.05	4923.94	5473.67	2391.35
	其中：还本	13914.45			2673.73	4078.75	4936.83	2225.13
	付息	2595.56			1047.32	845.19	536.83	166.22
4	还款来源							
4.1	净利润	7156.80			236.90	1641.92	2500.01	2777.97
4.2	折旧费	9242.86			2310.71	2310.71	2310.71	2310.71
4.3	摊销费	504.45			126.11	126.11	126.11	126.11
4.4	偿还本金来源合计				2673.73	4078.75	4936.83	5214.80
4.5	偿还本金后余额	2989.66						2989.66
	计算指标							
	利息备付率				1.27	3.20	5.72	12.03
	偿债备付率				1.00	1.00	1.00	2.17

利息支付计算表（万元） 案例分析表 7-14

项目 \ 年份	合计	3	4	5	6	7～10
中国建设银行借款利息支付	1281.09	664.57	462.44	154.08		
中国银行借款利息支付	1314.47	382.75	382.75	382.75	166.22	
流动资金中的借款数额		1521.17	2058.83	2325.63	2325.63	2325.63
流动资金借款利息支付	1278.21	110.89	150.09	169.54	169.54	169.54
各种借款利息支付总和	3873.77	1158.21	995.28	706.37	335.76	169.54

评价结论汇总表 案例分析表 7-15

财务分析指标		计算结果	评价标准	是否可行
融资前分析指标	项目投资财务内部收益率（所得税前）	15.4%	>12%	是
	项目投资回收期（所得税前）	5.97 年	<8.3 年	是
	项目投资财务净现值（所得税前）	3868.54 万元	>0	是
融资后分析指标	资本金财务内部收益率	18.59%		是
	借款偿还期	5.43 年		是
	利息备付率	3.99	>2.0	是
	偿债备付率	1.17	>1.0	是

[案例思考]

1. 如果本案例的银行贷款以等额还本方式偿还，结果会怎样？
2. 如何对本案例进行不确定性分析？

思考题

1. 建设投资概略估算有哪些方法，其适用条件各是什么？
2. 如何对建设投资进行详细估算？
3. 财务评价所需的财务分析报表有哪些，财务评价的主要指标有哪些，各指标如何进行计算与分析评价？

习题

1. 某项目计算期 20 年，各年净现金流量（$CI-CO$）均在年末发生，具体情况见习题表 7-1。基准收益率为 10%。试根据项目的财务净现值 $FNPV$ 判断此项目是否可行，并计算项目的投资回收期、财务净现值和财务内部收益率。

各年净现金流量（元） 习题表 7-1

时点	1	2	3	4	5	6～20
净现金流量	−180	−250	150	84	112	150

2. 有一投资项目，建设投资 50 万元（不含建设期利息），于第 1 年年初投入；流动资金投资 20 万元，于第 2 年年初投入，全部为借款，利率 8%。项目于第 2 年投产，产品销售收入第 2 年为 50 万元，第 3～8 年为 80 万元；经营成本第 2 年为 30 万元，第 3～8 年为 45 万元；增值税率 17%；第 2～8 年折旧费每年为 6 万元；第 8 年末处理固定资产可得收入 8 万元。经营成本和营业收入均发生在年末。

根据以上条件列出的项目投资现金流量表（习题表 7-2、习题表 7-3）是否正确？若有错，请改正过来。

项目投资现金流量表（万元） 习题表 7-2

时点	0	1	2	3～7	8
现金流入					
营业收入			50	80	80
固定资产回收					8
现金流出					
经营成本			30	45	45
建设投资（不含建设期利息）	50				
流动资金		20			
增值税			8.5	13.6	13.6
折旧			6	6	6
净现金流量	−50	−20	5.5	15.4	23.4

项目投资现金流量表（万元） 习题表 7-3

时点	0	1	2	3～7	8
现金流入					
营业收入			50	80	80
固定资产回收					8
折旧			6	6	6
现金流出					
经营成本			30	45	45
建设投资（不含建设期利息）	50				
流动资金		20			
增值税			8.5	13.6	13.6
流动资金利息			1.6	1.6	1.6
净现金流量	−50	−20	15.9	25.8	33.8

3. 某工业项目计算期为 15 年，建设期为 3 年，第 4 年投产，第 5 年开始达到生产能力。项目建设投资（未包含建设期借款利息）为 8000 万元，其中自有投资为 4000 万元，不足部分向银行借款，银行借款利率为 10%，假定每年借款发生在年中。建设期只计息不还款，第 4 年初投产后开始还贷，每年付清利息并分 10 年等额偿还建设期利息资本化后的全部借款本金。现金流量的发生时点遵循年末习惯法。分年投资情况见习题表 7-4 所列。

分年投资情况（万元） 习题表 7-4

时点	1	2	3	合计
建设投资	2500	3500	2000	8000
其中：自有资金投资	1500	1500	1000	4000

第 4 年初投入生产所需的全部流动资金 2490 万元，全部用银行借款，年利率 10%。

项目营业税金及附加和经营成本的预测值见习题表 7-5 所列。

营业税金及附加、经营成本（万元） 习题表 7-5

时点	4	5	6	…	15
营业收入	5600	8000	8000	…	8000
营业税金及附加	320	480	480	…	480
经营成本	3500	5000	5000	…	5000

固定资产折旧采用直线折旧法，折旧年限为 15 年，残值率 5%，建设期利息计入固定资产原值。所得税税率为 25%。基准收益率为 12%。

试计算完成以下表格，并计算该项目投资财务净现值和静态投资回收期。

（1）建设期利息计算表 单位：万元

时点	1	2	3	4
年初欠款	0			
当年借款				
当年利息				
年末欠款累计				

（2）借款偿还计划及利息计算表 单位：万元

时点	4	5	6	7	8	9	10	11	12	13
年初欠款	4631									
当年利息支付	463									
当年还本	463									
年末尚欠										

（3）利润与所得税计算表 单位：万元

时点	4	5	6	7	8	9	10	11	12	13	14	15
营业收入												
经营成本												
折旧												
建设投资借款利息	463											
流动资金借款利息	249											
营业税金及附加												
利润总额												
所得税												
净利润												

（4）项目投资现金流量表

单位：万元

年末	1	2	3	4	5	6	7	8	9	10	11	12	13	14	15
（一）现金流入															
1. 营业收入															
2. 回收固定资产余值															
3. 回收流动资金															
（二）现金流出															
1. 建设投资（不含建设期利息）															
2. 流动资金															
3. 经营成本															
4. 营业税金及附加															
5. 调整所得税															
（三）净现金流量															

第8章 建设项目费用效益分析

引例

太湖雪蚕桑文化园的综合效益

太湖雪蚕桑文化园，是中国首个以蚕桑文化为主题，集优秀传统文化保护、现代农业示范、蚕桑科研、文化休闲、科普展示、生态旅游为一体的特色生态园，坐落于江苏省苏州市吴江区震泽省级湿地公园内。

文化园借助丝绸小镇震泽深厚的蚕桑文化底蕴，采用给桑园、农户每亩补助550元的文化生态保护补偿方式，打造了2000亩优质桑园、2000亩稻田。蚕桑科技馆将传统蚕桑丝绸文化与现代高科技蚕桑丝绸文化相结合，展示了蚕桑发展与人类文明的关系，让公众知晓栽桑、养蚕、剥茧、缫丝、织造、印染、刺绣、制被等传统手工艺，传承江南丝绸古镇千年养蚕缫丝的蚕桑文化。

结合江南鱼米之乡的生态资源和“丝绸小镇”的特色文化，文化园进行蚕桑科技衍生品开发，大力发展蚕桑生态旅游业。游客不仅可以游桑园，采桑果，品桑茶，喝桑酒，体验种桑养蚕，了解蚕桑生产，知晓蚕桑科技，还可以享受生态农家乐、骑行垂钓休闲乐。

太湖雪蚕桑文化园由太湖雪公司经营，每年文化传承、生态保护、现代农业、科技旅游等综合效益折合14亿元。太湖雪董事长认为，如果把丝绸产业比作一棵树，种桑养蚕就是树根，织绸印染等工业生产就是树干，产品是树叶，品牌就是果实。花大心思种桑养蚕，正是为了保护蚕桑的根，只有用蚕桑园留住丝绸的根，才能让丝绸及其相关产业枝繁叶茂。

启　　示

太湖雪蚕桑文化园项目说明，中华优秀传统文化及生态环境保护具有巨大的外部正收益，文化传承和生态保护的投入，可以通过相关产业的发展得到回收，同时也使得相关产业更绿色、更持久、更具有人文气息。

本章知识结构图

在市场经济条件下，大部分建设项目财务评价结论可以满足投资决策要求。但对于财务现金流量不能全面、真实地反映其经济价值的项目，还需要进行费用效益分析。这类项目主要包括：农业、水利、铁道、公路、民航、城市建设、电信等具有垄断特征、公共产品特征的项目和基础设施项目；环境保护、节能减排、生态修复、文化传承创新高科技产业等外部性显著的项目；煤炭、石油、电力、钢铁、有色、黄金等资源开发项目；涉及人工智能、互联网＋、大数据系统、通信、电子、机械、先进装备制造等国家经济安全的项目；受过度行政干预的项目。本章知识结构如下图所示。

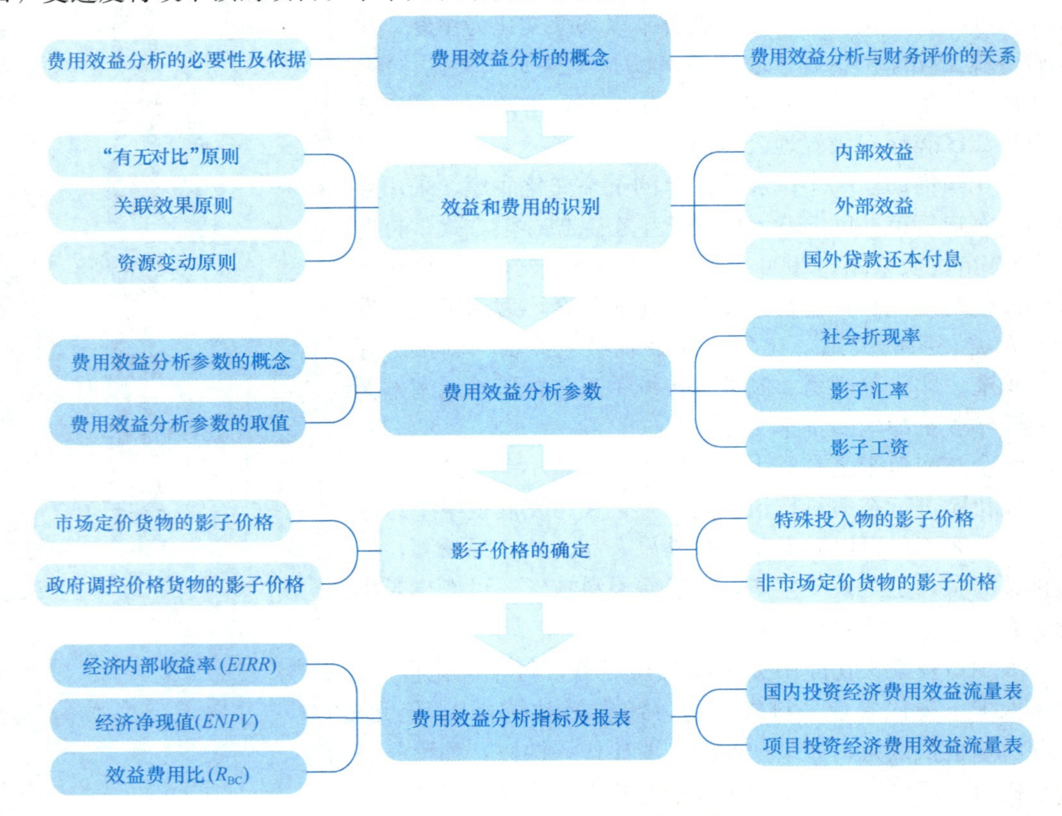

8.1 费用效益分析的概念

8.1.1 费用效益分析的必要性和依据

1. 费用效益分析的实质

所谓费用效益分析（Cost-Benefit Analysis），是按合理配置稀缺资源和社会经济可持续发展的原则，采用影子价格、社会折现率等费用效益分析参数，从国民经济全局的角度出发，考查建设项目的经济合理性。

正常运作的市场是将稀缺资源在不同用途和不同时间上合理配置的有效机制。然而，市场的正常运作要求具备若干条件，包括：资源的产权清晰、完全竞争、公共产品数量不多、短期行为不存在等。如果这些条件不能满足，市场就不能有效地配置资源，即市场失灵。市场失灵包括：

(1) 无市场、薄市场（Thin Market）。首先，很多资源的市场还根本没发育起来，或根本不存在。这些资源的价格为零，因而被过度使用，日益稀缺。其次，有些资源的市场虽然存在，但价格偏低，只反映了劳动和资本成本，没有反映生产中资源耗费的机会成本和环境污染的代价。毫不奇怪，价格偏低时，资源也会被浪费，生态会恶化。例如，我国一些地区的地下水和灌溉用水价格偏低，因而被过度使用。

(2) 公共物品（Public Goods）。公共物品的显著特点，是一个人对公共物品的消费不影响其他消费者对同一公共物品的消费。在许多情况下，个人不管付钱与否都不应被从公共物品的消费中排除出去，例如国防。因为没人能够或应该被排除，所以消费者就不愿为消费公共物品而付钱。消费者不愿付钱，私人企业赚不了钱，就不愿意提供公共物品。因此，自由市场很难提供充足的公共物品，造成市场失灵。

(3) 外部效果（Externalities）。外部效果是企业或个人的行为对活动以外的企业或个人造成的影响。外部效果可以是积极的，也可以是消极的。河流上游农民种树，保持水土，使下游农民旱涝保收，这是积极的外部效果。上游滥砍滥伐，造成下游洪水泛滥和水土流失，这是负面的外部效果。外部效果造成私人成本（内部成本或直接成本）和社会成本不一致，导致实际价格不同于最优价格，带来市场失灵。

(4) 短视计划（Myopia Planning）。自然资源的保护和可持续发展意味着为了未来利益而牺牲当前消费。因为人们偏好当前消费，未来利益被打折扣，因而造成应留给未来人的资源被提前使用。资源使用中的高回报率和可再生资源的低增长率，有可能使某种自然资源提早耗尽。

市场失灵的存在使得财务评价的结果往往不能真实反映建设项目的全部利弊得失，必须通过费用效益分析对财务评价中失真的结果进行修正，这是费用效益分析的实质。

2. 费用效益分析的依据

费用效益分析的主要目的是消除市场失灵对财务评价结果的影响。根据经济学原理，消除市场失灵的方法有以下三种：

(1) 影子价格法。影子价格（Shadow Price），又称最优计划价格或计算价格。它是指依据一定原则确定的，能够反映投入物和产出物真实经济价值、反映市场供求状况、反映资源稀缺程度、使资源得到合理配置的价格。影子价格反映了社会经济处于某种最优状态下的资源稀缺程度和对最终产品的需求情况，有利于资源的最优配置。

影子价格的概念是20世纪30年代末至20世纪40年代初由荷兰数理经济学、计量经济学创始人之一詹恩·丁伯根和苏联数学家、经济学家、诺贝尔经济学奖金获得者康托罗维奇分别提出来的。它最初来自于求解一个目标最大化的线性规划问题。当某种资源每增加一个单位，目标产出或贡献增加一定的单位，不同的资源有不同的边际贡献，这种资源的最大边际贡献就定义为该资源的影子价格。影子价格的计算方法主要有机会成本分析法、成本分解法和消费者支付意愿法。

影子价格法适用于校正无市场、薄市场及公共物品非排他性、短期行为引发的市场失灵。

（2）政府干预法。自出现市场失灵后，不同的经济学家对外部性的现象进行了深入的研究，最具影响力的学说是由庇古（Pigou）提出的“庇古税”理论。他的著作《福利经济学》对于外部性的形成原因以及对经济政策、城市规划、环境政策等方面都具有重大的影响。他认为外部性的现象是由于企业个体的边际成本与社会边际成本相互背离所造成的，企业与社会整体的边际成本出现背离，所以企业与社会整体的边际效益出现了矛盾的结果。也就是说，在此种情况下，完全依靠市场机制无法完成资源的最优化配置而实现帕累托最优。所以，庇古主张政府采取适当的干预手段，其干预控制的目的在于消除企业边际成本与社会边际成本之间的背离，而干预的手段则是通过税收的方式对边际企业成本小于边际社会成本的企业征收税款，同样也可以对边际企业收益小于边际社会收益的企业实施经济激励，这样就可以通过税收和财政补贴的方式使得外部成本内部化，而实现整个社会效益的最大化。

政府干预法适用于校正由于外部效果及短视计划引发的市场失灵。

（3）扩大边界法。外部性的存在使财务评价不能全面反映建设项目的真实投入产出效果，这时可以将项目的边界放大，将建设项目引致的关联效果都囊括在评价的范围内，从而实现外部效果的内部化。

扩大边界法也适用于校正由于外部效果及短视计划引发的市场失灵。

8.1.2 费用效益分析与财务评价的关系

费用效益分析主要是识别国民经济效益与费用，计算和选取影子价格，编制费用效益分析报表，计算费用效益分析指标并进行方案比选，提出外部效果内部化的对策建议。

1. 费用效益分析与财务评价的共同之处

（1）评价方法相同。它们都是经济效果评价，都使用基本的经济评价理论，即效益与费用比较的理论方法；都要寻求以最小的投入获取最大的产出；都要考虑资金的时间价值，采用内部收益率、净现值等盈利性指标评价工程项目的经济效果。

（2）评价的基础工作相同。两种分析都要在完成产品需求预测、工艺技术选择、投资估算、资金筹措方案等可行性研究内容的基础上进行。

（3）评价的计算期相同。

2. 费用效益分析与财务评价的区别

（1）两种评价所站的层次不同。财务评价是站在项目的层次上，从项目经营者、投资者、未来债权人的角度，分析项目在财务上能够生存的可能性，分析各方的实际收益或损失，分析投资或贷款的风险及收益。费用效益分析则是站在全社会的角度考察项目的费用和效益。

（2）财务评价与费用效益分析所使用的价格体系有可能不同。财务评价使用实际的市场预测价格。费用效益分析使用的价格种类则应区分不同情况：当市场价格能真实反映资源稀缺程度和市场供需状况，可使用市场预测价格；当市场价格不能反映资源稀缺程度和市场供需状况时，则使用一套专用的影子价格体系。

（3）两种评价使用的参数不同。如衡量盈利性指标内部收益率的判据，财务评价中用财务基准收益率，费用效益分析中则用社会折现率，财务基准收益率依行业的不同而不同，而社会折现率则全国各行业各地区都是一致的。

（4）评价内容不同。财务评价主要有两个方面，一是盈利能力分析，二是清偿能力分析。而费用效益分析则只作盈利能力分析，不作清偿能力分析。

8.2 效益和费用的识别

8.2.1 识别经济效益和经济费用的原则

1.“有无对比”原则

项目经济费用效益分析应建立在增量效益与增量费用识别和计算的基础之上，通过项目的实施效果与无项目情况下可能发生的情况进行对比分析，作为计算机会成本或增量效益的依据。

2. 关联效果原则

财务分析从项目自身的利益出发，其系统分析的边界是项目，凡是流入项目的资金，就是财务效益，如营业收入、补贴；凡是流出项目的资金，就是财务费用，如投资支出、经营成本和税金。费用效益分析则从国民经济的整体利益出发，其系统分析的边界是整个国民经济，不仅要识别项目自身的内部效果，而且需要识别项目对国民经济其他部门和单位产生的外部效果。

3. 社会资源优化配置原则

在计算财务收益和费用时，依据的是货币的变动。凡是流入项目的货币就是直接效益，凡是流出项目的货币就是直接费用。费用效益分析以实现资源最优配置从而保证国民收入最大增长为目标。凡是增加社会资源消耗的都产生经济费用，凡是增加社会资源产出的都产生经济效益。当然，资源应是稀缺的经济、环境、文化等资源，资源稀缺的程度可以通过政府干预的程度体现。

8.2.2 经济效益与经济费用

经济效益分为直接经济效益和间接经济效益，经济费用分为直接经济费用和间接经济费用。直接经济效益和直接经济费用是与投资主体有关的，可称为内部效益；因投资主体而产生，却被其他主体所承担的间接经济效益和间接经济费用，称为外部效益。

1. 内部效益

内部效益包括直接经济效益和直接经济费用。

直接经济效益是指由项目产出物直接生成，并在项目范围内计算的经济效益。一般表现为增加项目产出物或者服务的数量以满足国内需求的效益；替代效益较低的相同或类似企业的产出物或者服务，使被替代企业减产（停产）从而减少国家有用资源耗费或者损失的效益；增加出口或者减少进口从而增加或者节约的外汇等。

直接经济费用是指项目使用投入物所形成，并在项目范围内计算的费用。一般表现为其他部门为本项目提供投入物；需要扩大生产规模所耗费的资源费用；减少对其他项目或者最终消费投入物的供应而放弃的效益；增加进口或者减少出口从而耗用或者减少的外汇等。

2. 外部效益

外部效益，是指项目对国民经济作出的贡献与国民经济为项目付出的代价中，在直接效益与直接费用中未得到反映的那部分效益与费用。外部效益分为货币性和技术性两类。

货币性外部效益指可以通过税收或补贴将建设项目的外部负效益和外部正效益内部化的外部效益。

技术性外部效益是指外部效益确实使社会总生产和社会总消费起变化，如水利设施项目，除产生电力外，还使粮食产量增加。技术性外部效益包括以下几个方面：

（1）产业关联效益。例如，建设一个水电站，一般除发电、防洪灌溉和供水等直接效益外，还必然带来养殖业和水上运动的发展，以及旅游业的增进等间接效益。此外，农牧业还会因土地淹没而遭受一定的损失（间接费用）。这些都是水电站兴建而产生的产业关联效益。

（2）环境和生态效益。例如，发电厂排放的烟尘可使附近田园的作物产量减少，质量下降；化工厂排放的污水可使附近江河的鱼类资源骤减，人们的健康甚至生命受到威胁等。

（3）技术扩散效益。技术扩散和示范效益是由于建设技术先进的项目会培养和造就大量的技术人员和管理人员，他们除了为本项目服务外，由于人员流动、技术交流对整个社会经济发展也会带来好处。

技术性外部效益反映了社会生产和消费的真实变化，这种真实变化必然引起社会资源配置的变化，所以应在费用效益分析中加以考虑。

货币性外部效益与技术性外部效益可以独立，也可以相互关联。当货币性外部效益与技术性外部效益相互关联时，往往货币性外部效益已通过税收或补贴部分或全部反映了技术性外部效益，这时就不应重复计算技术性外部效益。同时，为防止技术性外部效益计算扩大化，项目的技术性外部效益一般只计算一次相关效果，不应连续计算。

3. 国外贷款还本付息

由于费用效益分析不涉及项目的清偿能力，故项目评价时不考虑国内贷款还本付息。

国外贷款还本付息的处理分以下三种情况：

（1）评价国内投资经济效益的处理办法。项目的费用效益分析是以项目所在国的经济利益为根本出发点，所以必须考察国外贷款还本付息对项目举办国的真实影响。如果国外贷款利率很高，高于全部投资的内部收益率，那么一个全投资效益好的项目，也可能由于偿还国外债务造成大部分收益外流的局面，致使本国投资得不偿失。为了能够揭示这种情况，如实判断本国投资资金的盈利水平，必须进行国内投资的经济效益分析。在分析时，应将国外贷款视作现金流入，还本付息应当视作现金流出。

（2）国外贷款不指定用途时的处理办法。对项目进行费用效益分析的目的是使有限资源得到最佳配置。因此，应当对项目所用全部资源的利用效果作出分析评价，这种评价是包括国外贷款在内的全投资费用效益分析，此时国外贷款还本付息不视作收益，也不视作费用，不出现于费用效益分析所用的项目投资经济费用效益流量表中。

（3）国外贷款指定用途时的处理办法。这时无需进行全投资的经济效益评价，可只进行国内投资资金的经济评价。

8.3 费用效益分析参数

费用效益分析参数是费用效益分析的基本判据，对比选优化方案具有重要作用。费用效益分析的参数主要包括：社会折现率、影子汇率和影子工资等，这些参数由有关专门机构组织测算和发布。

8.3.1 社会折现率

社会折现率（Social Discount Rate），是用以衡量资金时间价值的重要参数，代表社会资金被占用应获得的最低收费率，并用作不同年份价值换算的折现率。

社会折现率是费用效益分析中经济内部收益率的基准值。适当的折现率有利于合理分配建设资金，指导资金投向对国民经济贡献大的项目，调节资金供需关系，促进资金在短期和长期建设项目之间的合理调配。

根据对我国国民经济运行的实际情况、投资收益水平、资金供求状况、资金机会成本以及国家宏观调控等因素综合分析，根据国家发展改革委和建设部联合发布的第三版《建设项目经济评价方法与参数》，目前社会折现率测定值为8%。对于受益期长的建设项目，如果远期效益较大，效益实现的风险较小，社会折现率可适当降低，但不应低于6%。

8.3.2 影子汇率

汇率是指两个国家不同货币之间的比价或交换比率。

影子汇率（Shadow Exchange Rate），是反映外汇真实价值的汇率。影子汇率主要依据一个国家或地区一段时期内进出口的结构和水平、外汇的机会成本及发展趋势、外汇供需状况等因素确定。一旦上述因素发生较大变化时，影子汇率值需作相应的调整。

在费用效益分析中，影子汇率通过影子汇率换算系数计算，影子汇率换算系数是影子汇率与国家外汇牌价的比值。工程项目投入物和产出物涉及进出口的，应采用影子汇率换算系数计算影子汇率。目前，根据我国外汇收支、外汇供求、进出口结构、进出口关税、进出口增值税及出口退税补贴等情况，影子汇率换算系数取值为1.08。

【例8-1】 已知2019年8月8日国家外汇牌价中人民币对美元的比值为706.02/100，影子汇率换算系数为1.08，试求人民币对美元的影子汇率。

【解】 影子汇率＝影子汇率换算系数×706.02/100＝1.08×706.02/100＝7.625

8.3.3 影子工资

影子工资是项目使用劳动力，社会为此付出的代价。影子工资受劳动力的机会成本和社会资源耗费等因素的影响。

影子工资一般是通过影子工资换算系数计算的。影子工资换算系数是影子工资与项目财务评价中劳动力的工资和福利费的比值。根据目前我国劳动力市场状况，技术性工种劳动力的影子工资换算系数取值为1，非技术性工种劳动力的影子工资换算系数取值在0.25～0.8之间，非技术劳动力较为富余的地区可取较低值，不太富余的地区可取较高值，中间状况可取0.5。

【例 8-2】 某沿海省高新技术开发区软件园建设项目投资中的人工费为 4 亿元，其中 80%为技术性工种工资。由于近年来我国发达地区非技术性工人越来越稀缺，工资也越来越高。故在经济费用效益分析中，取技术性工种影子工资换算系数为 1，非技术性工种影子工资换算系数为 0.7，试求该项目人工费的调整值。

【解】 该项目人工费的调整值＝4×［80%×1＋20%×0.7］＝3.76 亿元

8.4 影子价格的确定

在经济费用效益计量中，作为计量依据的影子价格成为关键问题。影子价格是指依据一定原则确定的，能够反映投入物和产出物真实经济价值、反映市场供求状况、反映资源稀缺程度，并能使资源得到合理配置的价格。影子价格是根据国家经济增长的目标和资源的可获性来确定的。如果某种资源数量稀缺且用途广泛，则其影子价格就高。如果这种资源的供应量增多，其影子价格就会下降。进行费用效益分析时，项目的主要投入物和产出物价格，原则上都应采用影子价格。

确定影子价格时，对于投入物和产出物，首先要区分为市场定价货物、政府调控价格货物、特殊投入物和非市场定价货物这四大类别，然后根据投入物和产出物对国民经济的影响分别处理。

8.4.1 市场定价货物的影子价格

1. 外贸货物影子价格

外贸货物是指其生产或使用会直接或间接影响国家出口或进口的货物，包括项目产出物中直接出口、间接出口或替代进口的货物；项目投入物中直接进口、间接进口或挤占原可用于出口的国内产品的货物。

外贸货物影子价格的定价基础是国际市场价格。尽管国际市场价格并非就是完全理想的价格，存在着诸如发达国家有意压低发展中国家初级产品价格、实行贸易保护主义、限制高技术向发展中国家转移以维持高技术产品的垄断价格等问题。但在国际市场上起主导作用的还是市场机制，各种商品的价格主要由供需规律决定，多数情况下不受个别国家和集团的控制，一般比较接近物品的真实价值。

外贸货物中的进口品应满足以下条件（否则不应进口）：

国内生产成本＞到岸价格（*CIF*）。

外贸货物中的出口品应满足以下条件（否则不应出口）：

国内生产成本＜离岸价格（*FOB*）。

到岸价格与离岸价格统称口岸价格。

在费用效益分析中，口岸价格应按本国货币计算，故口岸价格的实际计算公式如下：

到岸价格（人民币）＝美元结算的到岸价格×影子汇率

离岸价格（人民币）＝美元结算的离岸价格×影子汇率

【例 8-3】 某项目进口设备的到岸价格为 16400 万日元，美元对日元的比价为 106.19 日元/美元（2019 年 8 月 8 日价格），若外汇牌价为 7.0602 人民币元/美元（2019 年 8 月 8 日价格），求进口设备的到岸价格。

【解】 进口设备的到岸价格（人民币）＝（16400/106.19）×7.0602×1.08＝1177.608万元

建设项目外贸货物的影子价格按下述公式计算：

产出物的影子价格(项目产出物的出厂价格)＝离岸价(*FOB*)×影子汇率
－国内运杂费－贸易费用 (8-1)

投入物的影子价格(项目投入物的到厂价格)＝到岸价(*CIF*)×影子汇率
＋国内运杂费＋贸易费用 (8-2)

贸易费用是指外经贸机构为进出口货物所耗用的，用影子价格计算的流通费用，包括货物的储运、再包装、短途运输、装卸、国内保险、检验等环节的费用支出，以及资金占用的机会成本，但不包括长途运输费用。贸易费用一般用货物的口岸价乘以贸易费率计算。贸易费率由项目评价人员根据项目所在地区流通领域的特点和工程项目的实际情况测定。

2. 非外贸货物影子价格

非外贸货物是指其生产或使用不影响国家出口或进口的货物。根据不能外贸的原因，非外贸货物分为天然非外贸货物和非天然的非外贸货物。

天然非外贸货物系指使用和服务天然地限于国内，包括国内施工和商业以及国内运输和其他国内服务。非天然的非外贸货物是指由于经济原因或政策原因不能外贸的货物，包括由于国家政策和法令限制不能外贸的货物；还包括其国内生产成本加上到口岸的运输、贸易费用后的总费用高于离岸价格，致使出口得不偿失而不能出口的货物。同时，国外商品的到岸价格又高于国内生产同样商品的经济成本，致使该商品也不能从国外进口。在忽略国内运输费用和贸易费用的前提下，由于经济性原因造成的非外贸货物满足以下条件：

离岸价格＜国内生产成本＜到岸价格

随着我国市场经济发展和贸易范围的扩大，大部分货物或服务都处于竞争性的市场环境中，市场价格可以近似反映消费者支付意愿和机会成本。进行费用效益分析可将这些货物的市场价格加上或者减去国内运杂费作为影子价格。建设项目非外贸货物的影子价格按下述公式计算：

产出物的影子价格(项目产出物的出厂价格)＝市场价格－国内运杂费 (8-3)

投入物的影子价格(项目投入物的到厂价格)＝市场价格＋国内运杂费 (8-4)

根据“有无对比”原则，如果项目的投入物或产出物的规模很大，项目的实施将足以影响其市场价格，导致“有项目”和“无项目”两种情况下市场价格不一致，在项目评价实践中，取二者的平均值作为测算影子价格的依据。

投入与产出的影子价格中包含的增值税、消费税、教育费附加、资源税等流转税按下列原则处理：

（1）对于产出品，增加供给满足国内市场供应的，影子价格按消费者支付意愿确定，含流转税；顶替原有市场供应的，影子价格按机会成本确定，不含流转税。

（2）对于投入品，用新增供应来满足项目的，影子价格按机会成本确定，不含流转税；挤占原有用户需求来满足项目的，影子价格按支付意愿确定，含流转税。

（3）在不能判别产出或投入是增加供给还是挤占（替代）原有供给的情况下，可简化处理为：产出的影子价格一般包含实际缴纳流转税，投入的影子价格一般不含实际缴纳流转税。

8.4.2 政府调控价格货物的影子价格

考虑到效率优先兼顾公平的原则，有些货物或者服务价格受政府调控的影响，不完全由市场机制形成。例如，政府为了帮助城市中低收入家庭解决住房问题，对公租房和廉租房制定指导价和最高限价。受政府调控影响，货物或者服务的价格不能完全反映其市场真实价值，确定这些货物或者服务影子价格的原则是：投入物按机会成本分解定价，产出物按对经济增长的边际贡献率或消费者支付意愿定价。下面是政府主要调控的水、电、铁路运输等作为投入物和产出物时的影子价格的确定方法。

（1）水作为项目投入物的影子价格，按后备水源的边际成本分解定价，或者按恢复水资源存量的成本计算。水作为项目产出物的影子价格，按消费者支付意愿或者按消费者承受能力加政府补贴计算。

（2）电力作为项目投入物时的影子价格，一般按完全成本分解定价，电力过剩时按可变成本分解定价。电力作为项目产出物的影子价格，可按电力对当地经济边际贡献率定价。

（3）铁路运输作为项目投入物的影子价格，一般按完全成本分解定价，对运能富余的地区，按可变成本分解定价。铁路运输作为产出物的影子价格，可按铁路运输对国民经济的边际贡献率定价。

8.4.3 特殊投入物的影子价格

工程项目的特殊投入物是指项目在建设、生产运营中使用的人力资源、土地和自然资源等。项目使用这些特殊投入物发生的经济费用，应分别采用下列方法确定其影子价格。

1. 人力资源

人力资源投入的影子价格主要包括劳动力的机会成本和新增资源耗费。劳动力的机会成本指：过去受雇于别处的劳动力，如果不被项目雇用而从事其他生产经营活动所创造的最大效益；或项目使用自愿失业劳动力而支付的税后净工资额；或项目使用非自愿失业劳动力而支付的大于最低生活保障的税后净工资。新增资源耗费是指社会为劳动力就业而付出的，但职工又未得到的其他代价，如为劳动力就业而支付的搬迁费、培训费、城市交通费等。影子工资与劳动力的技术熟练程度和供求状况（过剩与稀缺）有关，技术越熟练，稀缺程度越高，其机会成本越高，反之越低。

2. 土地

我国目前取得土地使用权的方式有：行政划拨、协商议价、招标投标、拍卖等。采用不同的方式获得土地使用权，投资项目占用的土地可能具有不同的财务费用，甚至其财务费用为零。但是占用土地的经济费用几乎总是存在的，而且同一块地在一定时期其经济费用应是唯一的。项目占用土地致使这些土地对国民经济的其他潜在贡献不能实现，这种因有了项目而不能实现的最大潜在贡献就是项目占用土地的机会成本。因此，土地的影子价格也是建立在被放弃的最大收益这一机会成本概念上的。

(1) 对于农业、林业、牧业、渔业及其他生产性用地，土地的经济成本按土地机会成本与新增资源消耗之和计算。新增资源消耗指“有项目”情况下土地的征用造成原有地上附属物财产的损失及其他资源耗费。如果项目占用的土地是无人居住的荒山野岭，其经济成本可视为零；若项目所占用的是农业土地，其经济成本为原来的农业净收益、拆迁费用和劳动力安置费。土地平整等开发成本应计入工程建设成本，在土地经济成本估算中不再重复计算。

(2) 对于住宅、休闲等非生产性用地，如果项目占用城市用地，且通过政府公开拍卖、招标、挂牌取得的土地出让使用权，以及通过市场交易取得的已出让国有土地使用权，应按照支付意愿的原则，以土地市场交易价格计算土地的影子价格，主要包括土地出让金、基础设施建设费、拆迁安置补偿费等。

(3) 未通过正常市场交易取得的土地使用权，应分析价格优惠或扭曲情况，参照当地正常情况下的市场交易价格，调整或类比计算其影子价格；无法通过正常市场交易价格类比确定土地影子价格时，应采用收益现值法，或以土地开发成本加开发投资应得的收益作为影子价格。

3. 自然资源影子价格

各种自然资源是一种特殊的投入物，项目使用的矿产资源、水资源、森林资源等都是对国家资源的占用和消耗。矿产等不可再生资源的影子价格按资源的机会成本计算，水和森林等可再生自然资源的影子价格按资源再生费用计算。

8.4.4 非市场定价货物的影子价格

当项目的产出效果不具有市场价格，或市场价格难以真实反映其经济价值时，需要采用如下方法对项目的产品或服务的影子价格进行重新测算。

1. 假设成本法

假设成本法，是指通过有关成本费用信息来间接估算环境影响的费用或效益。假设成本法包括替代成本法、置换成本法和机会成本法。

(1) 替代成本法，是指为了消除项目对环境的影响，而假设采取其他方案来替代拟建项目方案，其他方案的增量投资作为项目方案环境影响的经济价值。

(2) 置换成本法，是指当项目对其他产业造成生产性资产损失时，假设一个置换方案，通过测算其置换成本，即为恢复其生产能力必须投入的价值，作为对环境影响进行量化的依据。

(3) 机会成本法，是指通过评价因保护某种环境资源而放弃某项目方案而损失的机会成本，来评价该项目方案环境影响的损失。

2. 显示偏好方法

显示偏好方法，是指按照消费者支付意愿，通过其他相关市场价格信号，寻找揭示拟建项目间接产出物的隐含价值。如项目的建设，会导致环境生态等外部效果，从而对其他社会群体产生正面负面影响，就可以通过预防性支出法、产品替代法这类显示偏好的方法确定项目外部效果。

(1) 预防性支出法，是以受影响的社会成员为了避免或减缓拟建项目对环境可能造成的危害，所愿意付出的费用，如社会成员为避免死亡而愿意支付的价格，人们对避免疾病而获得健康生活所愿意付出的代价，作为对环境影响的经济价值进行计算的依据。

（2）产品替代法，是指人们为改善目前的环境质量，而对其他替代项目或产品的价值进行分析，间接测算项目对环境造成的负面影响。如可以通过兴建一个绿色环保的高科技产业项目所需的投入，来度量某传统技术的钢铁企业对所在城市造成的环境影响。

3. 陈述偏好法

通过对被评估者的直接调查，直接评价调查对象的支付意愿或接受补偿的意愿，从中推断出项目造成的有关外部影响的影子价格。

8.5 费用效益分析指标及报表

8.5.1 费用效益分析指标

费用效益分析以盈利能力评价为主，评价指标包括经济内部收益率、经济净现值和效益费用比。

1. 经济内部收益率（*EIRR*）

经济内部收益率是反映项目对国民经济净贡献的相对指标。它是项目在计算期内各年经济净效益流量的现值累计等于零时的折现率。假设现金流量始终服从年末习惯法，其表达式为：

$$\sum_{t=1}^{n}(B-C)_t(1+EIRR)^{-t}=0 \tag{8-5}$$

式中 B——国民经济效益流量；

C——国民经济费用流量；

$(B-C)_t$——第 t 年的国民经济净效益流量；

n——计算期。

判别准则：经济内部收益率不小于社会折现率，表明项目对国民经济的净贡献达到或超过了要求的水平，这时应认为项目是可以接受的。

2. 经济净现值（*ENPV*）

经济净现值是反映项目对国民经济净贡献的绝对指标。它是指用社会折现率将项目计算期内各年的净效益流量折算到建设期初的现值之和。假设现金流量始终服从年末习惯法，其表达式为：

$$ENPV=\sum_{t=1}^{n}(B-C)_t(1+i_s)^{-t} \tag{8-6}$$

式中 i_s——社会折现率。

判别准则：工程项目经济净现值不小于零表示国家拟建项目付出代价后，可以得到符合社会折现率的社会盈余，或除了得到符合社会折现率的社会盈余外，还可以得到以现值计算的超额社会盈余，这时就认为项目是可以考虑接受的。

按分析费用效益的口径不同，可分为整个项目的经济内部收益率和经济净现值，国内投资经济内部收益率和经济净现值。如果项目没有国外投资和国外借款，全投资指标与国内投资指标相同；如果项目有国外资金流入与流出，但国外资金指定用途时，应以国内投资的经济内部收益率和经济净现值作为项目费用效益分析的指标；如果项目使用非指定用途的国外资金时，还应计算全投资经济内部收益率和经济净现值指标。

3. 效益费用比（R_{BC}）

效益费用比是项目在计算期内效益流量现值与费用流量现值的比率，是经济费用效益分析的辅助评价指标。其计算公式为：

$$R_{BC}=\frac{\sum_{t=1}^{n}B_t(1+i_s)^{-t}}{\sum_{t=1}^{n}C_t(1+i_s)^{-t}} \tag{8-7}$$

式中 R_{BC}——效益费用比；

B_t——第 t 期的经济效益；

C_t——第 t 期的经济费用。

如果效益费用比大于1，表明项目资源配置的经济效益达到了可以被接受的水平。

8.5.2 费用效益分析报表

费用效益分析的基本报表是经济效益费用流量表。经济效益费用流量表有两种，一是国内投资经济费用效益流量表；二是项目投资经济费用效益流量表。

经济费用效益流量表一般在项目财务评价基础上进行调整编制，有些项目也可以直接编制。

在财务评价基础上编制经济费用效益流量表应注意以下问题：

（1）计算外部效益与外部费用，并保持效益费用计算口径的统一。

（2）用影子价格、影子汇率逐项调整建设投资中的各项费用。建筑安装工程费按材料费、劳动力的影子价格进行调整。土地费用按土地影子价格进行调整。

（3）用影子价格、影子汇率逐项调整建设投资中的各项费用，剔除涨价预备费、税金、国内借款建设期利息等转移支付项目。进口设备购置费通常要剔除进口关税、增值税等转移支付。建筑安装工程费按材料费、劳动力的影子价格进行调整；土地费用按土地影子价格进行调整。

（4）用影子价格调整计算项目产出物的销售收入。

（5）费用效益分析各项销售收入和费用支出中的外汇部分，应用影子汇率进行调整，计算外汇价值。从国外引入的资金和向国外支付的投资收益、贷款本息，也应用影子汇率进行调整。

某项目国内投资经济费用效益流量表和项目投资经济费用效益流量表见表8-1和表8-2所列。

国内投资经济费用效益流量表（万元） 表 8-1

序号	项目	计算期								
		1	2	3	4	5	6	7	8	9
1	效益流量			2766	2766	2766	2766	2766	2766	3662
1.1	项目直接效益			2610	2610	2610	2610	2610	2610	2610
1.2	回收固定资产余值									374
1.3	回收流动资金									522
1.4	项目间接效益			156	156	156	156	156	156	156
2	费用流量	2145	3250	1747	1718	1689	1660	1631	1602	1602
2.1	建设投资中国内资金	2145	3250							
2.2	流动资金中国内资金									
2.3	经营费用			972	972	972	972	972	972	972
2.4	流到国外的资金			726	697	668	639	610	581	581
2.4.1	国外借款本金偿还			581	581	581	581	581	581	581
2.4.2	国外借款利息支付			145	116	87	58	29		
2.4.3	其他									
2.5	项目间接费用			49	49	49	49	49	49	49
3	国内投资净效益流量（1－2）	－2145	－3250	1019	1048	1077	1106	1135	1164	2060

计算指标：经济内部收益率为 10.7%。

经济净现值为 558.37 万元（社会折现率为 8%）。

项目投资经济费用效益流量表（万元） 表 8-2

序号	项目	计算期								
		1	2	3	4	5	6	7	8	9
1	效益流量			2766	2766	2766	2766	2766	2766	3662
1.1	项目直接效益			2610	2610	2610	2610	2610	2610	2610
1.2	回收固定资产余值									374
1.3	回收流动资金									522
1.4	项目间接效益			156	156	156	156	156	156	156
2	费用流量	3300	6494	1021	1021	1021	1021	1021	1021	1021
2.1	建设投资	3300	5000							
2.2	流动资金		522							
2.3	经营费用		972	972	972	972	972	972	972	972
2.4	项目间接费用			49	49	49	49	49	49	49
3	净效益流量	－3300	－6494	1745	1745	1745	1745	1745	1745	2641

计算指标：经济内部收益率为 6.8%。

经济净现值为－385.87 万元（社会折现率为 8%）。

案例分析

某新型芯片项目费用效益分析

某高科技公司欲投资建设一个生产新型芯片项目。该项目建设期2年，生产经营期18年，计算期20年。建设投资第一年投入40%，第二年投入60%；流动资金从第三年起分两年等额投入。第三年投产，生产负荷达到85%，第四年生产负荷达到100%。该项目生产的新型芯片为市场定价的货物，市场价格为2.7元/只（含增值税），该项目正常年份年产量为18000万只，据预测，项目投产后将导致该产品的市场价格下降5%，而且很可能挤占国内原有厂家的部分市场份额，国内运费均值为100元/万只。计算期末回收固定资产余值为3500.31万元。该项目无其他外部效益和外部费用。该工程项目总投资情况见案例分析表8-1。

项目总投资情况表　　案例分析表8-1

序号	项目	人民币（万元）	外币（万美元）
1	建设投资	12012.90	980.10
1.1	设备及工器具投资	4466.00	589.00
1.2	建筑工程投资	4250.00	
1.3	安装工程投资	1165.00	220.00
1.4	工程建设其他投资	608.00	82.00
	其中：土地费用	122.00	
1.5	基本预备费	1048.90	89.10
1.6	涨价预备费	475.00	
2	建设期利息	864.00	
3	固定资产投资	12876.90	980.10
4	流动资金	3257.00	

美元兑人民币的外汇牌价为7.041元/美元，影子汇率换算系数为1.08。该项目设备及工器具投资、安装工程投资及除土地费用外的工程建设其他投资中的人民币投资影子价格换算系数均为1。建筑工程投资影子价格换算系数为1.1。该项目占用非基本农田的机会成本为150万元，因取得土地使用权新增资源消耗为土地机会成本的40%。基本预备费费率为设备及工器具投资、建筑工程投资、安装工程投资及工程建设其他投资的10%。该项目的流动资金由应收账款+存货+现金−应付账款组成，其中：应收账款为2348万元，存货为1920万元，现金为186万元，应付账款为1197万元。

该项目原材料有A、B、C三种，原料A和C为市场定价的外贸货物，其到岸价分别为693美元/t和340美元/t，年耗用量分别为3万t和1.8万t，国内运费为92元/t，贸易费率为6%；原料B为非外贸货物，经测定，影子价格为3407元/t，年耗用量2.23万t。

该项目年耗用电力3260.5万kW·h，年耗用煤炭2万t，年耗用水332万t。电力影子价格为0.28/元kW·h，煤炭影子价格为182元/t，水影子价格为0.98元/t。

年工资及福利费为270万元，影子工资换算系数为0.8；调整后年修理费为414.51

万元；调整后年其他费用为 2980.06 万元。

该项目经济效益和经济费用流量均遵循年末习惯法，社会折现率为 8%。

根据以上资料进行该项目的费用效益分析过程如下：

1. 调整项目投资费用

根据以上数据，进行项目投资费用的调整，调整情况见案例分析表 8-2。

项目费用效益分析表　　案例分析表 8-2

序号	项目	财务分析			费用效益分析		
		外币（万美元）	人民币（万元）	人民币合计（万元）	外币（万美元）	人民币（万元）	人民币合计（万元）
1	建设投资	980.10	12012.90	18913.78	980.10	12092.68	18993.56
1.1	建筑工程费		4250.00	4250		4675.00	4675
1.2	设备购置费	589.00	4466.00	8613.15	589.00	4466.00	8613.15
1.3	安装工程费	220.00	1165.00	2714.02	220.00	1165.00	2714.02
1.4	其他费用	82.00	608.00	1185.36	82.00	696	1273.36
1.4.1	其中：土地费用		122.00	122		210	210
1.5	基本预备费	89.10	1048.90	1676.25	89.10	1090.68	1718.03
1.6	涨价预备费		475.00	475			
2	建设期利息		864.00	864			
3	流动资金		3257.00	3257		1920.00	1920

2. 经营费用估算

根据以上数据，利用影子价格计算该项目的经营费用，具体见案例分析表 8-3。

其中，原料 A 的影子价格=(到岸价×影子汇率×影子汇率换算系数)×(1+贸易费率)+国内运费=693×7.041×1.08×1.06+92=5677.95 元/t

原料 C 的影子价格=340×7.041×1.08×1.06+92=2832.58 元/t

项目经营费用估算表　　案例分析表 8-3

序号	项目	单位	年耗用量	影子价格	年费用（万元）
1	外购原材料				29730.10
1.1	原料 A	万 t	3.00	5677.95 元/t	17033.85
1.2	原料 B	万 t	2.23	3407.00 元/t	7597.61
1.3	原料 C	万 t	1.80	2832.58 元/t	5098.64
2	外购燃料及动力				1602.30
2.1	电力	万 kW·h	3260.50	0.28 元/（kW·h）	912.94
2.2	煤炭	万 t	2.00	182.00 元/t	364.00
2.3	水	万 t	332.00	0.98 元/t	325.36
3	工资及福利费				216.00
4	年修理费				414.51
5	其他费用				2980.0
	合计				34942.97

3. 项目直接效益分析

该产品部分顶替市场原产品，故应扣除流转税。取“有项目”和“无项目”两种情况下市场价格的平均值作为测算影子价格的依据，计算该产品的影子价格（出厂价）为：

$$[2.7\times(1-5\%)+2.7]\div2\div(1+17\%)\times10000-100=22400\ \text{元/万只}$$

则该项目的直接效益为：

$$22400\times18000\div10000=40320\ \text{万元}$$

4. 项目费用效益评价

编制项目投资经济费用效益流量表，见案例分析表8-4所列。

项目投资经济费用效益流量表（万元）　　案例分析表8-4

序号	项目＼时点	合计	建设期		生产期			
			1	2	3	4	5～19	20
1	效益流量	725132.31			34272.00	40320.00	40320.00	45740.31
1.1	项目直接效益	719712.00			34272.00	40320.00	40320.00	40320.00
1.2	回收固定资产余值	3500.31						3500.31
1.3	回收流动资金	1920.00						1920.00
2	费用流量	644645.57	7597.42	11396.14	30661.52	35902.97	34942.97	34942.97
2.1	建设投资	18993.56	7597.42	11396.14				
2.2	流动资金	1920.00			960.00	960.00		
2.3	经营费用	623732.01			29701.52	34942.97	34942.97	34942.97
3	净效益流量	80486.74	−7597.42	−11396.14	3610.48	4417.03	5377.03	10797.34

根据上表，计算经济内部收益率为23%，经济净现值为25453.75万元。该项目经济净现值$ENPV>0$，经济内部收益率$EIRR>8\%$。因此，从资源配置效率角度，该项目具有经济合理性。

[案例思考]

1. 在该项目的费用效益分析中，土地的影子价格和投入物A的影子价格是如何计算的？

2. 该项目所生产的芯片影子价格为什么不应包含增值税？

思考题

1. 什么是项目费用效益分析，它与财务评价有何异同？
2. 在费用效益分析中，识别效益费用的原则是什么，与财务评价的原则有何不同？
3. 项目的外部效果分为哪几种类型，哪些外部效果需要列入费用效益分析的现金流量表中？
4. 在费用效益分析中进行价格调整的主要原因是什么，外贸物品、非外贸物品和特殊投入物的调价原则分别是什么？

习题

1. 某项目财务评价中非技术性工种劳动力的平均工资和福利费为5500元/月，其影子工资换算系数为 0.8，求该项目中非技术性工种劳动力的影子工资。

2. 某进口原料，其国内现行价格为 216 元/t，其影子价格换算系数为 2.36，国内运费及贸易费为 38 元/t，人民币对美元的影子汇率为 7.0，影子汇率换算系数为 1.08，求该进口产品用美元表示的到岸价格 *CIF*。

3. 某项目 M 的投入物为 G 厂生产的 A 产品，由于项目 M 的建成使原用户 W 由 G 厂供应的投入物减少，一部分要靠进口，已知条件如下：M 距 G 100km，G 距 W 130km；W 距港口 200km，进口到岸价为 300 美元/t，影子汇率 7 元人民币/美元，影子汇率换算系数为 1.08，贸易费按到岸价的 6%计算，国内运费为 0.05 元/t·km，求项目 M 投入物到厂价的影子价格。

第9章 建设项目费用效果分析

引例

新安江水环境补偿机制的效果

2018年，浙江省发布《省内流域上下游横向生态保护补偿机制的实施意见》，要求上游地区生态保护较好的，由下游地区向上游地区每年提供500万元～1000万元不等的补偿，反之则由上游向下游补偿。以新安江市为例，截至2017年底，新安江的跨省流域生态补偿机制试点共开展了两期，完成投资85.9亿元，新安江水环境补偿取得了明显效果。

一是生态效益明显。2012～2017年，新安江上游流域总体水质为优。千岛湖湖体水质总体稳定保持为Ⅰ类，营养状态指数由中营养变为贫营养，与新安江上游水质变化趋势保持一致。

二是产业结构趋于合理。生态补偿项目的实施，拉动了当地投资，同时也促进了产业结构的优化调整。目前，全市一二三产结构比例调整为9.8：39.0：51.2，服务业从业人员超过常住人口的1/4，城乡居民人均收入显著提高。

三是社会效益积极。试点工作在全国引起良好反响，入选2015年中央全面深化改革委员会办公室评选的全国十大改革案例，中国中央电视台、人民日报、新华社、经济日报等主流媒体深入报道并予以高度肯定。复旦大学民意调查显示，试点政策知晓率达95.69%，政策满意度86.65%。

启　示

虽然生态保护补偿的效果难以全部用货币来度量，但生态保护补偿机制对于实现森林、草原、湿地、荒漠、海洋、水流、耕地等重点领域和禁止开发区域、重点生态功能区等重要生态保护区域生态保护补偿全覆盖具有重要的作用。

本章知识结构图

当建设项目的效果难于或不能货币化，或货币化的效果不是建设项目目标的主体时，在经济评价中应采用费用效果分析法，费用效果分析回避了效果定价的难题，直接用非货币化的效果指标与所支付的费用进行比较，判断项目的费用有效性或经济合理性。本章知识结构如下图所示。

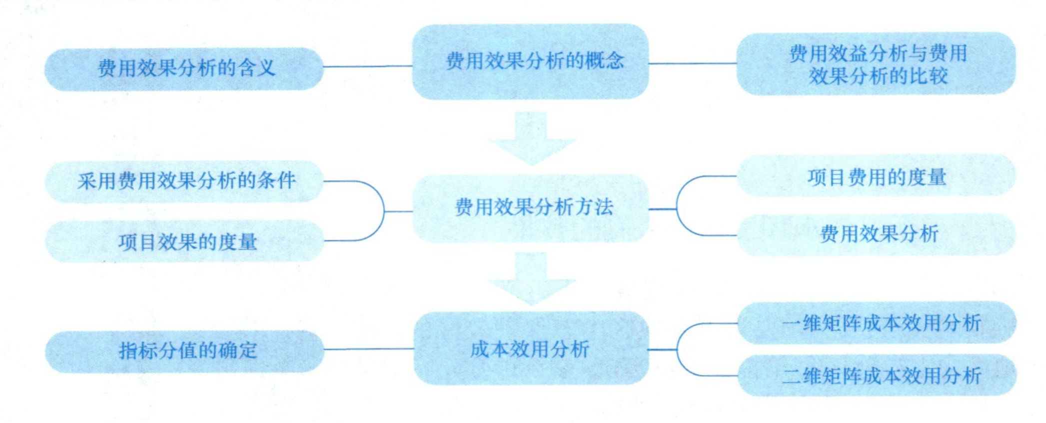

9.1 费用效果分析的概念

9.1.1 费用效果分析的含义

费用效果分析是指费用采用货币计量，效果采用非货币计量的经济效果分析方法。费用效果分析中的费用系指为实现项目预定目标所付出的财务代价或经济代价，采用货币计量；效果系指项目的结果所起到的作用、效应或效能，是项目目标的实现程度。按照项目要实现的目标，一个项目可选用一个或几个效果指标。

对建设项目进行费用效果分析的重点集中在以下两个方面：

（1）制订实现项目目标的方案。正常情况下，在充分论证项目必要性后，项目进入方案比选阶段，这个阶段一般不再对项目的可行性提出质疑，而是本着以尽可能少的费用获得尽可能大的效果原则，通过多方案比选，提供优选方案或进行方案优先次序排队。

（2）评价项目难于货币化的效益。在建设项目中，防病治病、防灾减灾、环境保护、国家安全、科技、教育、文化、卫生、体育等一类项目属于公益性项目，公益性项目的建设目的在于向社会公众提供服务，使社会大众受益，而不是项目自身的盈利，其主体效益往往难于货币化，应采用费用效果分析的结论作为项目投资决策的依据之一。

9.1.2 费用效果分析的适用范围

费用效果分析既可以应用于财务现金流量，也可以应用于经济费用效益流量。

费用效果分析一般不适用于财务现金流量项目的整体评价和最终评价，主要是进行项目总体方案的初步筛选和各个环节的方案比选。这主要是由于费用效果分析很难得出一个建设项目用货币表示的整体投入产出效果，而在可行性研究的不同技术经济环节，如场址选择、工艺比较、设备选型、总图设计、环境保护、安全措施等，无论进行财务分析，还是进行费用效益分析，都很难也没必要与项目最终的货币效益直接挂钩测算，这时就很适宜采用费用效果分析。

在经济费用效益流量分析中，费用效果分析除了可用于方案比选、筛选以外，对于项目主体效益难于货币化的，费用效果分析则可取代费用效益分析，并作为经济分析的最终结论。

9.1.3 费用效益分析与费用效果分析的比较

（1）费用效益分析的特征。费用效益分析单位统一，认可度高，结果易于被人们接受。在市场经济中，货币作为一般等价物，价格作为市场认可的公平权重，在不同产出效果的叠加计算中，起着重要的参照物的作用。因而用货币衡量效果和费用的费用效益分析具有简洁明了、结果透明、易于被人们接受的优点。当项目效果或其中主要部分易于货币化时，站在社会公众立场上所作的经济评价分析必须采用费用效益分析方法。

（2）费用效果分析的特征。费用效果分析回避了效果定价的难题，最适于效果难于货币化的领域。在项目经济费用效益分析中，当涉及发达程度不同的地区、不同收入阶层的代内公平和当代人福利与未来人福利的代际公平，环境的价值，生态的价值，生命和健康的价值，人类自然和文化遗产的价值，通过义务教育促进人的全面发展的价值等问题时，往往很难定价，而且不同的测算方法可能有数十倍的差距，勉强定价，往往引起争议，降低评价的可信度。

尽管费用效益分析与费用效果分析各自特征明显，但两者评价的基本原则是相同的，即最大限度地节约稀缺资源，最大程度地提高经济效果。

9.2 费用效果分析的方法

9.2.1 费用效果分析条件

费用效果分析只能比较不同方案的优劣，不能像费用效益分析那样保证所选方案的效益大于费用，因此应遵循多方案比选的原则，使所分析的项目满足下列条件：

（1）备选方案不少于两个，且为互斥方案或可转化为互斥方案；

（2）备选方案应具有共同的目标，且满足效果标准的要求；

（3）备选方案的费用应采用同一币种，且资金用量未突破资金限额；

（4）备选方案应具有可比的寿命周期。

9.2.2 项目效果的度量

项目效果是指项目的结果所起到的作用、效应或效能，是项目目标的实现程度。项目的效果可以是单方面的，也可以是多方面的。项目效果的度量是测算项目费用效果的基础。

当一个新的公益性项目建成后，社会公众总能享受到比以往要多的好处。如一个城市快速干道的建成，将能使人们减少上下班的时间，使司机减少等待红绿灯的时间和燃油消耗等。

企业的效益可以很方便地用货币表示的收入来度量，但公益性项目往往没有或仅有很少的货币收入，因此度量公益性项目的效果需特别谨慎。度量公益性项目的效果一般可按照以下步骤进行：

（1）估计每年将有多少人使用新建的设施；

（2）假设这些人现在正使用旧设施，但新设施一旦建成，人们将肯定使用新设施；

（3）估计人们使用旧设施的成本；

（4）估计同样的人们使用新设施的成本；

（5）计算人们使用新、旧设施的成本之差，确定公众享受到的好处。

设 U_p 表示社会公众使用目前设施的年总成本，U_f 表示相同的社会公众使用新设施后的年总成本，I 为投资主体取得的收益，新项目带来的社会效果为 $E=U_P-U_f+I$。

9.2.3 项目费用的度量

投资主体的费用包括以下两部分：

（1）投资成本。设 C_f 表示拟建公益性项目的等额年值投资成本，C_p 为用等额年值表示目前正在使用的设施余值。新项目的投资成本为 $C_I=C_f-C_p$。

（2）运营成本。设 M_f 表示拟建公益性项目的未来的年运营费，设 M_p 表示目前正在使用的设施的年运营费。新项目的运营成本为 $M=M_f-M_p$。新项目的总成本 $C=C_I+M$。

9.2.4 费用效果分析

在费用效益分析中较为困难的问题是某些项目的效益不能简单地用货币来衡量。例如，文化、教育、医疗、保健、通信、国防、公安、消防、住宅以及绿化等建设项目的效果，常有涉及降低噪声危害、预防空气污染、防止犯罪、提高人的素质、改善环境、消除疾病、延长寿命以及军事能力增强、就业机会增多等，这些效果称为无形效果。

假如某公益性项目的无形效果可量化为单一指标来衡量，就可采用费用效果分析法，计算指标一般可用 $R_{E/C}$表示，即：

$$R_{E/C}=\frac{E}{C}=\frac{\text{项目效果}}{\text{项目用现值或年值表示的计算期费用}}=\text{效果/费用} \tag{9-1}$$

其判定准则是：投入费用一定、效果最大，或者效果一定、费用最小的方案最佳。

费用效果分析一般应包括以下几个步骤：

（1）确定欲达到的目标；

（2）对达到上述目标的具体要求作出说明和规定；

（3）制定各种可行方案；

（4）建立各方案达到规定要求的量度指标，典型的这类指标有：功能、效率、可靠性、安全性、可维护性、可供应性等；

（5）确定各方案达到上述量度指标的水平；

（6）选择固定效果法、固定费用法或费用效果比较法确定最佳方案。

【例 9-1】某流感免疫接种计划可使每 10 万个接种者中 6 人免于死亡，一人在注射疫苗时有致命反应。该计划每人接种费用为 4 元，但因此可以不动用流感救护车，可节省费用为每 10 万人 8 万元。试用费用效果分析决定是否实施该计划。

【解】净保健效果是避免6例死亡减去造成1例死亡，即避免5例死亡。其费用是：

4×100000－80000＝320000元

效果/费用＝5例死亡/320000＝1例死亡/64000

计算结果表明，若社会认可用64000元的代价挽救一个生命时，该计划应予实施。

【例9-2】某研究机构新研究了4种新型水压机，以可靠性作为评价效果的主要指标，即在一定条件下不发生事故的概率。4种水压机的有关数据见表9-1所列，预算限制为240万元，应选哪个方案？

［例9-2］新型水压机基础数据表　　表9-1

方案	费用（万元）	可靠性（1－事故概率）
1	240	0.99
2	240	0.98
3	200	0.98
4	200	0.97

【解】采用固定费用法应淘汰方案2和方案4；由固定效果法也可淘汰方案2。最后剩下的方案1和方案3由$[E/C]$作出权衡判断。

$[E/C]_{方案1}=0.99/240=0.41\%$

$[E/C]_{方案3}=0.98/200=0.49\%$

按每万元取得的可靠性判断：应选方案3。

9.3 成本效用分析

对建设项目特别是公益性项目进行评价时，往往要采用多个指标来全面衡量项目的效果，这些指标既有定量的，又有定性的。在定量的指标中有越大越好的，有要求越小越好的。定量指标又有各种计量单位。对此类问题，可采用成本效用分析方法，这里的效用是一个衍生系数。成本效用计算指标一般可用$[U/C]$表示，即：

$$[U/C]=效用/费用 \tag{9-2}$$

其判定准则是：投入成本一定、效用最大，或者效用一定、费用最小的方案最佳。

9.3.1 指标分值的确定

定性指标的效用系数可采用打分法确定。定量指标的效用值可直接计算得到，但当各指标的计量单位不同时，需先将不同计量单位换算为统一的无量纲数值。此时引入下列公式来消除各指标计量单位的不可比性：

（1）指标要求越大越好时，其效用系数U_j由下式计算：

$$U_j=\frac{X_j-X_{j\min}}{X_{j\max}-X_{j\min}} \tag{9-3}$$

式中　$X_{j\min}$——预先确定的第j个指标的最低值（不允许再小的值）；

$X_{j\max}$——预先确定的第j个指标的最大值；

j——评价指标的数目，$j=1$，2，…。

（2）指标要求越小越好时，其效用系数 U_j 可由下式计算：

$$U_j=\frac{X_{j\max}-X_j}{X_{j\max}-X_{j\min}} \tag{9-4}$$

9.3.2 一维矩阵成本效用分析

下面的［例 9-3］和［例 9-4］说明了一维矩阵效用成本分析的过程。

【例 9-3】 某水坝有四个方案可供选择，它们的有关参数见表 9-2 所列。已知年出现水灾概率为越小越好的指标，其最大值为 0.2，最小值为 0.01；通航可能性为越大越好的指标，其最大值为 10，最小值为 0；娱乐指标也为越大越好的指标，最大值为 275000，最小值为 0。试选最优方案。

［例 9-3］水坝方案有关数据表（亿元） 表 9-2

方 案	费用现值	效 果 指 标		
		出现水灾概率/年 权重 50%	通航可能性（0～10） 权重 30%	娱 乐（人・日/年） 权重 20%
A	1.0	0.3	0	0
B	2.5	0.1	5	100000
C	3.7	0.06	7	150000
D	5.5	0.01	10	275000

【解】 根据式（9-3）和式（9-4）确定的各方案的效用系数和［U/C］值见表 9-3 所列。

［例 9-3］效用成本指标计算表 表 9-3

方案	费用现值（亿元）	效用系数 U			加权效用系数合计	［U/C］
		出现水灾概率/年（50%）	通航可能性（30%）	娱乐（20%）		
A	1.0	超过标准	0	0	0	淘汰
B	2.5	0.53	0.5	0.36	0.49	0.196
C	3.7	0.74	0.7	0.55	0.69	0.186
D	5.5	1.0	1.0	1.0	1.0	0.182

从综合评价的结果来看，应选择方案 B。

【例 9-4】 某研究机构研究出了四种新型的民用建筑墙体结构体系，欲采用安全性、耐久性、抗震性、耐火性、施工便利性五个指标选出最好的一种投入使用。五个指标的权重和每种结构体系每平方米建筑面积的工程造价见表 9-4 所列，试采用效用成本分析法进行选优决策。

【解】 采用 100 分制对四种方案就五个指标分别打分，分值和每个方案的［U/C］值见表 9-4 所列。

[例 9-4] 结构体系数据及效用系数矩阵　　表 9-4

指标	权重 ①	体系 A		体系 B		体系 C		体系 D	
		分值 ②	效用 ③=②·①	分值 ④	效用 ⑤=④·①	分值 ⑥	效用 ⑦=⑥·①	分值 ⑧	效用 ⑨=⑧·①
安全性	45%	70	31.5	50	22.5	70	31.5	90	40.5
耐久性	20%	20	4	30	6	50	10	30	6
抗震性	15%	30	4.5	70	10.5	50	7.5	50	7.5
耐火性	5%	30	1.5	70	3.5	50	2.5	50	2.5
施工便利性	15%	20	3	40	6	10	1.5	10	1.5
合计	100%		44.5		48.5		53		58
造价/m^2		488		468		520		508	
[U/C]		0.0912		0.104		0.102		0.114	

可见，应选择 D 种新型民用建筑墙体结构体系。

9.3.3 二维矩阵效用成本分析

【例 9-5】某建筑施工企业欲购置一台塔式起重机，起重机的主要功能及权重、起重机的各总成对主要功能的贡献见表 9-5 所列。现有黄河牌起重机的性能得分见表 9-6 所列，黄河牌起重机的购置费为 300000 元。试对黄河牌起重机进行二维矩阵 [U/C] 分析。

【解】对起重机 A 性能打分采用 10 级分制，其分值、效用系数计算及 [U/C] 的计算过程见表 9-6。

[例 9-5] 指标权重及零件总成对功能贡献率　　表 9-5

功能 零件总成	A 35%	B 20%	C 20%	D 25%
甲	40	0	5	20
乙	0	45	5	25
丙	30	25	50	20
丁	30	30	40	35
总和	100	100	100	100

[例 9-5] 黄河牌起重机 A 效用系数及 [U/C] 计算表　　表 9-6

<table>
<tr><th>功能
零件总成</th><th colspan="2">A
35%</th><th colspan="2">B
20%</th><th colspan="2">C
20%</th><th colspan="2">D
25%</th></tr>
<tr><td rowspan="2">甲</td><td>10
(分值)</td><td>40
(贡献率)</td><td>0</td><td>0</td><td>7</td><td>5</td><td>6</td><td>20</td></tr>
<tr><td colspan="2">10×40=400(效用)</td><td colspan="2">0</td><td colspan="2">35</td><td colspan="2">120</td></tr>
<tr><td rowspan="2">乙</td><td>0</td><td>0</td><td>6</td><td>45</td><td>6</td><td>5</td><td>5</td><td>25</td></tr>
<tr><td colspan="2">0</td><td colspan="2">270</td><td colspan="2">30</td><td colspan="2">125</td></tr>
</table>

续表

功能 零件总成	A 35%		B 20%		C 20%		D 25%	
丙	3	30	6	25	6	50	7	20
	90		150		300		140	
丁	5	30	6	30	7	40	6	35
	150		180		280		210	
零件总成贡献率总和	100		100		100		100	
效用系数总和	640		600		645		595	
	640×35+600×20+645×20+595×25=62175							
[U/C]	62175/300000=0.207							

案例分析

某市供水方案费用效果分析

某市水资源供需平衡分析表明，到 2020 年该市平均年缺水量为 $12\times10^8\text{m}^3$，枯水年缺水量为 $20\times10^8\text{m}^3$。在国务院批准的该市城市总体规划中，长距离调水是缓解该市水资源短缺的根本措施。除了长距离调水之外，该市的水资源供需缺口也可以通过污水再生利用的方式予以解决，两种供水方案的供水量均为 $10\times10^8\text{m}^3$。

首先，进行两种供水方案的效果分析。本案例中，选择水资源的供给能力（供水量）作为效果评价指标。假设两种供水方案的水质相同，供水量均为 $10\times10^8\text{m}^3$，即两种方案产生的效果是一样的，因此采用最小费用法进行分析，即仅比较两方案的成本费用。水资源的利用有生活用水、环境/生态用水、工业用水和农业用水四种方式，在 2018 年该市水资源公报中给出的用水结构数据基础上，得出各种利用方式下水资源传统供水量占用水总量的比例，从而得出再生水在各种利用方式下的用量，见案例分析表 9-1。

某市用水结构及再生水使用情况表　　　　案例分析表 9-1

用水项目	传统供水量 (10^8m^3/年) ①	占总用水量比例 (%) ②=①÷48.48	再生水使用量 (10^8m^3/年) ③=②÷10
生活用水	15.55	32.1	3.21
环境/生态用水	0.52	1.1	0.11
工业用水	12.62	26	2.6
农业用水	19.79	40.8	4.08
合计	48.48	100	10

污水再生利用处理方式分为集中型污水再生利用和分散型污水再生利用两种方式。研

究中假设弥补环境/生态用水、工业用水和农业用水缺口需求部分都来自原集中型污水再生利用设施，需求量为 $6.79\times10^8m^3$/年，而弥补城市生活部分（冲厕及市政杂用）用水缺口需求则采用分散型污水再生利用设施生产的再生水，需求量为 $3.21\times10^8m^3$/年，四类用途的再生水需求量为 $10\times10^8m^3$/年。

再进行两种供水方案的费用分析。如果按照全成本的思路进行分析，两种供水方式的成本构成如下：

传统供水方式的成本＝水资源的价值＋引水的成本＋自来水处理的成本＋供水的成本＋污水收集的成本＋污水处理的成本＋处理后污水排放的环境成本

再生水的成本＝原水收集成本＋再生水处理成本＋供水成本＋再生水的风险成本

在分析过程中，采用了该市水的合理价格体系及实施策略的研究成果，水资源价值为 0.49 元/m^3，长距离调水工程实施后，引水成本为 2.00 元/m^3，自来水处理加供水成本为 1.80 元/m^3，污水收集、排放及污水处理成本取 1.03 元/m^3，那么在长距离调水工程实施之后该市生活和工业用水的全成本为 5.32 元/m^3(0.49+2+1.8+1.03)，而集中型和分散型污水再生利用的成本分别为 0.95 元/m^3 和 2.61 元/m^3。

实际上，农业用水与环境用水不需要对原水进行处理，并且不存在污水处理的问题，而工业用水和生活用水则需要进行给水和污水处理。所以，采用长距离调水方式和采用污水再生处理利用方式解决该市水资源短缺问题的年成本费用分别为：

$$
\begin{aligned}
AC_{调} &= (10\times32.1\%+10\times26\%)\times5.32+(10\times1.1\%+10\times40.8\%)\times(2+0.49)\\
&=(3.21+2.6)\times5.32+(0.11+4.08)\times2.49\\
&=41.34\text{ 亿元}
\end{aligned}
$$

$$AC_{再生}=(0.11+2.6+4.08)\times0.95+3.21\times2.61=14.83\text{ 亿元}$$

可见，污水再生利用方案的年成本费用比长距离调水的年成本费用低得多，因此可以认为污水再生利用方案优于长距离调水方案。

[案例思考]

1. 如果两种供水方案的水质变化所带来的风险不同，如何对该项目进行费用效果分析？

2. 再生水价格与自来水价格的变化，会对项目的费用效果分析结果产生怎样的影响？

思考题

1. 试述费用效果分析的含义。
2. 费用效益分析与费用效果分析的区别和联系是怎样的？
3. 采用费用效果分析的条件是什么？
4. 费用效果分析是如何进行的？
5. 成本效用分析的指标分值是如何确定的？

习题

1. 修建某水库有高坝和低坝两个方案，其投资、各项费用及年收益见习题表 9-1 所列，服务年限为

50年，设折现率为5%，试问哪个方案为最优方案？

投资、各项费用及年收益表（万元） 习题表9-1

项目	高坝	低坝
投资	360	150
年维护费用	4.5	2.5
年效益	25	15

2. 某工程项目使用过程中，缺乏安全装置，每年由于安全事故造成的经济损失40000元，现拟增设安全措施，每年可减少损失50%，但需要投资18万元，使用期为20年，设 $i=8\%$，每年维修费占投资的3%，试评价是否有必要设置这种安全措施。

3. 现有三个方案可供选择，它们的有关参数见习题表9-2，已知建设工期最大值为12个月，最小值为4个月；稀缺资源消耗的最大值为120千t，最小值为20千t；占地面积最大值为2500m²，最小值为1000m²；使用寿命最大值为30年，最小值为8年。前三个指标为越小越好的指标，使用寿命为越大越好的指标。试进行投资方案选择。

方案相关参数 习题表9-2

评价指标	单位	甲方案	乙方案	丙方案
建设投资	万元	50	45	42
建设工期	月	8	7	9
稀缺资源消耗	千t	91	95	85
占地面积	m²	1750	2025	1900
年经营费	万元	18	21	21
使用寿命	年	12	10	10

4. 某住宅建筑有三套方案，其功能指标、权重与各指标得分及造价情况见习题表9-3所列，试评选出最优方案。

方案各相关指标 习题表9-3

指标	权重	*A*方案得分值	*B*方案得分值	*C*方案得分值
家具布置适宜程度	5	3	2	1
朝向布置	7	13.95	21.8	18.44
厨房布置	9	1	3	2
卫生间布置	7	2	3	2
通风	6	2	1	1
外观效果	5	1	1	2
元/m²		1800	2500	2200

第10章 设备更新分析

引例

某大型泵站更新改造

炉桥泵站始建于1959年，是安徽省第一座大型电力灌溉工程，位于定远县西部严重干旱缺水的江淮分水岭地区，提引高塘湖水流量17.6m^3/s。炉桥泵站有6级9站、2个反调节中型水库和1个管理总站。炉桥泵站经过40多年的运行，主要的设备均已接近或超过使用年限，机泵和配电设备老化，工程建设标准低，建筑物配套不齐全并且破损严重。各级提水泵站装机容量已与灌区发展不配套，水工建筑物、机电设备、金属结构、管理设施等均存在损毁、锈蚀、老化、淘汰等问题，已严重影响灌区的工程效益、安全运行、日常管理和整个灌区经济的可持续发展。

炉桥泵站设备更新工程批复工程总投资10632万元，从2012年开始，分4年下达。更新水泵电机25台套、变压器5台、保护控制系统5套、辅助设备286台，拆除重建厂房3座，改造加固厂房2座，2019年4月24日工程通过竣工验收。通过对炉桥泵站更新改造后2017年运行数据进行观测和分析，一级站最大提水流量由更新前17.6m^3/s提高到25m^3/s，单方水耗电量由改造前的0.084kW·h/m^{3}下降到改造后的0.075kW·h/m^3。2017年总提水量为5834万m^3，年节约电量52.5万kW·h。泵站能耗明显减少，在提高运行效率的同时，大大提高了工程运行的安全可靠性，使灌区农田灌溉质量得到显著改善，为灌区工农业生产、生活用水及周边生态环境建设提供充足可靠的水源，促进了灌区社会经济全面可持续发展。(资料来源:《安徽水利年鉴》2016年)

启　示

本案例的启示有以下三点:(1)永久性的基础设施项目使用周期长，一般都不可避免需要对设备进行更新;(2)由于环境保护要求的提高，基础设施项目的设备更新往往都采用新型设备替代旧设备；(3)基础设施项目的设备更新效果往往非常明显。

本章知识结构图

工程项目投资必然形成大量的固定资产，固定资产在生产使用过程中会发生磨损、效率降低和过时的现象，如果不及时对设备进行升级、换代或更新，将有可能严重影响生产使用效率。因此，掌握设备更新分析的方法对保证生产系统的正常运行及企业获利是至关重要的。

第 4 章介绍过的对方案比较选优的现金流量法仍然适用于设备更新分析。但是，设备更新分析的一些特有的概念，如沉没成本、经济寿命等，需要引起特别的注意。本章将重点阐明这些概念，并说明如何在设备更新分析中应用这些概念。本章知识结构如下图所示。

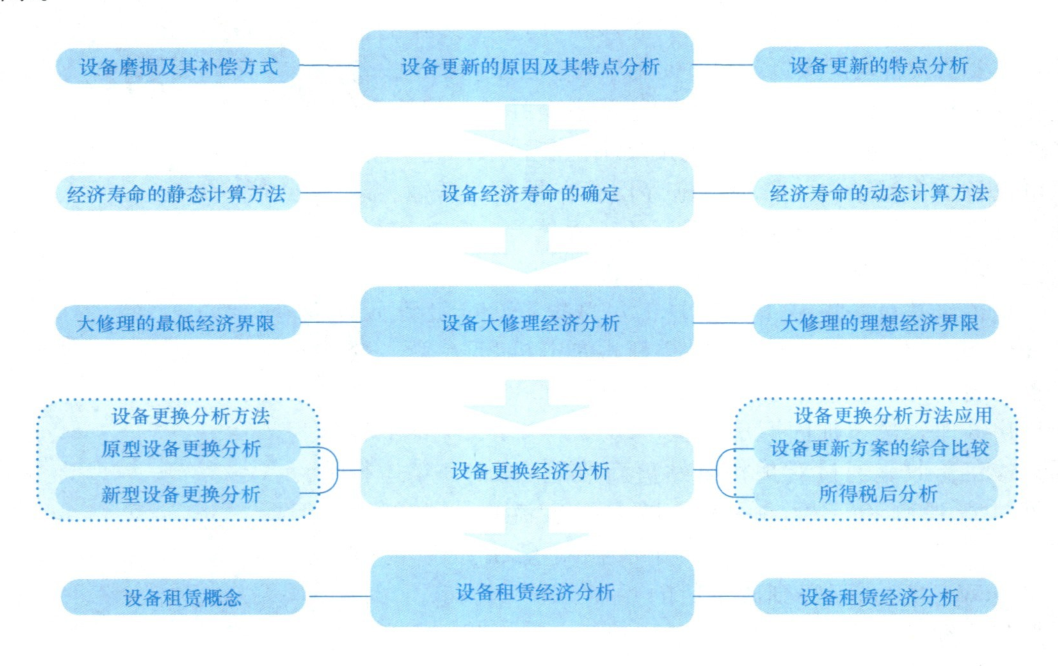

10.1 设备更新的原因及特点分析

10.1.1 设备磨损及其补偿方式

设备磨损是设备在使用或闲置过程中，由于物理作用（如冲击力、摩擦力、振动、扭转等)、化学作用（如锈蚀、老化等）或技术进步的影响等，使设备遭受了损耗。设备磨损分为有形磨损和无形磨损，设备磨损是有形磨损和无形磨损共同作用的结果。

1. 设备的有形磨损

设备在使用中受外力作用和自然环境影响而形成的磨损、变形和损坏称为设备的有形磨损或物质磨损。设备有形磨损又可分为第Ⅰ类有形磨损和第Ⅱ类有形磨损。

(1) 第Ⅰ类有形磨损

设备在使用过程中，由于受到外力的作用使零部件发生摩擦、振动和疲劳等现象，致使机器设备的实体发生磨损，这种磨损称为第Ⅰ类有形磨损。它是引起设备有形磨损的主要原因，通常表现为以下几种情况：①机器设备零部件的原始尺寸发生改变，甚至形状发生变化；②公差配合性质发生改变，精度降低；③零部件损坏。

第Ⅰ种有形磨损可使设备精度降低，劳动生产率下降。当这种有形磨损达到一定程度时，整个机器设备的功能就会下降，导致设备故障频发、废品率升高、使用费剧增，甚至难以继续正常工作，丧失使用价值。

(2) 第Ⅱ类有形磨损

自然环境的作用是造成设备有形磨损的另一个原因，设备在闲置过程中，因自然力的作用而产生的磨损称为第Ⅱ类有形磨损。这种磨损与设备生产过程中的使用无关，甚至在一定程度上还同使用程度成反比。因此，设备闲置或封存不用同样也会产生有形磨损，如金属件生锈、腐蚀，橡胶件老化等。设备闲置时间过长，会自然丧失精度和工作能力，失去使用价值。

2. 设备的无形磨损

设备无形磨损也称为经济磨损或精神磨损，它是指由于技术进步，出现性能更完善、生产效率更高的新设备，或是相同结构设备的再生产价值下降，而使原有设备发生的贬值。无形磨损不改变设备实体，只表现为设备原始价值的贬值，无形磨损按形成原因也可以分为第Ⅰ类无形磨损和第Ⅱ类无形磨损。

(1) 第Ⅰ类无形磨损

第Ⅰ类无形磨损是指受技术进步的影响，设备制造工艺不断改进，劳动生产效率不断提高，使生产同样结构、性能的设备所需的社会必要劳动时间相应减少，生产成本和价格不断降低，使原有设备价值贬值。这类无形磨损虽然使原有设备部分贬值，但设备本身的技术性能并未受到影响，使用价值没有降低，故不会影响现有设备的使用。

(2) 第Ⅱ类无形磨损

第Ⅱ类无形磨损是由于技术进步，市场上出现了结构更先进、技术更完善、生产效率更高、耗费原材料和能源更少的新型设备，而使原有机器设备在技术上显得陈旧落后，从而提前退出使用而产生的经济磨损。第Ⅱ类无形磨损不仅使原有设备价值降低，而且会使原有设备生产精度和能耗达不到新的标准和要求，致使其局部或全部丧失使用价值。在这种情况下，由于使用新设备比使用旧设备在经济上更合算，所以原有设备应被淘汰。

第Ⅱ类无形磨损导致原有设备使用功能降低的程度与技术进步的具体形式有关。当技术进步表现为不断出现性能更完善、效率更高的新设备，但加工方法没有原则性变化时，将使原有设备的使用功能大幅度降低；当技术进步表现为采用新的加工对象，如新材料时，则原有设备的使用功能完全丧失，加工旧材料的设备必然要被淘汰；当技术进步表现为改变原有生产工艺，采用新的加工方法时，则为旧工艺服务的原有设备也将失去使用功能；当技术进步表现为产品的更新换代时，不能适用于新产品生产的原有设备也将被淘汰。

3. 设备磨损的补偿方式

为维持设备正常工作需要的特性和功能以及满足设备使用经济性的需要，必须对已遭受磨损的设备进行及时合理的补偿。设备补偿的形式有大修理、现代化改造和更换等。在实际工作中，上述设备补偿形式的选用随不同磨损情况而有所不同：若设备磨损主要是有形磨损所致，则在磨损较轻时可通过修理进行补偿；若磨损较重，修复时需花费较高的费用，这时选择更换还是修理，则应对其进行经济分析比较，以确定恰当的补偿方式。若磨损太严重，根本无法修复或虽然修复，但其精度也达不到要求，则应该以更换作为补偿手段。若设备磨损主要是由相对价值的无形磨损所致，则应采用局部更新（设备现代化改装）或全部更换。

设备磨损的补偿方式如图 10-1 所示。

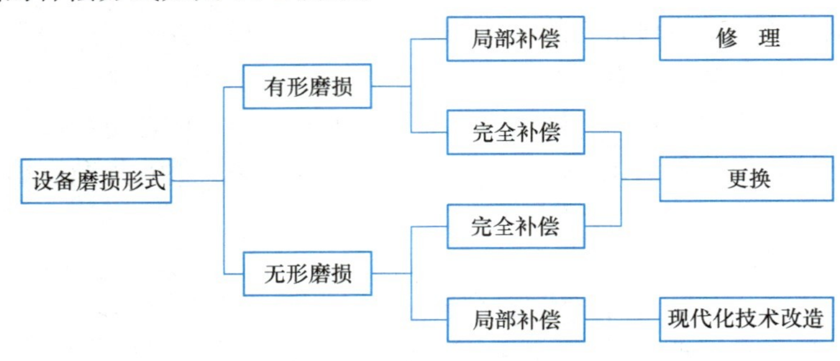

图 10-1　设备磨损的补偿方式图

10.1.2　设备更新的特点分析

1. 设备更新的实质是确定设备的经济寿命

根据设备磨损的方式不同，可将设备寿命划分成以下几种类型：

（1）自然寿命，或称物理寿命。它是指设备从全新状态下开始使用，直到报废的全部时间过程。自然寿命主要取决于设备有形磨损的速度。

（2）技术寿命。它是指设备在开始使用后持续满足使用者需要功能的时间。技术寿命的长短，主要取决于无形磨损的速度，技术进步速度越快，设备的技术寿命越短。

（3）经济寿命。它是指设备以全新状态投入使用开始，到因继续使用不经济而更新所经历的时间，也就是一台设备从投入使用开始，到年度费用最低的使用期限。经济寿命是从经济角度看设备最合理的使用期限，它是由有形磨损和无形磨损共同决定的。具体来说，是指能使一台设备的年等额总成本（包括购置成本和运营成本）最低或等额年净收益最高的期限。在设备更新分析中，设备更新的时机一般取决于设备的经济寿命，所以进行更新分析时，经济寿命是确定设备最优更新期的主要依据。

2. 设备更新分析只考虑未来发生的现金流量

在设备更新分析中，只有现在的和未来的现金流量才应该纳入考虑的范畴。正在考虑更新的旧设备的任何未回收的价值，严格地讲都是过去决策的结果，即当初购买设备的决策以及折旧方法和折旧年限决策的结果。可以用沉没成本这一概念来区分设备的账面价值和市场价值，账面价值与市场价值之间的差额称为资产的沉没成本。

$$沉没成本=旧设备账面价值-当前市场价值（余值）$$

或沉没成本=(旧设备原值-历年折旧费)-当前市场价值(余值)

假设 5 年前购置了一台 10000 元的设备，预计使用寿命 8 年，年折旧费为 1250 元，现有账面价值为 3750 元(10000 元-1250 元×5 年=3750 元)。这台设备现在若在市场上出售，价值为 2000 元。这里账面价值与市场价值的差额等于 1750 元，这 1750 元就称为待更新设备的沉没成本，也就是未收回的旧设备的投资损失。

设备更新分析中一个重要的特点，是在分析中只考虑现在和未来所发生的现金流量，对以前发生的现金流量及沉没成本，因为它们都属于不可恢复的费用，与更新分析无关，故不应该计入设备的现有价值中。

3. 设备更新分析应站在咨询者（第三方）的视角分析问题

设备更新分析，首先要确定设备的价值。与旧设备相关的有三个价值概念：旧设备购置价值、旧设备待更新时的账面价值和市场价值。旧设备购置价值是过去决策的，是与本次决策无关的成本。旧设备待更新时的账面价值同样是过去决策决定的，也就是购买者过去所采用的折旧政策决定的。旧设备待更新时的市场价值是从独立第三方视角确定的旧设备的公允市场价值，该视角使得分析者在更新分析中关注于现在和未来的现金流量，而不受过去已发生的沉没成本的影响。需要说明的是，为使现有设备的功能相对于新设备具有竞争力，需要一笔新的投资支出（如修理费用）来升级现有设备，必须将这笔额外费用和现在的实际市场价值相加，以计算现有设备的总投资额，从而应用于设备更新的分析和决策。

【例 10-1】某公司准备购买一辆新挖掘装载机，价格为 18.8 万元。公司现有的挖掘装载机目前在市场上可以卖 10 万元。旧设备是 3 年前购置的，目前的账面价值为 12 万元。为了使旧设备达到新设备的使用状况，需要对其进行维修保养，费用预计 1 万元。根据以上信息回答：

（1）采用第三方视角，旧设备的投资额是多少？

（2）旧设备的未回收价值为多少？

【解】（1）采用第三方视角，旧设备（如果继续使用）的投资额就是其现在的市场价值（机会成本）加上为达到新设备的使用状态而对挖掘装载机升级维修的费用，因此旧设备的全部投资额为 10+1=11 万元。

（2）旧设备的未回收价值为处置该资产的账面价值的损失（沉没成本）。旧设备目前的售价为 10 万元，其账面价值为 12 万元，旧设备未回收的价值为 12-10=2 万元。

4. 设备更新分析以费用年值法为主

通常在比较设备更新方案时，假定设备产生的收益是相同的，因此只对它们的费用进行比较。新设备往往具有较高的购置费和较低的运营成本，而要更新的旧设备往往具有较低的重置费和较高的运营成本。因此，通常根据不同设备方案的服务寿命，采用费用年值法进行分析比较。

【例 10-2】设备 A 在 4 年前购置价格 220 万元，当时估计可以使用 10 年，第 10 年末净残值为 20 万元，年运营成本 70 万元，目前市场转让价格 80 万元。现在市场上同类设备 B 的原始购置价格为 240 万元，估计可以使用 10 年，第 10 年末的残值为 30 万元，年运营成本是 40 万元。已知基准收益率为 10%，试比较继续使用旧设备 A 和购买新设备 B 哪个更优。

【解】根据不考虑沉没成本的设备更新原则可知，设备 A 的原购置价格 220 万元是 4 年前发生的，对设备更新决策不会产生影响。

从第三方视角分析，决策者现在可以用 80 万元购买旧设备 A，也可以用 240 万元购买新设备 B。需要特别注意，不能将旧设备的重置价 80 万元作为新设备 B 的收入，因为这笔收入不是新设备本身带来的，不能将两个方案的现金流量混淆。

利用费用年值法进行两个方案的比较，分别计算两个方案的费用年值，计算如下：

$AC_A = 80(A/P,10\%,6) + 70 - 20(A/F,10\%,6) = 85.8$ 万元

$AC_B = 240(A/P,10\%,10) + 40 - 30(A/F,10\%,10) = 77.2$ 万元

因为 $AC_A > AC_B$，所以购买新设备 B 较优，应该更新设备。

10.2 设备经济寿命的确定

在设备更新分析中，往往要根据设备的经济寿命确定设备的更新时机，因而采用科学合理的方法来计算设备的经济寿命显得十分重要。

10.2.1 设备寿命周期成本和净残值

设备寿命周期成本是指设备在其寿命周期内发生的全部成本。

（1）设备购置成本，指设备在购买时一次性投入的成本，包括设备的原价、运输费和安装费。

（2）设备运营成本，指设备在使用过程之中发生的成本，包括运行成本（人工、燃料、动力等消耗）和维修费（保养费、修理费、停工损失费、废次品损失费等）。

（3）设备净残值，以设备报废时的残值扣除拆除成本计算。

10.2.2 设备经济寿命的确定

通常新设备购置成本高，但运行成本和维修费用低，而旧设备恰恰相反。实际上，当一台全新设备投入使用后，随着使用年限的延长，平均每年分摊的设备购置成本将越来越少；与此同时，设备的运营成本却是逐年增加（称为设备的劣化）。因此，随着使用年限的延长，平均每年分摊的购置成本减少的效果会被运营成本的增加抵消，直至购置成本减少不足以抵消运营成本的增加，显然这时如果继续使用设备并不经济，所以就存在设备的经济寿命。

设备的经济寿命就是包括设备购置成本和各年运营成本在内的设备年等额总成本最低的使用年限。年等额总成本由两部分组成：一是年等额资产恢复成本，指设备的购置成本扣除设备弃置不用时的估计净残值后平均分摊到设备使用各年，它随着设备使用年限的延长而逐渐减少；二是年等额运营成本，即各年运营成本总和再平均，它随着设备使用年限的延长而逐渐增加。年等额总成本曲线的最低点对应的使用年限就是设备的经济寿命，如图 10-2所示。

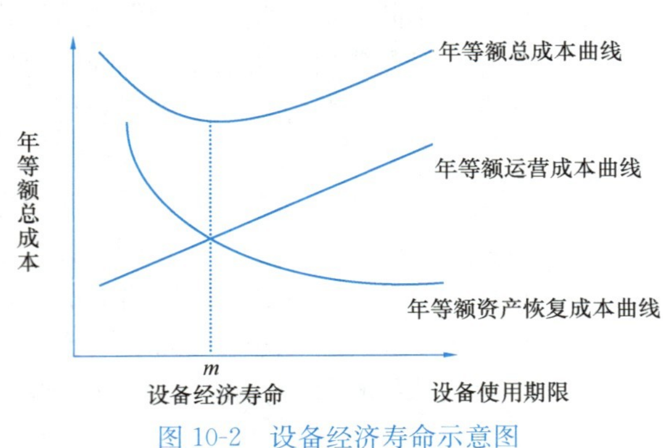

图 10-2 设备经济寿命示意图

1. 不考虑资金时间价值时的经济寿命计算方法（静态计算法）

在利率为零的条件下，设备使用到第 n 年末时的年等额总成本的计算公式如下：

$$AC_n = \frac{P - L_n}{n} + \frac{1}{n}\sum_{j=1}^{n} C_j \tag{10-1}$$

式中 n——设备使用期限，在设备经济寿命计算中，n 是一个自变量；

j——设备使用年度，j 取值范围为 1～n；

AC_n——n 年内设备的年等额总成本；

P——设备的购置成本，即设备之原值；

C_j——在 n 年使用期间的第 j 年度设备的运营成本；

L_n——设备在第 n 年的净残值。

由式（10-1）可知，设备的年等额总成本 AC_n 等于设备的年等额资产恢复成本 $\frac{P-L_n}{n}$ 与设备的年等额运营成本 $\frac{1}{n}\sum_{j=1}^{n} C_j$ 之和。

在所有的设备使用期限中，能使设备年等额总成本 AC_n 最低的那个使用期限就是设备的经济寿命。如果设备的经济寿命为 m 年，则 m 应满足如下不等式条件：

$$AC_{m-1} \geqslant AC_m, AC_{m+1} \geqslant AC_m \tag{10-2}$$

【例 10-3】某设备原始购置成本为 6 万元，每年的运营成本和年末残值见表 10-1 所列。如果不考虑资金的时间价值，试计算其经济寿命。

[例 10-3] 年度经营成本和年末估计残值（万元）　　表 10-1

使用年度 j	1	2	3	4	5	6	7
j 年度运营成本	1.0	1.2	1.4	1.8	2.3	2.8	3.4
n 年末残值	3.0	1.5	0.75	0.375	0.2	0.2	0.2

【解】根据式（10-1）计算，该设备在不同使用期限的年等额总成本见表 10-2 所列。

[例 10-3] 设备年等额总成本计算表（万元）　　表 10-2

使用期限 n	资产恢复成本 $P-L_n$	年等额资产恢复成本 $\frac{P-L_n}{n}$	年度运营成本 C_j	使用期限内运营成本累计 $\sum_{j=1}^{n} C_j$	年等额运营成本 $\frac{1}{n}\sum_{j=1}^{n} C_j$	年等额总成本 ⑦=③+⑥
①	②	③	④	⑤	⑥	⑦
1	3.0	3.0	1.0	1.0	1.0	4.0
2	4.5	2.25	1.2	2.2	1.1	3.35
3	5.25	1.75	1.4	3.6	1.2	2.95
4	5.625	1.4063	1.8	5.4	1.35	2.7563
5*	5.8	1.16	2.3	7.7	1.54	2.7*
6	5.8	0.9667	2.8	10.5	1.75	2.7167
7	5.8	0.8286	3.4	13.9	1.9857	2.8143

注："*"表示该设备经济寿命对应的年等额总成本。

由计算结果来看，该设备使用 5 年时，其年等额总成本最低（AC_5＝2.7 万元），使用期限大于或小于 5 年时，其年等额总成本均大于 2.7 万元，故该设备经济寿命为 5 年。

设备的运营成本包括：能源费、保养费、修理费、停工损失、废次品损失等。一般而言，随着设备使用期限的增加，年运营成本每年以某种速度在递增，这种运营成本的逐年递增称为设备的劣化。现假定每年运营成本的增量是均等的，即经营成本呈线性增长，如图 10-3 的现金流量所示。假定运营成本均发生在年末，每年运营成本增加额为 λ，若设备使用期限为 n 年，则第 n 年时的运营成本为：

$$C_n = C_1 + (n-1)\lambda \tag{10-3}$$

式中 C_1——运营成本的初始值，即第 1 年的运营成本；

n——设备使用年限。

n 年内设备运营成本的平均值为：$C_1 + \frac{n-1}{2}\lambda$。

除运营成本外，在年等额总成本中还包括设备的年等额资产恢复成本，其金额为 $\frac{P-L_n}{n}$，则年等额总成本的计算公式为：

$$AC_n = \frac{P-L_n}{n} + C_1 + \frac{n-1}{2}\lambda \tag{10-4}$$

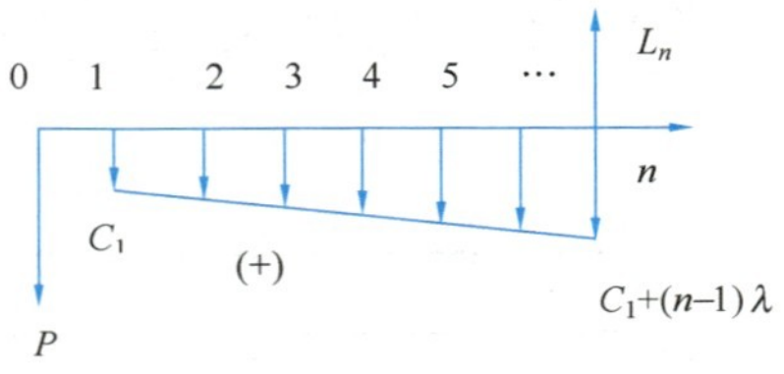

通过求式（10-4）的极值，可得到设备的经济寿命计算公式。

设 L_n 为一常数，令 $\frac{\mathrm{d}(AC_n)}{\mathrm{d}n} = 0$，则经济寿命 m 为：

$$m = \sqrt{\frac{2(P-L_n)}{\lambda}} \tag{10-5}$$

图 10-3 劣化增量均等的现金流量图

【例 10-4】 设有一台设备，购置费为 10000 元，预计净残值 400 元，运营成本初始值为 800 元，年运营成本每年增长 300 元，求该设备的经济寿命。

【解】 由式（10-5）可得：

$$m = \sqrt{\frac{2\times(10000-400)}{300}} = 8 \text{ 年}$$

2. 考虑资金时间价值时的经济寿命计算方法（动态计算法）

当利率不为零时，计算经济寿命需考虑资金的时间价值。按照图 10-3 所示的现金流量图，设备在 n 年内的年等额总成本 AC_n 可按下式计算：

$$\begin{aligned} AC_n &= P(A/P,i,n) - L_n(A/F,i,n) + C_1 + \lambda(A/G,i,n) \\ &= [(P-L_n)(A/P,i,n) + L_n \times i] + [C_1 + \lambda(A/G,i,n)] \end{aligned} \tag{10-6}$$

式中符号同前。其中，$(P-L_n)(A/P,i,n) + L_n \times i$ 为年等额资产恢复成本，$C_1 + \lambda(A/G,i,n)$ 为年等额运营成本。

年等额总成本 AC_n 更为一般的计算式如下：

$$AC_n = TC_n(A/P,i,n) = [P - L_n(P/F,i,n) + \sum_{j=1}^{n} C_j(P/F,i,j)](A/P,i,n) \quad (10\text{-}7)$$

式中 TC_n ——设备在 n 年内的总成本现值。

【例 10-5】按动态计算法确定【例 10-3】的经济寿命。设基准投资收益率为 10%。

【解】如果考虑资金的时间价值，由式（10-7）计算该设备在不同使用年限时的年等额总成本，见表 10-3 所列。从表中可知第 6 年的年等额总成本最低。因此，按动态计算法得该设备的经济寿命为 6 年。

[例 10-5] 设备经济寿命计算表（动态计算法）（万元） 表 10-3

年限	年度运营成本	各年现值系数（P/F，10%，①）	各年末运营成本现值 ④=②×③	累计现值之和 ⑤=Σ④	资金回收系数（A/P，10%，①）	年等额运营成本 ⑦=⑤×⑥	年末估计净残值	年等额资产恢复成本 ⑨=（P−⑧）×⑥+⑧×10%	年等额总成本 ⑩=⑦+⑨
①	②	③	④	⑤	⑥	⑦	⑧	⑨	⑩
1	1.0	0.9091	0.9091	0.9091	1.1	1.0000	3.0	3.6	4.6
2	1.2	0.8264	0.9917	1.9008	0.5762	1.0952	1.5	2.7429	3.8381
3	1.4	0.7513	1.0518	2.9526	0.4021	1.1872	0.75	2.1860	3.3733
4	1.8	0.683	1.2294	4.1820	0.3155	1.3194	0.375	1.8122	3.1316
5	2.3	0.6209	1.4281	5.6101	0.2638	1.4799	0.2	1.55	3.03
6*	2.8	0.5645	1.5806	7.1907	0.2296	1.6510	0.2	1.3517	3.0027*
7	3.4	0.5132	1.7449	8.9356	0.2054	1.8354	0.2	1.2113	3.0467

10.3 设备大修理经济分析

10.3.1 设备大修理的实质

设备进入生产过程以后，就开始遭受有形磨损和无形磨损的作用。由于设备的零部件是由各种不同性质的材料制成的，其承担的功能和工作条件也各不相同，因此设备各部分的有形磨损是不均匀的。通常，在设备的实物构成中，总有一部分零部件是相对耐久的，而另外的部分则易于损坏。为使设备保持正常运转状态，就需要对设备的某些零部件进行定期的更换或修复。例如，某建筑施工机械不同组成部分的物理寿命见表 10-4 所列。

如果这台设备的平均寿命定为 4 年，那么在寿命期内，设备的第二部分需要更换 1 次，第三部分需要更换 3 次，第四部分需要更换 7 次。

设备不同部分的自然寿命表 表 10-4

部位	第一部分	第二部分	第三部分	第四部分
使用寿命	4 年	2 年	1 年	半年

设备的修理是指为保持设备在平均寿命期限内的完好使用状态而进行的局部更换或修复工作，其目的是消除设备经常性的有形磨损，排除机器运行中遇到的各种故障，以保证

设备在其寿命期内保持必要的性能，发挥正常的效应。

设备的大修理是通过调整、修复或更换磨损的零部件，恢复设备的精度和生产效率，使整机全部或接近全部恢复功能，基本上达到设备原有的使用功能，从而延长设备的自然寿命。

设备虽然通过大修理可以延长其物理寿命，但是这种延长，不管是在技术上，还是在经济上，并不是没有限度的。

如图 10-4 所示，A_0点表示设备初始性能，A_1点表示设备基本性能。

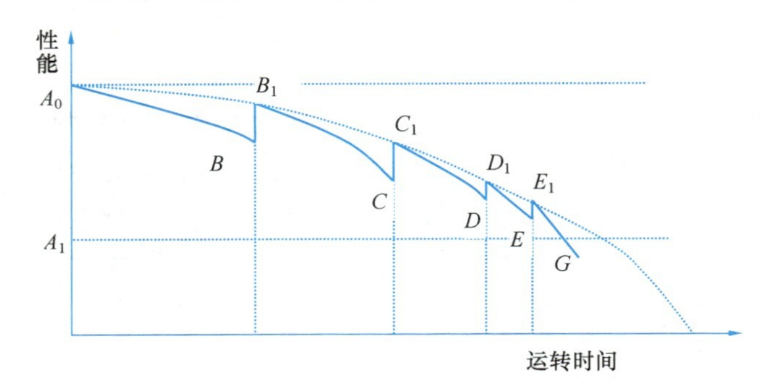

图 10-4 每次大修设备性能劣化曲线

事实上，设备在使用过程中其性能是沿着 A_0B 线下降的，如不及时大修，设备的寿命很可能会很短。如在 B 点（即到第一个大修期限时）进行大修，其性能又可恢复到 B_1点。自 B_1点继续使用，其性能又继续劣化，当降到 C 点时，又进行第二次修理，其性能可恢复到 C_1点，但经过使用后又会下降，终至 G 点，修理的经济意义就不大了。由此可见，设备的修理并不是无止境的，而是有限度的。

大修理能够利用被保留下来的零部件，达到节约资源的目的。因此，在设备更新分析时，大修理是设备更换的替代方案，这是大修理的经济实质，也是大修理这种对设备磨损进行补偿的方式能够存在的经济前提。对设备进行更新分析时，应将设备更换与大修理方案进行比较；反过来，进行设备大修理决策时，也应同设备更换及设备其他再生产方式相比较。

10.3.2 设备大修理的经济界限

1. 设备大修理的最低经济界限

假如设备大修理在经济上是可行的，那么设备大修理发生的费用 I 一定不超过同种新设备在大修理时的重置价值 P 与该设备大修理时的残值 L 之差，否则选择设备更新更为合理。通常将以上条件称为设备大修理的最低经济界限，用公式表示为：

$$I \leqslant P - L \tag{10-8}$$

式中 I——该次大修理费用；

P——同种设备的重置价值（即同一种新设备在大修理时的市场价格）；

L——旧设备被替换时的残值。

2. 设备大修理的理想经济界限

符合最低经济界限的大修理，可能会因为原有设备性能下降，使生产单位产品的成本比同种新设备生产单位产品的成本更高，这时大修理经济上就未必可行。因此，除了满足上述大修理的最低经济界限外，还应当使经过大修理的设备生产单位产品的成本不超过同种新设备生产单位产品的成本，通常将该条件设为大修理的理想经济界限，用公式表示为：

$$C_j \leqslant C_0 \tag{10-9}$$

式中 C_j ——用第 j 次大修理后的旧设备生产单位产品的计算费用；

C_0 ——用具有相同功能的新设备生产单位产品的计算费用。

$$C_j = (I_j + \Delta V_j)(A/P, i_c, T_j)/Q_j + C_{gj} \tag{10-10}$$

$$C_0 = \Delta V_{01}(A/P, i_c, T_{01})/Q_{01} + C_{g01} \tag{10-11}$$

式中 I_j ——旧设备第 j 次大修理的费用；

ΔV_j ——旧设备在第 $j+1$ 个大修理周期内的价值损耗现值；

Q_j ——旧设备第 $j+1$ 个大修理周期的年均产量；

C_{gj} ——旧设备第 j 次大修理后生产单位产品的经营成本；

T_j ——旧设备第 j 次大修理到第 $j+1$ 次大修理的间隔年数；

ΔV_{01} ——新设备第 1 个大修理周期的价值损耗现值；

Q_{01} ——新设备第 1 个大修理周期的年均产量；

C_{g01} ——用新设备生产单位产品的经营成本；

T_{01} ——新设备投入使用到第 1 次大修理的间隔年限。

【例 10-6】某企业 6 年前以 300 万元购入生产某种产品的设备一台，使用 6 年后进行设备大修理，费用为 50 万元，设备经过大修理后，残值由 100 万元上升到 120 万元，经过大修理后可继续使用 4 年。预计大修理后 4 年期间的产量由 25 万件下降为 23.5 万件，年经营成本由 300 万元上升到 320 万元，到期残值为 40 万元。已知市场目前同种设备的价格为 240 万元，使用 6 年后残值为 80 万元。基准收益率为 10%，设备大修理是否合理？

【解】（1）设备大修理最低经济界限判定

设备大修理费用为 50 万元，小于更换新设备的投资 240－100＝140 万元，符合设备大修理的最低经济界限。

（2）大修理理想经济界限的判定

分别计算大修理设备和同种新设备生产单位产品的成本，大修理设备生产单位产品的成本为：

$$C_j = \frac{[50 + 120 - 40(P/F, 10\%, 4)](A/P, 10\%, 4) + 320}{23.5} = 15.53 \text{ 元/件}$$

同种新设备生产单位产品的成本为：

$$C_0 = \frac{[240 - 80(P/F, 10\%, 6)](A/P, 10\%, 6) + 300}{25} = 13.79 \text{ 元/件}$$

大修理设备生产单位产品的成本高于同种新设备生产单位产品的成本，不符合设备大修理的理想经济界限，进行设备大修理在经济上是不合理的。

10.4 设备更换经济分析

10.4.1 设备更换的概念

设备使用到一定年限后，生产效率下降，而经营成本却逐年增加。设备更换是指对技术上或经济上不宜继续使用的设备，以结构更先进、功能更完善、性能更可靠、生产效率更高、生产成本更低、产品质量更好的新设备替代旧设备。

设备更换有两种形式：一种是用相同的设备去更换有形磨损严重的旧设备，这种更新只是解决设备的损坏问题，不具有更新技术的性质，不能促进技术进步。另一种是利用技术更先进、结构更完善、效率更高、性能更好、耗费能源和原材料更少的新型设备来替代那些技术上不能继续使用或经济上不宜继续使用的旧设备。

设备更换不仅要考虑促进技术的进步，同时也要能够获得较好的经济效益。一台设备何时更换、用什么设备更换，主要取决于更换的经济效果。

10.4.2 设备更换的技术经济分析

1. 原型设备更换分析

如果设备在整个使用期内并不过时，也就是在一定时期内没有出现更先进的设备，只是设备运行成本及修理费用不断增加，在适当的时候用原型设备替换，在经济上也是合算的。这就是原型设备更换问题。设备原型更换的时机应该选择在原设备经济寿命期结束的时间。这样，设备原型更换的决策问题就可以转化为设备的经济寿命计算问题。

设备的原型更换，对企业来说不会引起收益或产出的改变，在计算设备的经济寿命时一般采用年等额总成本法。年等额总成本最低对应的时间即为设备的经济寿命，设备使用到经济寿命期结束就应该及时进行原型更换。年等额总成本由年等额运营成本和年等额资产恢复成本两部分构成。

2. 新型设备更换分析

在技术进步不断加速的条件下，无形磨损使设备价值损失加剧，很可能在设备经济寿命内，就已经出现工作效率高、经济效果更好的新型设备，这时就要比较继续使用旧设备和购置新型设备在经济上哪种方案更为有利。新型设备更换分析通常可采用年值法。

（1）无限长研究期情况下的设备更换分析（年值法）

通常，基础设施可无限期使用。设备在无限长使用情况下，总会采用新型设备来代替旧设备。在这种情况下，可以根据以下步骤来进行更换分析：

1）分别计算现有设备（旧设备）和新型设备的经济寿命。

2）比较新旧设备在各自经济寿命期内的年等额总成本。旧设备的年等额总成本大于新设备的年等额总成本，旧设备应该现在更换；否则，不应现在更换。

3）旧设备不应该现在更新，何时更新合适？具体的分析方法是连续计算旧设备再保留使用一年的成本（边际分析法），并与新设备的年等额总成本进行比较，直到某一年旧设备的年成本高于新设备年等额总成本，则在该年年初或者上一年末更换现有设备。

【例 10-7】 某公司 4 年前投资 20000 万元安装了一套废水处理设备，该设备年运营成本为 9000 万元，以后每年增加 1000 万元。现在重新设计了一套新型设备，原始投资 12000 万元，年度使用费估计第 1 年为 4500 万元，以后每年增加 600 万元，新设备的使用年限估计 15 年。由于两套设备都是为该公司专门设计制造的，任何时间的残值都为零。如果公司的投资收益率为 10%，该公司是否对现有设备进行更新？

【解】 由于设备属于市政基础设施，可以适用无限长研究期情况下的设备更换分析。

① 旧设备的经济寿命

由于旧设备在任何时间的残值都为零，所以旧设备目前的价值和未来残值都等于零，旧设备再保留使用 n 年，年等额总成本为：

$$\begin{aligned} AC_n &= [P(A/P,10\%,n) - L_n(A/F,i,n)] + [C_1 + \lambda(A/G,i,n)] \\ &= [0 \times (A/P,10\%,n) - 0 \times (A/F,10\%,n)] + [9000 + 1000(A/G,10\%,n)] \\ &= 9000 + 1000(A/G,10\%,n) \end{aligned}$$

从上式可知，旧设备的年等额总成本等于年等额运营成本。由于旧设备的年运营成本逐年增加，年等额总成本也逐年增加。由此可知，为了使年等额总成本最小，经济寿命必须尽可能取短的时间，也就是旧设备的经济寿命为 1 年。

② 新设备的经济寿命

$$AC_n = 12000(A/P,10\%,n) + 4500 + 600(A/G,10\%,n)$$

经济寿命计算见表 10-5，从表中可知新设备的经济寿命为 7 年。

[例 10-7] 新设备经济寿命计算（万元） 表 10-5

	第 n 年末残值	第 n 年运营成本	年等额资产恢复成本	年等额运营成本	年等额总成本
0	12000				
1		4500	13200	4500	17700
2		5100	6914	4786	11700
3		5700	4825	5062	9887
4		6300	3786	5329	9114
5		6900	3166	5586	8752
6		7500	2755	5834	8589
7		8100	2465	6073	8538*
8		8700	2249	6303	8552

③ 年等额总成本比较

旧设备经济寿命 1 年，新设备经济寿命为 7 年时的年等额总成本为：

旧设备 AC_1＝9000 万元/年

新设备 AC_7＝8538 万元/年

因此，现有设备应该更换。

【例 10-8】 某公司一台检测设备发生损坏，正在考虑是否用一台技术更先进、效率更高的设备来替换。公司目前可以将其以 5000 元价格出售给其他公司。要保留该设备，则需要 1200 元修理费使该设备恢复运营状态。修理后旧设备可以再使用 6 年，第 1 年运营成本 2000 元，以后每年增加 1500 元，旧设备未来的市场价值预计在上一年的基础上每年递减 20%。新设备购置价格 10000 元，第 1 年经营成本 2200 元，以后每年增加 20%。预计 1 年后新设备的残值为 6500 元，并且每年递减 15%。新设备的自然寿命是 8 年。公司要求的投资收益率为 10%。试确定设备的更新方案。

【解】 ① 旧设备的经济寿命

如果公司保留旧设备，旧设备（如果继续使用）的投资额就是其现在的市场价值加上使设备保持运营状态的维修费用，因此，旧设备全部投资额为 5000+1200=6200 元。

$$AC_n = (6200)(A/P,10\%,n) + 2000 + 1500(A/G,10\%,n) - 5000\,(1-20\%)^n(A/F,10\%,n)$$

② 新设备的经济寿命

$$AC_n = 10000(A/P,10\%,n) + 2200(P/A,10\%,20\%,n)(A/P,10\%,n) - 6000(1-15\%)^n(A/F,10\%,n)$$

旧设备与新设备经济寿命计算结果见表 10-6 所列。从表中可知，旧设备的经济寿命为 2 年，年等额总成本 $AC_2^* = 4763$ 元；新设备的经济寿命为 4 年，年等额总成本 $AC_4^* = 5184$ 元，所以旧设备不应该现在更换。如果在未来一段时间没有发生技术进步，那么旧设备就应该至少使用 2 年。

[例 10-8]设备经济寿命计算表（元） 表 10-6

n	旧设备					新设备				
	第 n 年末残值	第 n 年运营成本	年等额资产恢复成本	年等额运营成本	年等额总成本	第 n 年末残值	第 n 年运营成本	年等额资产恢复成本	年等额运营成本	年等额总成本
0	5000	1200				10000				
1	4000	2000	1500	3320	4820	6500	2200	4500	2200	6700
2	3200	3500	1357	3406	4763*	5525	2640	3131	2410	5540
3	2560	5000	1237	3887	5125	4696	3168	2602	2639	5241
4	2048	6500	1136	4450	5586	3992	3802	2295	2889	5184*
5	1638	8000	1051	5032	6082	3393	4562	2082	3163	5245
6	1311	9500	978	5611	6589	2884	5474	1922	3463	5385
						2451	6569	1796	3790	5586
						2084	7883	1692	4148	5840

③ 旧设备更换时机

旧设备超出经济寿命后，应该计算旧设备再保留使用 1 年的成本(边际分析法)，并与新设备的年等额总成本进行比较，直到某一年旧设备的年成本高于新设备年等额总成本，则在该年年初或者上一年末更换现有设备。

从现在开始的第 3 年保留和使用旧设备的成本。旧设备在第 2 年年末的机会成本等于其市场价值 3200 元，第 3 年的经营成本 5000 元，第 3 年末残值为 2560 元，在经济寿命结束后继续使用旧设备一年的成本为：

$$AC = 3200(A/P,10\%,1) + 5000 - 2560(A/F,10\%,1) = 5960 \text{元}$$

第 3 年继续使用旧设备的成本 $AC = 5960$ 元，高于更换新设备的年等额总成本 $AC_4^* = 5184$ 元，所以应该在第 2 年年末更换新设备。如果第 3 年的成本仍然小于新设备的年等额总成本，就应该继续计算在第 4 年使用旧设备的成本并与新设备进行比较。

(2)有限研究期的设备更换分析

如果研究期是有限的，基于设备的经济寿命期内的年度等值比较一般来说是不适用的。解决有限研究期问题的步骤是对所有方案建立合理的共同研究期，然后根据研究期内总使用成本作出合理的选择。

【例 10-9】某企业需要执行一份合同来完成一项服务，在接下来的 7 年中该服务可以用一台正使用中的旧设备，也可以使用新型设备。旧设备 O 目前价值为 2500 元，下一年将贬值 1000 元，以后每年贬值 500 元；今年的运行成本为 8000 元，预计今后每年将增加 1000 元；旧设备在 4 年后报废，那时它的残值为零。新型设备 N 的购置价格为 16000 元，经济寿命为 7 年，期末残值为 1500 元，在经济寿命期内，其年运行成本稳定在 6300 元。合同完成后，新旧设备都不会保留。试进行设备更新决策。企业基准投资收益率 10%。

【解】合同服务期限为 7 年，所以确定 7 年为共同研究期，各更新方案如图 10-5 所示。

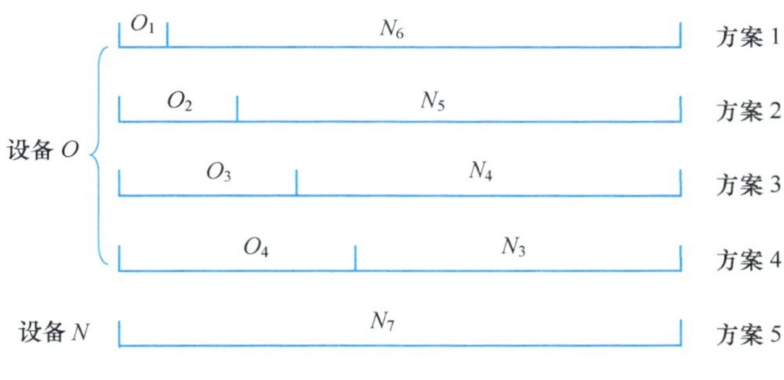

图 10-5 [例 10-9] 更新方案

新设备经济寿命内的年等额总成本为：

$$AC_{N7} = 16000(A/P,10\%,7) + 6300 - 1500(A/F,10\%,7) = 9428 \text{元}$$

计算以上各更新方案的总使用成本：

$$PC_{O1} = 2500+8000(P/F,10\%,1)-1500(P/F,10\%,1)+9428(P/A,10\%,6)(P/F,10\%,1) = 45739 \text{元}$$

$$PC_{O2} = 2500 + 8000(P/A,10\%,2) + 1000(P/G,10\%,2) - 1000(P/F,10\%,2) + 9428(P/A,10\%,5)(P/F,10\%,2) = 45922 \text{元}$$

$$PC_{O3} = 2500 + 8000(P/A,10\%,3) + 1000(P/G,10\%,3) - 500(P/F,10\%,3) + 9428(P/A,10\%,4)(P/F,10\%,3) = 46802 \text{元}$$

$$PC_{O4} = 2500+8000(P/A,10\%,4)+1000(P/G,10\%,4)+9428(P/A,10\%,3)(P/F,10\%,4) = 48251 \text{元}$$

$$PC_{N7} = 16000 + 6300(P/A,10\%,7) - 1500(P/F,10\%,7) = 9428(P/A,10\%,7) = 45901 \text{元}$$

由于方案 1 的总成本现值最低，故应采用现有设备再使用 1 年后用新设备更换。

当研究期延长后，设备可能的更新周期方案较多时，可供比较的更新方案就会很多，为了确保得到最优方案，可以使用动态规划等最优化技术。

10.4.3 设备更新方案的综合比较

设备超过最佳期限之后，就存在更新的问题。但陈旧设备直接更换是否必要或是否为最佳的选择，是需要进一步研究的问题。一般而言，对超过最佳期限的设备可以采用以下 5 种处理办法：①继续使用旧设备；②用原型设备更换旧设备；③用新型高效设备更换旧设备；④对旧设备进行现代化技术改造；⑤对旧设备进行大修理。

所谓设备现代化技术改造，是指应用现代的技术成就和先进经验，为适应生产的具体需要，而改变现有设备的结构，改善现有设备的技术性能，使之全部达到或局部达到新设备的水平。设备现代化技术改造是克服现有设备的技术陈旧状态，消除第Ⅱ类无形磨损的有效手段。作为促进技术进步的方法之一，设备现代化技术改造是改善设备技术性能的重要途径。

对以上更新方案进行综合比较宜采用最低总费用现值法。对可能采用的方案，分别计算它们的使用总成本现值（主要包括设备购置成本和运行成本），从中选取使用总成本最低的方案为最佳方案。各种方案的使用总成本可以用下列公式计算：

$$
\begin{aligned}
PC_1 &= \frac{1}{\alpha_1}\left[P_1 + \sum_{j=1}^{n} C_{1j}(P/F,i_c,j) - L_{1n}(P/F,i_c,n)\right] \\
PC_2 &= \frac{1}{\alpha_2}\left[P_2 + \sum_{j=1}^{n} C_{2j}(P/F,i_c,j) - L_{2n}(P/F,i_c,n)\right] \\
PC_3 &= \frac{1}{\alpha_3}\left[P_3 + \sum_{j=1}^{n} C_{3j}(P/F,i_c,j) - L_{3n}(P/F,i_c,n)\right] \\
PC_4 &= \frac{1}{\alpha_4}\left[P_4 + \sum_{j=1}^{n} C_{4j}(P/F,i_c,j) - L_{4n}(P/F,i_c,n)\right] \\
PC_5 &= \frac{1}{\alpha_5}\left[P_5 + \sum_{j=1}^{n} C_{5j}(P/F,i_c,j) - L_{5n}(P/F,i_c,n)\right]
\end{aligned}
\tag{10-12}
$$

式中 PC_1、PC_2、PC_3、PC_4、PC_5——继续使用旧设备、用原型设备更新、用新型高效设备更新、进行现代化技术改造和进行大修理等方案 n 年内的总费用现值；

P_1、P_2、P_3、P_4、P_5——使用旧设备、用原型设备更新、用新型高效设备更新、进行现代化技术改造和进行大修理等各种方案所需的投资；

C_{1j}、C_{2j}、C_{3j}、C_{4j}、C_{5j}——继续使用旧设备、用原型设备更新、用新型高效设备更新、进行现代化技术改造和进行大修理等各种方案在第 j 年的经营成本；

L_{1n}、L_{2n}、L_{3n}、L_{4n}、L_{5n}——旧设备、原型设备、新型高效设备、进行现代化技

术改造后的设备和进行大修理后的设备到第 n 年的残值；

α_1、α_2、α_3、α_4、α_5——继续使用旧设备、用原型设备更新、用新型高效设备更新、进行现代化技术改造和进行大修理等各种方案的生产效率系数，可将原型新设备的生产效率系数定为基准值，即取 $\alpha_2=1$。

【例 10-10】 某旧设备各种更新方案各项费用的原始资料见表 10-7 所列，i_c 为 10%，选择最佳更新方案。

[例 10-10] 更新方案各项费用原始资料表（元）　　表 10-7

项目/数据/方案	投资	生产效率系数	C 表示各年经营成本　L 表示各年末残值										
				1	2	3	4	5	6	7	8	9	10
继续用旧设备	$P_1=3000$	$\alpha_1=0.7$	C	1400	1800	2200							
			L	1200	600	300							
原型设备更新	$P_2=16000$	$\alpha_2=1$	C	450	550	650	750	850	950	1050	1150	1250	1350
			L	9360	8320	7280	6240	5200	4160	3120	2080	1300	1300
新型设备更新	$P_3=20000$	$\alpha_3=1.3$	C	350	420	490	560	630	700	770	840	910	980
			L	11520	10240	8600	7250	5700	4700	4000	3000	2000	2000
进行技术改造	$P_4=11000$	$\alpha_4=1.2$	C	550	680	810	940	1070	1200	1330	1460	1590	1720
			L	90000	8000	6700	5700	4700	3700	2700	1700	1000	1000
旧设备大修理	$P_5=7000$	$\alpha_5=0.98$	C	700	950	1200	1450	1700	1950	2200	2450	2700	2950
			L	64000	5800	5200	4700	3800	3000	2200	1400	700	700

【解】 根据式（10-12），计算出不同服务年限各方案的现值总费用见表 10-8 所列。

从计算结果可以看出，如果设备只使用 1 年，以使用旧设备的方案为最佳。如果只打算使用 2～4 年，最佳方案是对原设备进行一次大修理。如果估计设备将使用 5～6 年，最佳方案是对原设备进行现代化技术改造。如果使用期在 7 年以上，则用高效率新型设备替换旧设备的方案最佳。

[例 10-10] 不同服务年限各方案总费用现值计算表（元）　　表 10-8

	1	2	3	4	5	6	7	8	9	10
继续用旧设备	4545.4*	7520.6	10268.3							
原型设备更新	7900	9987.6	11882.4	13602.2	15163.2	16580.1	17866.0	19033.2	19962.4	20553.0
新型设备更新	6871.3	8442.7	10022.8	11284.1	12486.7	13340.8	14004.2*	14701.3*	15326.0*	15629.3*
进行技术改造	5265.1	7042.0	8863.9	10349.5	11715.5*	12971.5*	14126.1	15187.4	16056.8	16641.5
旧设备大修理	4916.5	6863.3*	8687.9*	10409.4*	12354.6	14157.4	15885.4	17537.2	19069.2	20257.3

10.4.4 所得税后更新分析

在本章前面各节内容中，设备经济寿命计算和更新分析，均未考虑企业所得税对更新方案的影响，属于税前分析。对企业而言，所得税是一项重要的现金流出，因此需要研究所得税对设备更新决策的影响，计算新旧设备的税后现金流量。

影响税后现金流量的因素通常有三个：第一，日常使用费。与继续使用旧设备相比，更换新设备将可能带来运营成本和维修费用的减少而使利润增加，导致所得税增加。第二，设备折旧费。折旧费虽不属于现金流量，但折旧费是计算应纳税所得额的扣减项目。使用新设备后折旧费可能高于或低于继续用旧设备的折旧费，从而带来所得税的变化。第三，资产处置损益。即资产出售的市场价值与其账面价值的差值。当市场价值大于账面价值，处置损益应计入应纳税所得额，按企业所得税纳税；当市场价值小于账面价值时，处置损益属于应税损失，可以抵扣企业的应纳税所得额，可以带来所得税的节约；市场价值等于账面价值，此时资产出售没有带来收益或损失，所得税没有变化。例如，某企业三年前花 30000 元购置了一台小型装载机，现在账面价值为 24000 元，企业适用的所得税税率为 25%。企业现在打算转让这台机器，如果出售价格 24000 元，则没有纳税变化；如果出售价格 28000 元，则企业需缴纳资产出售收益部分的所得税(28000－24000)×25%＝1000 元；如果出售价格是 21000 元，则其与账面差额抵扣纳税所得额，节税额为(24000－21000)×25%＝750 元。

【例 10-11】某公司有一台设备购置于 4 年前，现在考虑是否需要更新。根据公司业务需要，研究期确定为 5 年。更新前后的数据见表 10-9 所列。该企业税前基准收益率为 10%，税后基准收益率 8%，适用所得税率为 25%。采用平均年限折旧法，试分析设备更换的经济性。

［例 10-11］旧设备税前、税后净现金流量（元）　　表 10-9

旧设备目前状况		更换设备后预计情况	
旧设备原购置费	1600000	新设备购置费	1000000
旧设备当前价值	450000	新设备安装费用	80000
预计使用年限，已经使用年限	8 年，3 年	预计使用年限	5 年
折旧年限，残值率	8 年，10%	折旧年限，残值率	10 年，10%
年运营成本	84000	年运营成本	30000
预计使用期末市场价值	70000	预计使用期末市场价值	750000

【解】(1) 从现在开始的 5 年为研究期，比较费用现值来决定更新方案的取舍。

1) 旧设备净现金流量计算

① 折旧计算

$$旧设备年折旧 = \frac{1600000 \times (1-10\%)}{8} = 180000\text{ 元}$$

② 期初所得税计算

旧设备账面价值 $= 1600000 - 180000 \times 3 = 1060000$ 元

旧设备出售损益 $= 450000 - 1060000 = -610000$ 元

旧设备出售抵税收益 $= 610000 \times 25\% = 152500$ 元

③ 期末所得税计算

旧设备出售损益 $= 70000 - 160000 = -90000$ 元

旧设备抵税收益 = 90000 × 25% = 22500 元

旧设备税前、税后净现金流量计算见表 10-10 所列。

[例 10-11] 旧设备税前、税后净现金流量（元） 表 10-10

序号	年末	0	1	2	3	4	5
1	税前净现金流量	−450000	−84000	−84000	−84000	−84000	−14000
1.1	旧设备投资	−450000					
1.2	运营成本		−84000	−84000	−84000	−84000	−84000
1.3	旧设备出售						70000
2	折旧		180000	180000	180000	180000	180000
3	应纳税所得额调整	610000	−264000	−264000	−264000	−264000	−354000
4	所得税调整	152500	−66000	−66000	−66000	−66000	−88500
5	税后净现金流量	−602500	−18000	−18000	−18000	−18000	74500

2）新设备净现金流量计算

① 折旧计算

$$新设备年折旧 = \frac{1080000 \times (1-10\%)}{10} = 97200 元$$

② 期末所得税计算

新设备账面价值＝1080000－97200×5＝594000 元

新设备出售损益＝750000－594000＝156000 元

新设备出售所得税＝156000×25%＝39000 元

新设备税前、税后净现金流量计算见表 10-11 所列。

[例 10-11] 新设备税前、税后净现金流量（元） 表 10-11

序号	年末	0	1	2	3	4	5
1	税前净现金流量	−1080000	−30000	−30000	−30000	−30000	720000
1.1	新设备投资	−1080000					
1.2	运营成本		−30000	−30000	−30000	−30000	−30000
1.3	新设备出售						750000
2	折旧		97200	97200	97200	97200	97200
3	应纳税所得额调整		−127200	−127200	−127200	−127200	28800
4	所得税调整		−31800	−31800	−31800	−31800	7200
5	税后净现金流量	−1080000	1800	1800	1800	1800	712800

3）费用现值比较

根据税前净现金流量计算新旧设备的费用现值如下：

$PC_O(10\%) = 450000 + 84000(P/A,10\%,5) - 70000(P/F,10\%,5) = 724961$ 元

$PC_N(10\%) = 1080000 + 30000(P/A,10\%,5) - 750000(P/F,10\%.5) = 728033$ 元

根据税后净现金流量计算新旧设备的费用现值如下：

$PC_O(8\%) = 602500 + 18000(P/A,10\%,5) - 92500(P/F,10\%,5) = 611414$ 元

$PC_{N}(8\%) = 1080000 - 1800(P/A,10\%,5) - 711000(P/F,10\%,5) = 588918$ 元

税前计算得到继续使用旧设备的费用现值为 724961 元，更换为新设备的费用现值为 728033 元，所以应选择继续使用旧设备。若考虑所得税的影响，税后计算得到继续使用旧设备的费用现值为 611414 元，更换新设备的费用现值为 588918 元，应选择更换新设备。

（2）设备更换方案也可以通过考察设备更换前后的增量现金流量来进行经济分析。

1）期初增量现金流量分析

期初增量现金流量主要涉及对原有设备的更换，同时还应考虑与出售旧设备相关的现金流入及与旧设备相关的纳税效应。期初增量现金流量见表 10-12 所列。

［例 10-11］期初增量现金流量（元） 表 10-12

期初增量现金流入		期初增量现金流出	
旧设备出售收入	450000	新设备购置费	1000000
旧设备出售抵税收益	152500	新设备安装费用	80000

表中旧设备出售抵税收益计算如下：

旧设备出售损益＝450000－1060000＝－610000 元

旧设备出售抵税收益＝610000×25%＝152500 元

2）运营期间增量现金流量分析

假设更换前后销售收入没有变化，更新带来的增量现金流量主要包括运营成本、维修费用的变化及由这些现金流量变化和折旧费用变化所带来的所得税的增减。运营期间各年增量现金流量见表 10-13 所列。

［例 10-11］运营期间增量现金流量（元） 表 10-13

运营期间增量现金流入		运营期间增量现金流出	
节省运营成本	54000	所得税增加	34200

所得税增加额的计算如下：

更换前后年折旧费减少额＝180000－97200＝82800 元

更换后年利润增加额＝(84000－30000)＋82800＝136800 元

更换后所得税增加额＝136800×25%＝34200 元

3）期末增量现金流量分析

使用期末增量现金流量主要是新旧设备残值的差额以及其他与新旧设备处置相关的现金流增量。期末各年增量现金流量见表 10-14 所列。

［例 10-11］期末增量现金流量（元） 表 10-14

期末增量现金流入		期末增量现金流出	
设备残值增量	680000	所得税增加	34200

所得税增加额的计算如下：

期末旧设备处置收益＝70000－160000＝－90000 元

旧设备抵税收益＝90000×25%＝22500 元

新设备出售损益＝750000－594000＝156000 元

新设备出售所得税＝156000×25％＝39000 元

期末所得税调整额＝34200＋39000＋22500＝95700 元

根据上述分析，编制得到设备更换的增量现金流量表（表 10-15）。

［例 10-11］更换方案增量现金流量表（元） 表 10-15

序号	项目	0	1	2	3	4	5
1	税前增量现金流入	450000	54000	54000	54000	54000	734000
1.1	旧设备出售收入	450000					
1.2	节省运营费用		54000	54000	54000	54000	54000
1.3	期末设备残值增量						680000
2	税前增量现金流出	1080000					
2.1	新设备购置费用	1000000					
2.2	新设备安装费用	80000					
3	所得税调整	－152500	34200	34200	34200	34200	95700
4	税前净现金流量	－630000	54000	54000	54000	54000	734000
5	税后净现金流量	－477500	19800	19800	19800	19800	638300

根据上表可以计算出设备更换投资的税前 $NPV(10\%)=-3071<0,\Delta IRR=9.87\%<i_c=10\%$，所以不应该更换设备，需要继续使用旧设备。税后 $NPV(8\%)=22496>0,\Delta IRR=9.07\%>i_c=8\%$，表明设备更换投资是合算的，应该立即更换设备。

10.5 设备租赁经济分析

10.5.1 设备租赁概述

通常情况下，企业所需要的设备都是通过自有资金或借入资金购置或研制的，但如果企业资金紧张且筹措困难，或者有些设备价格昂贵，专业化程度高，结构复杂，难以研制，可考虑通过租赁方式获得设备。设备租赁就是租用他人的设备进行使用，具体来说就是指设备使用者（承租人）按照合同约定在一定期限内向设备所有者（出租人）支付一定费用而取得设备使用权的经济活动，它是设备投资的一种方式。

设备租赁的方式主要有两种：经营租赁和融资租赁。

（1）经营租赁

经营租赁也称运行租赁，是指在一定时期内，承租人支付租金而拥有设备使用权的行为。经营租赁时，出租人除向承租人提供租赁设备外，还要承担设备的维修保养，承租人不需要获得该设备的所有权，只是支付相应租金来取得设备的使用权。经营租赁的任何一方可以随时以一定方式在通知对方的规定时间内取消或中止租约。该类租赁具有可撤销性、短期性、租金高等特点，适用于技术进步快、用途较广泛、使用具有季节性的设备。经营租赁设备的租赁费计入企业成本，可减少企业所得税。

（2）融资租赁

融资租赁是指双方明确租赁的期限和付费义务，出租人按照要求提供规定的设备，然后以租金形式回收设备的全部资金，出租人对设备的整机性能、维修保养等不承担责任。融资租赁是以融通资金和对设备的长期使用为前提的，租赁期相当于或超过设备的寿命期，具有不可撤销性、租期长等特点，适用于大型设备、专有技术设备。融资租赁设备的费用由两部分组成，即初始直接费和资产本身价值。初始直接费用是指在租赁谈判和签订租赁合同的过程中发生的可直接归属于租赁项目的费用，通常有印花税、佣金、律师费、差旅费、谈判费等，计入当期费用一次性抵扣所得税。资产本身价值作为固定资产可计提折旧费，而折旧费是分期计入总成本费用，从而抵扣所得税。

从使用者角度看，设备租赁的优点如下：

1）节省设备投资。用较少的资金获得急需的生产设备，使企业在资金短缺情况下仍可以使用设备。

2）加快设备更新速度。科学技术快速发展，设备更新速度大大提高，租赁可以减少企业因设备陈旧、技术落后而带来的风险。

3）提高设备的利用率。特别是针对一些季节性或临时性需要使用的设备，企业通过租赁进行使用，可以避免购置设备带来的闲置。

4）合理避税。设备租赁费用作为企业费用可以在所得税税前扣除，能减少企业所得税的支出，给企业带来一定的利益。

设备租赁也有不足之处，主要表现在：

1）承租人对设备只有使用权没有所有权，因此不能随意对设备进行技术改造或者处置，比如抵押贷款等。

2）资金成本高。一般来说，承租人所交的租金总额要高于直接购买设备的费用。长期支付租金，形成承租人的长期负债。

3）租赁合同规定严格，违约损失严重。

由于设备租赁有利有弊，所以租赁设备前应进行经济分析。

10.5.2 设备租赁、购置的比较

设备租赁的经济分析是对设备租赁和设备购置进行经济比较与选择，也是从第三方视角进行的互斥方案比较选优。如果设备给企业带来的收入相同，则只需要比较租赁费用和购买费用。当设备寿命相同时，一般可以采用净现值法；设备寿命不同时，可以采用年值法。无论采用净现值法还是年值法，都以收益效果大或者成本较少的方案为佳。

采用设备租赁的方案，没有折旧费，租赁费可以直接计入成本，其年净现金流量为：

$$\text{年净现金流量} = \text{营业收入} - \text{经营成本} - \text{租赁费} - \text{所得税率} \times (\text{营业收入} - \text{经营成本} - \text{租赁费}) \tag{10-13}$$

而在相同条件下购置设备方案的年净现金流量为：

$$\text{年净现金流量} = \text{营业收入} - \text{经营成本} - \text{设备购置费} - \text{所得税率} \times (\text{营业收入} - \text{经营成本} - \text{折旧费}) \tag{10-14}$$

按税法和财务制度规定，租赁设备的租金允许计入成本；购买设备每年计提的折旧费

也允许计入成本；如果用借款购买设备，那么每年支付的利息也可以计入成本。在其他费用保持不变的情况下，计入成本越多，则利润总额越小，企业缴纳的所得税越少。因此，在充分考虑各种方式的税收影响下，应该选择税后收益大或者税后成本小的方案。

【例 10-12】 某企业因业务需要一台小型铲车。如果直接购买，价格为 50000 元，使用寿命 8 年，预计该设备的净残值为 1500 元。如果通过租赁形式获得该设备的使用权，则每年需要支付租金 4000 元。无论购买还是租赁，设备每年的运行费用为 4500 元，各种可能的其他费用每年约为 3000 元。基准收益率 10%。企业应该购买还是租赁设备？

【解】 购买设备，其费用现值为：

$PC_B=50000+(4500+3000)(P/A,10\%,8)-1500(P/F,10\%,8)=89312$ 元

租赁设备，其费用现值为：

$PC_R=(4000+4500+3000)(P/A,10\%,8)=61351$ 元

因为 $PC_B>PC_R$，所以租赁设备更有利。

【例 10-13】 某工厂急需更新某种设备，其购置费为 45000 元，使用寿命为 5 年，期末残值为 4500 元。这种设备也可租到，每年租赁费为 12000 元。所得税率为 25%，年末纳税。折旧采用直线法，基准收益率 $i=10\%$。若购买设备，资金全部为借款，借款年利率 8%，等额利息法偿还本利，借款期和设备使用寿命都为 5 年。工厂应采用哪种方案？

【解】（1）设备租赁方案

租赁设备时承租人可将租金计入成本而免税，故计算租赁设备方案的现值时需扣除租金免税金额。

$PC_R=12000\times(P/A,10\%,5)-0.25\times12000\times(P/A,10\%,5)=34117$ 元

（2）设备购置方案

$$年折旧费=\frac{45000-4500}{5}=8100\ 元$$

借款年利息 $=45000\times8\%=3600$ 元

借款购买设备时，企业可将所支付的利息和折旧计入成本中而免交所得税，同时可以回收残值。因此，借款购买设备的成本现值必须扣除折旧和支付利息的免税金额。

$PC_B=45000-0.25\times8100\times(P/A,10\%,5)-0.25\times3600\times(P/A,10\%,5)=31117$ 元

由于 $PC_B<PC_R$，从企业角度出发，应该选择购买设备的更新方案。

案例分析

某汽车公司冲压车间设备更新分析

1. 项目背景

某汽车公司冲压车间共有 3 条串联式自动化压力机生产线，主要负责汽车车身外覆盖件及前、后地板等部分内部零件的制造。其主要采取对钢板冷冲压的方法进行零件的成形制造，整个车间具备 29 万台车冲压零部件供应的生产能力。

生产线主要生产设备为闭式四点机械式压力机，每条生产线上均配置 4 台压力机。目前，冲压车间两条老生产线的设备中近 70%的压力机使用了 20 多年，前期经历多次大

修，设备维修费用逐年上涨，故障率逐渐升高，其压力机和自动化搬运设备的控制系统部件基本已经停产，备件库存有限，当备件使用完后设备就有停止运转而导致公司停产的风险，而且整条生产线能耗高，运转率低，产品生产成本高，这会导致公司竞争力下降，所以不能采用继续使用原设备的方案。

冲压车间设备更新可以选择大修及技术改造、原型更新或技术升级三种方案。

方案 1：生产线设备大修及技术改造。根据设备现状，设备大修包括以下几个内容：对齿轮损坏严重的压力机进行大修；对生产线进行安全回路改造；对停产部件进行升级改造或更新部分设备。

方案 2：对生产线设备采用性能更好的同类设备进行更新（普通机械压力机自动搬运线）。新的生产线在生产能力、生产规格上有一定优势，每天的生产能力高出 25%。现有生产线生产能力 7500 件/3 班，新生产线生产能力 10000 件/3 班。

方案 3：对生产线设备进行技术升级。采用一条伺服压力机自动搬运线替代原有的两条老生产线。随着电气控制技术特别是大容量、大扭矩、低转速交流伺服电机技术的发展，冲压行业出现了一种革命性的新产品——伺服压力机，其相对于传统机械式压力机具有以下优势：提高冲压加工品质的稳定性、材料费用削减、磨具费用减少、设备维修量少、环保效益高，是对同类生产线设备进行升级的首选技术。

2. 更新方案经济分析

方案 1：生产线设备大修

（1）服务年限的设定

对于大修后的设备，其主要机械部件可以恢复到接近新设备的水平，按照以往的经验，主要机械部件在现有生产条件下可使用 10 年，电气部件升级后，其更新换代周期大约也是 10 年，所以将大修后设备可服务年限设定为 10 年。对于设备更新的方案，资产的折旧期也是 10 年，因此统一将 3 种方案的服务年限设定为 10 年。

（2）服务年限内总费用的确定

总费用包括大修费用、年使用费用（人工费、大修期间互换生产费用、能源费、材料费用、零件损耗、维修费等）。大修费用：第 1 年年初投入 1230 万元，第 2 年年初投入 870 万元，第 3 年年初投入 2190 万元，第 4 年年初投入 200 万元。其他费用见案例分析表 10-1。基准收益率 10%，所得税率 25%，计算得到方案 1 的总费用现值为：98200 万元。

方案 1 费用计算表（万元）　　案例分析表 10-1

项目＼年份	1	2	3	4	5	6	7	8	9	10	11
大修投入	1230	870	2190	200							
人工费	680	734	793	857	925	999	1079	1165	1259	1359	1468
互换运输			29								
能源费	411	411	411	411	411	411	411	411	411	411	411
材料费	10000	10300	10609	10927	11255	11593	11941	12299	12668	13048	13439
零件损耗	30	31	32	33	34	35	36	37	38	39	40
维修费	690	500	400	300	330	363	399	439	483	531	585
费用年现金流量	13041	12846	14464	12728	12955	13401	13866	14351	14859	15388	15943

方案2：对生产线设备采用性能更好的同类设备进行更换（普通机械压力机自动搬运线）

（1）更换技术方案

根据最新设备规格标准，考虑到未来新车型规划，新的压力机搬运线要适应未来车型导入的趋势，其压力机吨位及工作台尺寸、滑块行程等工艺参数均作相应增加，压力机主规格为2000t＋1200t＋1000t＋1000t，自动化搬运装置采用机器人，整条生产线线首配置自动拆垛机及板料清洗机，零件在线末依然采取手工装箱。

（2）服务年限内总费用的确定

由于是新生产线更新，设备及其基础建设均属于投资项目，其中每条生产线设备（压力机＋自动化搬运装置＋清洗机＋拆垛机等）7000万元，地坑基础及其他配套设施1000万元。固定资产投资及费用均为公司自筹资金，不计利息。

生产线购买费用：第1年拆除C线，第2年新C线建成投产，同时拆除B线，第3年新B线投产。费用支出为，第2年支付7200万元（投资合同当年支付90%，下年设备验收后支付剩余的10%），第3年支出8000万元，第4年支出800万元。

旧设备处置收入及所得税：拆除的旧生产线可以变卖获得收入，经司业内部分供应商意向询价，旧生产线初步报价为每条生产线1850万元(除去拆除费用后售卖价)。另由于每条旧生产线账面价值(目前剩10%残值)为1632.7/2＝816.35万元，所以变卖收入超出账面价值部分还需要缴纳所得税。售卖每条旧生产线的所得税为(1850－816.35)×25%＝258.4万元，分别在第1年和第2年支付。

其他费用见案例分析表10-2，计算得到方案2的总费用现值为：105094万元。

方案2费用计算表（万元）　　　　案例分析表10-2

项目 \ 年份	1	2	3	4	5	6	7	8	9	10	11
新生产线投资		7200	8000	800							
旧生产线处置收入	1850	1850									
旧生产线处置收入所得税	258	258									
人工费	680	734	793	857	925	999	1079	1165	1259	1359	1468
互换运输	350	350									
能源费	411	411	411	411	411	411	411	411	411	411	411
材料费	10000	10300	10609	10927	11255	11593	11941	12299	12668	13048	13349
零件损耗	30	31	32	33	34	35	36	37	38	39	40
维修费	345	150	315	347	381	419	461	507	558	614	675
费用现金流量	10224	17584	20160	13375	13006	13457	13928	14419	14934	15471	15943

方案3：对生产线设备进行技术升级（采用一条伺服压力机自动搬运线替代原有的两条老生产线）

（1）技术升级方案

考虑到未来新车型规划，新的压力机搬运线要适应未来车型导入的趋势，其压力机吨位及工作台尺寸、滑块行程等工艺参数均作相应增加，压力机主规格为2300t＋1200t＋1000t＋1000t，自动化搬运装置采用厂家配套研发的高速搬运装置，整条生产线线首配置自动拆垛机及板料清洗机。由于生产线生产速度太快（约3.4～4s一件零件），零件在线末采取自动装箱。压力机地坑及基础重新施工，以保证压力机摆放位置并满足压力机静态负荷及动态负荷的需要。

（2）服务年限内总费用的确定

由于是新生产线升级，设备及其基础建设均属于投资项目。其中，设备（压力机＋自动化搬运装置＋清洗机＋拆垛机等）1.6亿元，地坑及配电等1500万元，项目总投资1.75亿元。固定资产投资及费用均为公司自筹资金，不计利息。

生产线购买费用：第1年拆除C线，第2年安装伺服线，第3年伺服线投产后拆除B线。费用支出为，第2年支付15750万元(投资合同当年支付90%，下年设备验收后支付剩余的10%)，第3年支出1750万元。

旧设备处置收入及所得税：拆除的旧生产线可以变卖获得收入，经向业内部分供应商意向询价，旧生产线初步报价为每条生产线1850万元(除去拆除费用后售卖价)。另由于每条旧生产线账面价值(目前剩10%残值)为1632.7/2＝816.35万元，所以变卖收入超出账面价值部分还需要缴纳所得税。售卖每条旧生产线的所得税为(1850－816.35)×25%＝258.4万元，分别在第1年和第3年支付。

其他费用见案例分析表10-3，计算得到方案3的总费用现值为：87003万元。

方案3费用计算表（万元） **案例分析表10-3**

项目＼年份	1	2	3	4	5	6	7	8	9	10	11
新生产线投资		15750	1750								
旧生产线处置收入	1850		1850								
旧生产线处置收入所得税	258		258								
人工费	680	734	373	403	435	470	508	548	592	640	691
互换运输	350	350									
能源费	411	411	338	338	338	338	338	338	338	338	338
材料费	10000	10300	10078	9336	8497	7857	8093	8335	8586	8843	9108
零件损耗	30	10	10	10	10	10	10	10	10	10	10
维修费	345	345	100	110	121	133	146	161	177	195	214
费用现金流量	10224	27900	11057	10197	9401	8808	9095	9392	9703	10026	10361

根据各种方案的投入、产出、维持费用等经济数据，利用服务年限内总费用最低的方法，判断出方案3总费用最低，应该选择该方案。（资料来源：何跃.G公司汽车冲压生产线设备更新决策.华南理工大学，2013.）

［案例思考］

1. 如果设备在不同更新方式下的投资发生变化，对更新方案结果会产生怎样的影响？

2. 如果基准收益率变为 12%，对更新方案结果会产生怎样的影响？

思考题

1. 联系实际，举例说明，何谓设备的有形磨损、无形磨损，各有何特点，设备磨损的补偿形式有哪些？

2. 什么是沉没成本，在工程经济分析中应如何处理沉没成本？

3. 设备更新分析有何特点？

4. 设备的技术寿命、自然寿命和经济寿命有何区别和联系？

习题

1. 某厂压缩机的购置价为 6000 元，第 1 年的运营成本为 1000 元，以后每年以 300 元定额递增。压缩机使用 1 年后的余值为 3600 元，以后每年以 400 元定额递减，压缩机的最大使用年限为 8 年。若基准收益率为 10%，试用动态方法计算压缩机的经济寿命。

2. 某企业 4 年前出 2200 元购置了设备 A，目前设备 A 的剩余寿命为 6 年，寿命终了时的残值为 200 元，设备 A 每年的运营费用为 700 元。目前，有一个设备制造厂出售与设备 A 具有相同功效的设备 B，设备 B 售价 2400 元，寿命为 10 年，残值为 300 元，每年运营费用为 400 元。如果企业购买设备 B，设备制造厂愿出价 600 元购买旧设备 A。设基准收益率为 10%，研究期为 6 年，试判断现在公司应保留设备 A，还是用设备 B 更换设备 A。

3. 连接器为某公司畅销产品，其上的两个零件通过公司的一台车床加工，这台车床是 13 年前花 8300 元购置的，估计还能使用 2 年，到期残值为 250 元。现在有人建议采用市场上出现的一种新车床替换旧车床，新车床的购置费为 25000 元。每 100 个零件分别由旧车床和新车床生产所需的时间见习题表 10-1 所列。估计未来公司每年连接器的销量将维持在 40000 件，企业人工费为 17 元/h，可以认为新旧设备的动力费相同。新车床的推销员已为公司找到一家公司，愿意以 1200 元购买旧车床。新车床的使用寿命为 10 年，残值为原值的 10%。设基准收益率为 10%，研究期为 2 年，试比较新旧车床的优劣。

每生产 100 个零件所需时间 **习题表 10-1**

零件	旧车床（h）	新车床（h）
零件 1	2.92	2.39
零件 2	1.84	1.45
总计	4.76	3.84

4. 由于城市用电量的增长，某地区现有输变电线路 A 容量出现缺口。根据预测，如果保留现有的输变电系统，则 7 年后必须新增加一条新的线路 B，原线路 A 和新线路 B 加在一走将使供电能力增加一倍。另外第二个考虑之中的方案是线路 C，其供电能力是现有线路的 2 倍。由于新线路的建设，原线路 A 将被拆除，用电权和土地使用权将被转让。A 线路是 12 年前修建的，当时投资 200 万元，其剩余寿命估计为 20 年，到期拆除费用为 50 万元，用电权和土地使用权转让收入为 140 万元。如果 A 线路现在拆除，拆除费用为 50 万元，用电权和土地使用权转让收入为 40 万元，A 线路今后第 1 年末的经营成本为 2 万元，以后每年等额递增 1 万元。B 线路 7 年后建设，投资为 600 万元，估计 B 线路能使用 35 年，到期残值 200 万元，每年经营成本为 1 万元。C 线路现在建设，投资 1400 万元，其中包括安装费和土地使用权购置费，估计 C 线路的使用期限为 50 年，到期残值为 700 万元，使用期间的年经营成本为 0.9 万元。设定基准收益率为 8%，研究期取 20 年，试确定两方案的优劣。

第11章 价值工程

引例

石棉板事件

第二次世界大战结束前不久，美国的军事工业发展很快，造成原材料供应紧缺，一些重要的材料很难买到。当时在美国通用电气公司有位名叫麦尔斯（L. D. Miles）的工程师，他的任务是为该公司寻找和取得军工生产用材料。麦尔斯研究发现，采购某种材料的目的并不在于该材料的本身，而在于材料的功能。在一定条件下，虽然买不到一种指定的材料，但可以找到具有同样功能的材料来代替。该公司汽车装配厂急需一种耐火材料——石棉板，当时，这种材料价格很高而且奇缺。麦尔斯想：只要材料的功能（作用）一样，能不能用一种价格较低的材料代替呢？他开始考虑为什么要用石棉板，其作用是什么？经过调查，原来汽车装配中的涂料容易漏洒在地板上，根据美国消防法规定，该类企业作业时地板上必须铺一层石棉板，以防火灾。麦尔斯弄清楚这种材料的功能后，找到了一种价格便宜而且能够满足防火要求的防火纸来代替石棉板。经过试用和检验，美国消防部门通过了这一代用材料。

启　示

麦尔斯对代用材料的寻找，是把技术设计和经济分析结合起来考虑问题，他的这种思路和研究问题的特殊方式为建设项目技术方案决策提供了有效方法。

本章知识结构图

价值工程是一门技术与经济相结合的学科，它既是一种管理技术，又是一种思想方法。国内外的实践证明，推广应用价值工程能够促进社会资源得到合理有效的利用，使投资兴建的工程项目更好地满足社会的需求。本章知识结构如下图所示。

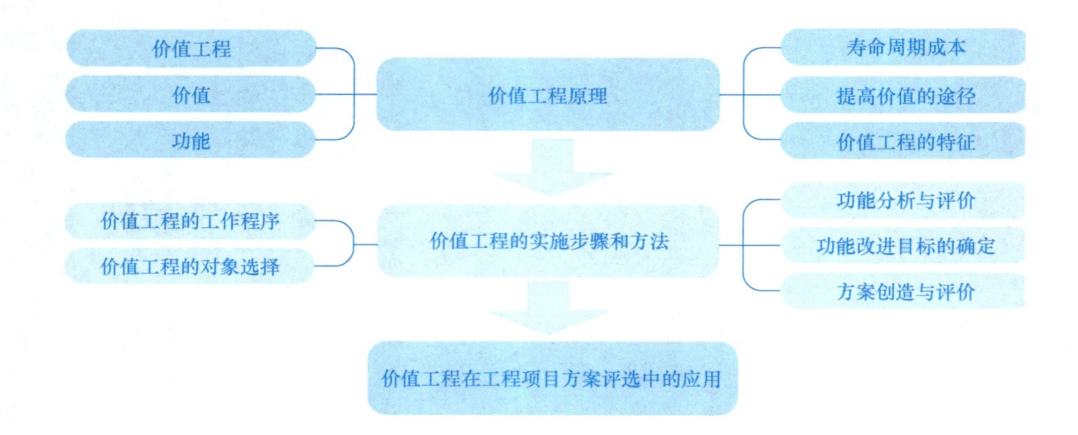

11.1 价值工程原理

11.1.1 价值工程

所谓价值工程（Value Engineering，VE)，是通过各相关领域的协作，对研究对象的功能与费用进行系统分析，持续创新，旨在提高研究对象价值的一种管理思想和管理技术。

价值工程的目的是以对象的最低寿命周期成本可靠地实现使用者所需功能，以获取最佳的综合效益。

价值工程的对象，是指凡为获取功能而发生费用的事物，如产品、过程、服务等或它们的组成部分。

11.1.2 价值（Value)

价值工程中的“价值”是指对象所具有的功能与获得该功能所发生费用之比，它不是对象的使用价值，也不是对象的交换价值，而是对象的比较价值，即性能价格比。设对象（如产品、工艺、服务等）的功能为 F，其成本为 C，价值为 V，则可利用下式计算价值：

$$V = \frac{F}{C} \tag{11-1}$$

价值的大小取决于功能和成本。产品的价值高低表明产品合理有效利用资源的程度和产品物美价廉的程度。价值高的产品表明其资源利用程度高；价值低的产品表明其资源没有得到有效利用，应设法改进和提高。由于“价值”的引入，产生了对产品新的评价形式，即把功能与成本或技术与经济结合起来进行评价。提高价值是广大消费者追求物有所值、物超所值的愿望，也是企业和国家对稀缺资源进行有效配置的要求。

11.1.3 功能（Function)

价值工程中的功能是对象能满足某种需求的效用或属性。任何产品都具有功能，如手机的主要功能有无线通话、拍照、上网等，轿车的功能有载送人员及其随身物品等。

功能可以有下述四种不同的分类方法。

1. 使用功能（Use Function）和品味功能（Esteem Function）

按性质分类，功能可划分为使用功能和品味功能。使用功能是对象具有的与技术经济用途直接有关的功能；品味功能是与使用者的精神感觉、主观意识有关的功能，如美学功能、外观功能、欣赏功能等。

2. 基本功能（Basic Function）和辅助功能（Supporting Function）

按重要程度分类，功能可划分为基本功能和辅助功能。基本功能是与对象的主要目的直接有关的功能，是对象存在的主要理由；辅助功能是为更好地实现基本功能服务的功能。

3. 必要功能（Necessary Function）和不必要功能（Unnecessary Function）

按使用者需求分类，功能可划分为必要功能和不必要功能。必要功能是为满足使用者的需求而必须具备的功能；不必要功能是对象具有的与满足使用者需求无关的功能。

4. 不足功能（Insufficient Function）和过剩功能（Plethoric Function）

按量化标准分类，功能可划分为不足功能和过剩功能。不足功能是指对象尚未足量满足使用者需求的必要功能；过剩功能是对象具有的超量满足使用者需求的必要功能。

功能分析的目的是在满足用户基本使用功能的基础上，尽可能增加产品的必要功能，减少不必要的功能，弥补不足功能，削减过剩功能。

11.1.4 寿命周期成本（Life Cycle Cost）

从对象被研究开发、设计制造、用户使用直到报废为止的整个时期，称为对象的寿命周期。对象的寿命周期一般可分为自然寿命和经济寿命。价值工程一般以经济寿命来计算和确定对象的寿命周期。

1. 产品寿命周期

产品和人的生命一样，要经历形成、成长、成熟、衰退这样的周期。产品寿命周期，简称 PLC（Product Life Cycle），是产品的市场寿命，即一种新产品从开始进入市场到被市场淘汰的整个过程。典型的产品寿命周期一般可以分成四个阶段，即介绍期（或引入期）、成长期、成熟期和衰退期。就建筑产品而言，其寿命周期是指从规划、勘察、设计、施工、使用、维修，直到报废为止的整个时期。

2. 寿命周期成本

寿命周期成本是指从对象的研究、形成到退出使用所需的全部费用。如图 11-1 所示，产品的寿命周期成本包括生产成本和使用成本两部分。生产成本是产品在研究开发、设计

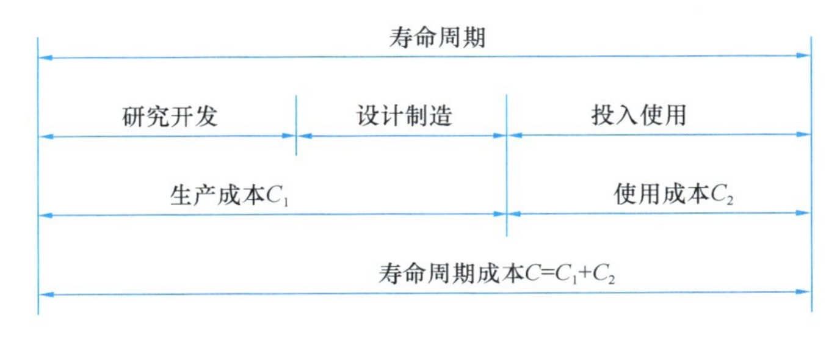

图 11-1　寿命周期与寿命周期成本的关系图

制造、运输施工、安装调试过程中发生的成本；使用成本是用户在使用产品过程中所发生的费用总和，包括产品的维护、保养、管理、能耗等方面的费用。

寿命周期成本 = 生产成本 + 使用成本

即：
$$C = C_1 + C_2 \tag{11-2}$$

产品的寿命周期成本与产品的功能有关。一般而言，生产成本与产品的功能呈正比关系，使用成本与产品的功能呈反比关系。如图 11-2 所示。

11.1.5 提高价值的途径

价值取决于功能和成本两个因素，因此提高价值的途径可归纳如下：

（1）保持产品的必要功能不变，降低产品成本，以提高产品的价值。即：

$\frac{F \rightarrow}{C \downarrow} = V \uparrow$。

（2）保持产品成本不变，提高产品的必要功能，以提高产品的价值。即：

$\frac{F \uparrow}{C \rightarrow} = V \uparrow$。

（3）成本稍有增加，但必要功能增加的幅度更大，使产品价值提高。即：

$\frac{F \uparrow \uparrow}{C \uparrow} = V \uparrow$。

（4）在不影响产品主要功能的前提下，适当降低一些次要功能，大幅度降低产品成本，提高产品价值。即：$\frac{F \downarrow}{C \downarrow \downarrow} = V \uparrow$。

（5）运用高新技术，进行产品创新，既提高必要功能，又降低成本，以大幅度提高价值。即：$\frac{F \uparrow}{C \downarrow} = V \uparrow \uparrow$，这是提高产品价值的理想途径 。

以上提高产品价值的途径也可用图 11-2～图 11-4 分别加以说明。

在图 11-2 中，如果某产品现在的功能成本处于 P_2点，则开展价值工程后，使功能成本点由 P_2移到 P_0，既提高了功能，又降低了成本，从而提高了产品的价值，这属于上述第 5 种提高价值的途径。在同一曲线中，如果某产品现在的功能成本点处于 P_0，将产品的功能由 F_0提高到 F_1，成本从 C_0上升到 C_1，显然功能提高的幅度大于成本提高的幅度，

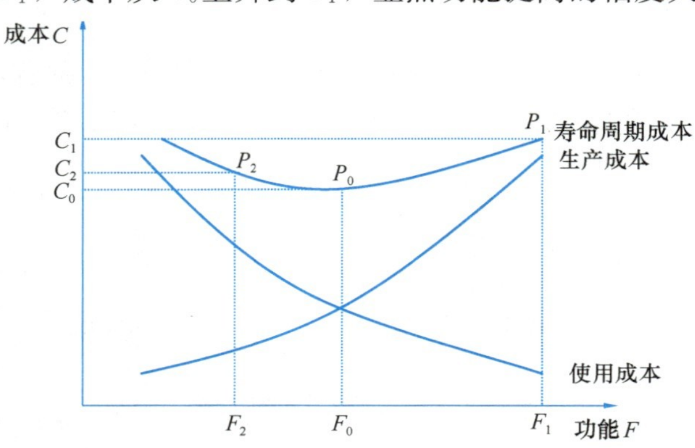

图 11-2 寿命周期成本与功能的关系图（一）

从而也提高了产品的价值，这属于上述第 3 种提高价值的途径。

在图 11-3 中，当某产品目前的功能成本点处于 P_1 的位置，那么适当地降低产品的辅助功能，比如从 F_1 降到 F_2，可使成本有更大幅度地下降，即从 C_1 下降到 C_2，这相当于提高产品价值的第 4 种途径。

随着高新技术在生产中的应用，实现同样功能的成本将逐渐降低，功能成本曲线将发生位移。在图 11-4 中，用虚线代表移动前的曲线，实线代表移动后的曲线，生产成本曲线右移，使用成本曲线左移，使得寿命周期成本线下移。这样，就可以在保持功能不变的情况下降低成本，比如由 P_0 变为 P_1；也可以在保持成本不变的情况下提高功能，比如由 P_0 变为 P_2。这相当于提高产品价值的第 1 和第 2 种途径。

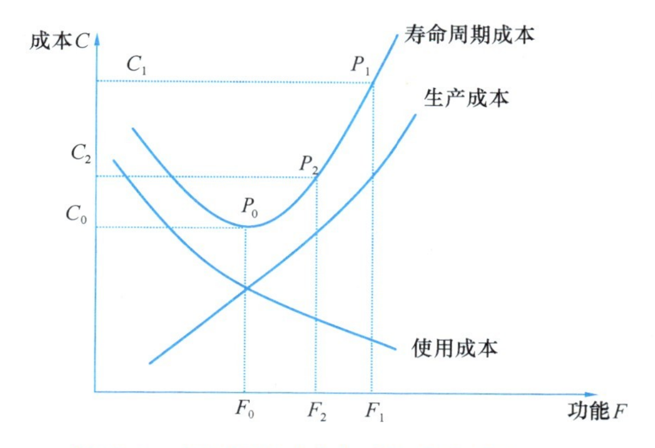

图 11-3　寿命周期成本与功能的关系图（二）

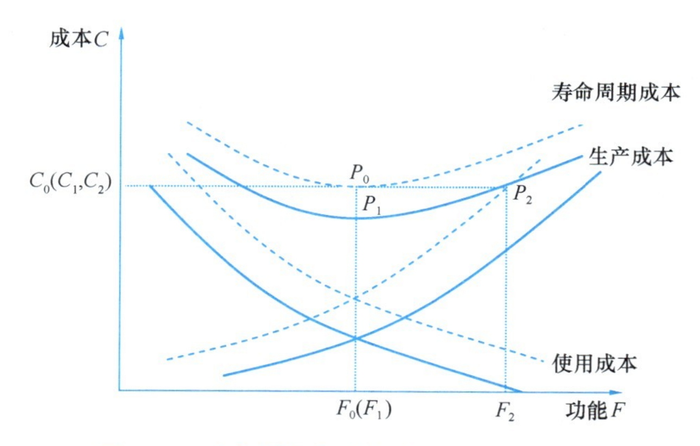

图 11-4　寿命周期成本与功能的关系图（三）

11.1.6　价值工程的特征

1. 目标上的特征

着眼于提高价值，即以最低的寿命周期成本实现必要功能的创造性活动。

2. 方法上的特征

功能分析是价值工程的核心，即在开展价值工程中，以使用者的功能需求为出发点。

3. 活动领域上的特征

侧重于在产品的研制与设计阶段开展工作，寻求技术上的突破。

4. 组织上的特征

价值工程是贯穿于产品整个寿命周期的系统方法，从产品研究、设计到原材料的采购、生产制造以及推销和维修，都有价值工程的工作可做，而且它涉及面广，需要许多部门和各种专业人员相互配合。因此，必须依靠有组织的、集体的努力来完成。开展价值工程活动，要组织设计、工艺、供应、加工、管理、财务、销售以至用户等各方面的人员参加，运用各方面的知识，发挥集体智慧，博采众家之长，从产品生产的全过程来确保功能，降低成本。

11.2 价值工程的实施步骤和方法

11.2.1 价值工程的工作程序

价值工程的一般工作程序见表 11-1 所列。由于价值工程的应用范围广泛，其活动形式也不尽相同，因此在实际应用中，可参照这个工作程序，根据对象的具体情况，应用价值工程的基本原理和思想方法，考虑具体的实施措施和方法步骤。但是对象选择、功能分析、功能评价和方案创新与评价是工作程序的关键内容，体现了价值工程的基本原理和思想，是不可缺少的。

价值工程的一般工作程序　　表 11-1

工作阶段	设计程序	工作步骤		对应问题
		基本步骤	详细步骤	
准备阶段	制定工作计划	确定目标	1. 工作对象选择	1. 这是什么？
			2. 信息搜集	
分析阶段	规定评价（功能要求事项实现程度的）标准	功能分析	3. 功能定义	2. 这是干什么用的？
			4. 功能整理	
		功能评价	5. 功能成本分析	3. 它的成本是多少？
			6. 功能评价	4. 它的价值是多少？
			7. 确定改进范围	
创新阶段	初步设计（提出各种设计方案）	制定改进方案	8. 方案创新	5. 有其他方法实现这一功能吗？
	评价各设计方案，对方案进行改进、选优		9. 概略评价	6. 新方案的成本是多少？
			10. 调整完善	
			11. 详细评价	
	书面化		12. 提出提案	7. 新方案能满足功能要求吗？
实施阶段	检查实施情况并评价活动成果	实施评价成果	13. 审批	8. 偏离目标了吗？
			14. 实施与检查	
			15. 成果鉴定	

11.2.2 价值工程的对象选择

价值工程的对象选择是逐步缩小研究范围、寻找目标、确定主攻方向的过程。正确选择工作对象是价值工程成功的第一步，能起到事半功倍的效果。对象选择的一般原则是：市场反馈迫切要求改进的产品；功能改进和成本降低潜力较大的产品。

对象选择的方法很多，下面着重介绍四种方法，即经验分析法、百分比法、价值指数法和 *ABC* 分析法。

1. 经验分析法

经验分析法是根据有丰富实践经验的设计人员、施工人员以及企业的专业技术人员和管理人员对产品中存在问题的直接感受，经过主观判断确定价值工程对象的一种方法。

经验分析法是对象选择的定性分析方法，其优点是简便易行，考虑问题综合全面，是目前实践中采用较为普遍的方法。缺点是缺乏定量分析，在分析人员经验不足时准确程度降低，但用于初选阶段是可行的。

2. 百分比法

百分比法是通过分析产品对两个或两个以上经济指标的影响程度（百分比）来确定价值工程对象的方法。

【例 11-1】某金属结构制品公司有 6 种产品，它们各自的年成本和年利润占公司年总成本和年利润总额的百分比见表 11-2 所列。公司目前急需提高利润水平，试确定可能的价值工程对象。

【解】各产品成本和利润百分比计算结果见表 11-2 所列。由表 11-2 可见，产品 *D* 的成本占年总成本的 17.3%，而其利润仅占年利润总额的 6.6%，显然，产品 *D* 应作为价值工程的重点分析对象。

［例 11-1］成本和利润百分比　　表 11-2

产品种类	*A*	*B*	*C*	*D*	*E*	*F*	合计
产品年成本（万元）	565	65	35	160	55	45	925
产品年成本占总成本百分比（%）	61.1	7.0	3.8	17.3	5.9	4.9	100
产品年利润（万元）	185	25	15	20	35	25	305
产品年利润占年利润总额百分比（%）	60.7	8.2	4.9	6.6	11.5	8.2	100
年利润百分比/年成本百分比	0.99	1.17	1.29	0.38	1.95	1.67	
排序	5	4	3	6	1	2	

百分比法的优点是，当企业在一定时期要提高某些经济指标且拟选对象数目不多时，具有较强的针对性和有效性。缺点是不够系统和全面，有时为了更全面、更综合地选择对象，百分比法可与经验分析法结合使用。

3. 价值指数法

根据价值的表达式 $V=\frac{F}{C}$，在产品成本已知的基础上，将产品功能定量化，就可以计算产品价值。在应用该法选择价值工程的对象时，应当综合考虑价值指数偏离 1 的程度和改善幅度，优先选择 $V<1$ 且改进幅度大的产品或零部件。

【例 11-2】 某机械制造厂生产四种型号的挖土机，各种型号挖土机的主要技术参数及相应的成本费用见表 11-3 所列。试运用价值指数法选择价值工程对象。

[例 11-2] 推土机主要技术参数及相应成本 表 11-3

产品型号	甲	乙	丙	丁
技术参数（百 m^3/台班）	1.51	1.55	1.60	1.30
成本费用（百元/台班）	1.36	1.12	1.30	1.40
价值指数	1.11	1.38	1.23	0.93

【解】 价值指数计算见表 11-3 所列。由表 11-3 可见，挖土机丁应作为价值工程对象。

价值指数法一般适用于产品功能单一、可计量，产品性能和生产特点可比的系列产品或零部件的价值工程对象选择。

4. *ABC* 分析法

ABC 分析法是根据研究对象对某项目技术经济指标的影响程度和研究对象数量的比例大小两个因素，把所有研究对象划分成主次有别的 *A*、*B*、*C* 三类的方法。通过这种划分，明确关键的少数和一般的多数，准确地选择价值工程对象。

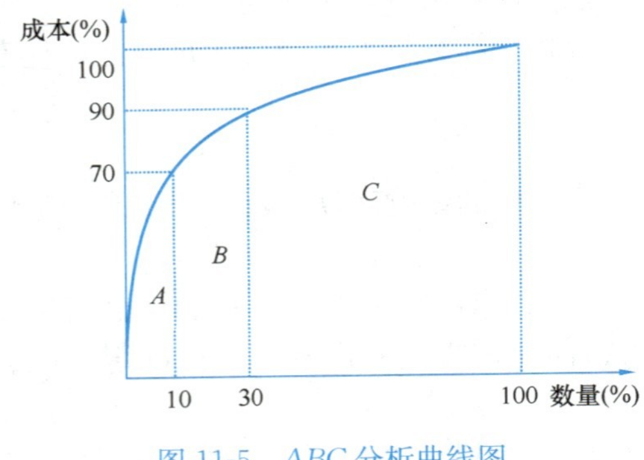

图 11-5 *ABC* 分析曲线图

研究对象类别划分的参考值见表 11-4 和图 11-5 所示。

A、*B*、*C* 类别划分参考值 表 11-4

类别	数量占总数百分比	成本占总成本百分比
A 类	10%左右	70%左右
B 类	20%左右	20%左右
C 类	70%左右	10%左右

【例 11-3】 某住宅楼工程基础部分包含 17 个分项工程，各分项工程的造价及基础部分的直接费见表 11-5，试采用 *ABC* 分析法确定该基础工程中可能作为价值工程研究对象的分项工程。

[例 11-3] 某住宅楼基础工程分项工程 *ABC* 分类 表 11-5

	分项工程名称	成本（元）	累计分项工程数	累计分项工程数百分比（%）	累计成本（元）	累计成本百分比（%）	分类
1	C20 带形钢筋混凝土基础	63436	1	5.88	63436	39.5	*A*
2	干铺土石屑垫层	29119	2	11.76	92555	57.64	
3	回填土	14753	3	17.65	107308	66.83	

续表

	分项工程名称	成本（元）	累计分项工程数	累计分项工程数百分比（%）	累计成本（元）	累计成本百分比（%）	分类
4	商品混凝土运费	10991	4	23.53	118299	73.67	B
5	C10混凝土基础垫层	10952	5	29.41	129251	80.49	
6	排水费	10487	6	35.29	139738	87.02	
7	C20独立式钢筋混凝土基础	6181	7	41.18	145919	90.87	
8	C10带形无筋混凝土基础	5638	8	47.06	151557	94.38	C
9	C20矩形钢筋混凝土柱	2791	9	52.94	154348	96.12	
10	M5砂浆砌砖基础	2202	10	58.82	156550	97.49	
11	挖土机挖土	2058	11	64.71	158608	98.77	
12	推土机场外运费	693	12	70.59	159301	99.20	
13	履带式挖土机场外运费	529	13	76.47	159830	99.53	
14	满堂脚手架	241	14	82.35	160071	99.68	
15	平整场地	223	15	88.24	160294	99.82	
16	槽底钎探	197	16	94.12	160491	99.94	
17	基础防潮底	89	17	100	160580	100	
总成本		160580					

【解】基础分项工程的 ABC 分类见表11-5所列。其中，C20带形钢筋混凝土基础、干铺土石屑垫层、回填土三项工程为 A 类工程，应考虑作为价值工程分析的对象。

ABC 分析法的优点是抓住重点，突出主要矛盾，在对复杂产品的零部件作对象选择时常用它进行主次分类，以便略去“次要的多数”，抓住“关键的少数”，卓有成效地开展工作。

11.2.3 功能分析与评价

1. 功能分析

功能分析是为完整描述各功能及其相互关系而对各功能进行定性和定量的系统分析过程。通过功能分析，可以回答产品“这是干什么用的”的问题，从而准确掌握用户的功能要求。

功能系统图是表示对象功能得以实现的功能逻辑关系图。功能系统图中包括总功能、上位功能、下位功能、同位功能、末位功能，以及由上述功能组成的功能区域。

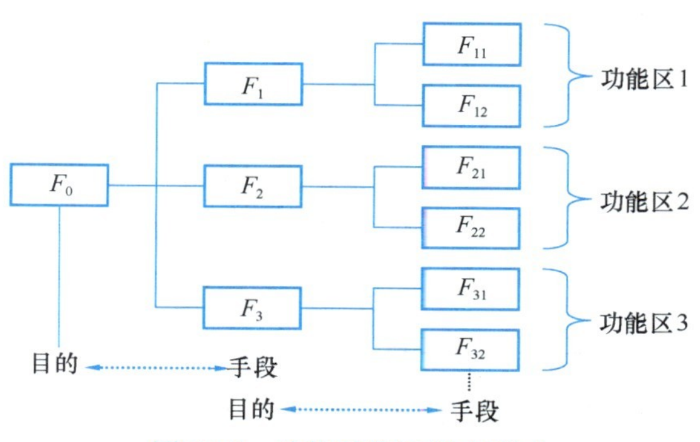

图11-6 功能系统图基本模式

功能系统图中，两个功能直接相连时，如果一个功能是另一个功能的目的，并且另一个功能是这个功能的手段，则把作为目的的功能称为上位功能，作为手段的功能称为下位功能，上位功能和下位功能通常具有相对性。如图11-6中，F_1 相对于 F_{11} 和 F_{12} 来说是上位功能，相对于 F_0 来说是下位功能。同位功能是指功能系统图中，与同一上位功能相连的若干下位功能，如图 11-6 中，F_{11}与F_{12}就是同位功能。总功能是指功能系统图中，仅为上位功能的功能，如图 11-6 中的F_0。末位功能指功能系统图中，仅为下位功能的功能，如图 11-6 中的F_{11}、F_{12}、F_{21}、F_{22}等。功能区域是功能系统图中，任何一个功能及其各级下位功能的组合。

以微型手电筒为例，在对其功能进行定义的基础上，通过功能分析和功能整理，得到微型手电筒的功能系统图如图 11-7 所示。

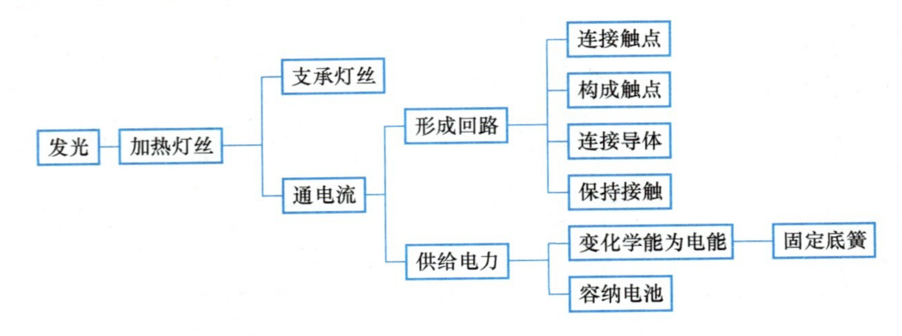

图 11-7　微型手电筒功能系统图

2. 功能评价

功能评价就是对组成对象的零部件在功能系统中的重要程度进行定量估计。

功能评价的方法有："01" 评分法、直接评分法、"04" 评分法、倍比法等。

(1) "01" 评分法（也称强制确定法，Forced Decision Method，简称 FD 法）

这种方法的做法是请 5～15 个对产品熟悉的人员各自参加功能的评价。评价两个功能的重要性时，可以对完成该功能的相应零件进行比较，重要者得 1 分，不重要者得 0 分。"01" 评分法得分总和为 $n+\frac{n(n-1)}{2}$，n 为对比的零件数量。例如，某个产品有 5 个零件，总分应为 15 分，某一评价人员采用 "01" 评分法确定功能评价系数的过程见表 11-6 所列。

"01" 法功能评价系数表　　表 11-6

零件名称	一对一比较结果					得分	功能评价系数
	A	B	C	D	E		
A	×	1	0	1	1	3+1	0.27
B	0	×	0	1	1	2+1	0.20
C	1	1	×	1	1	4+1	0.33
D	0	0	0	×	0	0+1	0.07
E	0	0	0	1	×	1+1	0.13
合计						15	1.0

如果有 10 个评价人员参加评定，将 10 个人的功能评价系数进行汇总，可得到平均功能评价系数，见表 11-7 所列。

平均功能评价系数计算表

表 11-7

评价人员 零件功能	1	2	3	4	5	6	7	8	9	10	平均功能评价系数
A	0.27	0.3	0.2	0.2	0.27	0.27	0.1	0.2	0.27	0.2	0.23
B	0.20	0.2	0.2	0.2	0.27	0.20	0.2	0.2	0.2	0.2	0.21
C	0.33	0.3	0.4	0.33	0.27	0.33	0.4	0.27	0.33	0.4	0.34
D	0.07	0.1	0.1	0.07	0.06	0.07	0.1	0.07	0.13	0.1	0.09
E	0.13	0.1	0.1	0.2	0.13	0.13	0.2	0.27	0.07	0.1	0.13
合计	1.0	1.0	1.0	1.0	1.0	1.0	1.0	1.0	1.0	1.0	1.0

（2）直接评分法

直接评分法是请5～15个熟悉对象的人员给对象各零件的功能直接打分，评价时规定总分标准，每个参评人员给对象各零件功能的评分之和必须等于总分。例如，对表11-7中的评价人员规定总分标准为10分，则功能评价系数计算见表11-8所列。

（3）“04”评分法

“04”评分法是对“01”评分法的改进，它更能反映功能之间的真实差别。采用“04”评分法对评价对象进行一一比较时，分为四种情况：

1）非常重要的功能得4分，很不重要的功能得0分；

2）比较重要的功能得3分，不太重要的功能得1分；

3）两个功能重要程度相同时各得2分；

4）自身对比不得分。

直接评分法功能评价系数计算表

表 11-8

评价人员 零件功能	1	2	3	4	5	6	7	8	9	10	各零件得分	功能评价系数
A	3	3	2	2	3	3	1	2	3	2	24	0.24
B	2	2	2	2	3	2	2	2	2	2	21	0.21
C	4	3	4	4	3	4	4	3	4	4	37	0.37
D	0	1	1	0	0	0	1	0	1	1	5	0.05
E	1	1	1	2	1	1	2	3	0	1	13	0.13
合计	10	10	10	10	10	10	10	10	10	10	100	1.0

“04”评分法得分总和为$2n(n-1)$，n为对比的零件数量。例如，某个产品有5个零件，总分应为40分，某一评价人员采用“04”评分法确定功能评价系数的过程见表11-9所列。

"04"法功能评价系数表　　表 11-9

零件功能	一对一比较结果					得分	功能评价系数
	A	B	C	D	E		
A	×	3	1	4	4	12	0.3
B	1	×	3	1	4	9	0.225
C	3	1	×	3	0	7	0.175
D	0	3	1	×	3	7	0.175
E	0	0	4	1	×	5	0.125
合计						40	1.0

(4) 倍比法

这种方法是利用评价对象之间的相关性进行比较来定出功能评价系数，其具体步骤如下：

1) 根据各评价对象的功能重要性程度，按上高下低原则排序；

2) 从上至下按倍数比较相邻两个评价对象，如表 11-10 中，F_1是 F_2的 2 倍；

3) 令最后一个评价对象得分为 1，按上述各对象之间的相对比值计算其他对象的得分；

4) 计算各评价对象的功能评价系数。

倍比法计算功能重要性系数表　　表 11-10

评价对象	相对比值	得分	功能评价系数
F_1	$F_1/F_2=2$	9	0.51
F_2	$F_2/F_3=1.5$	4.5	0.26
F_3	$F_3/F_4=3$	3	0.17
F_4		1	0.06
合计		17.5	1.00

11.2.4 功能改进目标的确定

确定功能改进目标的方法有价值系数法和最合适区域法。

1. 价值系数法

当对产品的各功能进行评价之后，得出每一个零件的功能评价系数。同样，对各功能的现实成本分析之后，可求得每一个零件的成本系数，进而可求得价值系数。

$$成本系数=\frac{零件成本}{总成本} \tag{11-3}$$

$$价值系数=\frac{功能评价系数}{成本系数} \tag{11-4}$$

【例 11-4】 某产品有 4 项功能，其功能评价系数已通过表 11-10 的倍比法确定，其现实成本见表 11-11 所列，试确定该产品的功能改进目标。

【解】 该产品的成本系数、价值系数、功能改善优先次序见表 11-11 所列。

[例 11-4] 价值系数计算表 表 11-11

功能 ①	功能评价系数②	现实成本 ③	成本系数 ④=③/1129	价值系数 ⑤=②/④	功能改善目标 ⑥
F_1	0.51	562	0.498	1.02	
F_2	0.26	298	0.264	0.98	
F_3	0.17	153	0.136	1.25	
F_4	0.06	116	0.103	0.58	✓
合计	1.00	1129			

2. 最合适区域法

以成本系数为横坐标，功能系数为纵坐标，如图 11-8 所示，则与横轴成 45°的一条直线为理想价值线（$V=1$）。围绕该线有一朝向原点由两条双曲线包围的喇叭形区域，叫做最合适区域。凡落在这个区域的价值系数点，其功能与成本是适应的，可不作为重点改善目标。$V>1$ 的点将落在喇叭形区域的左上方，$V<1$ 的点将落在喇叭形区域的右下方，均属于功能改善的目标。

喇叭形区域是这样确定的：设有一任意价值系数点 M，其坐标为（x，y），由图 11-8 可看出，M 离原点越远即 L 越大，意味着其功能及成本系数的绝对量大，改善的余地大，故应作为重点改善对象；反之，若 M 离原点近，说明对全局影响小，属于次要的改善对象。同时，M 点与理想价值线的垂直距离 R 越大，表示与理想价值线的偏离度越大，改进的余地也越大，应作为重点改善的目标。因此，可用 $L\times R$ 综合反映 M 点的这两个因素。

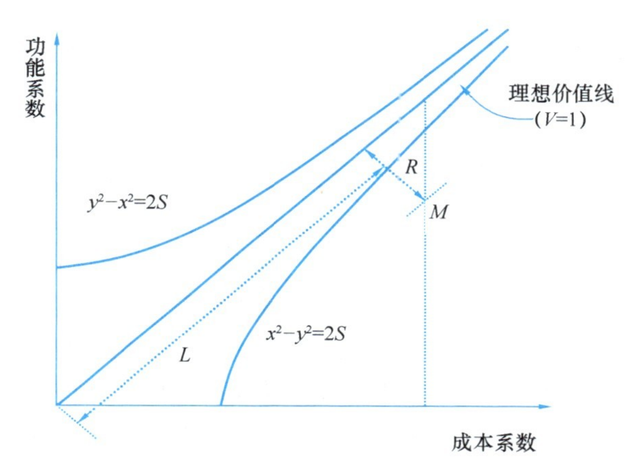

图 11-8 最合适区域图

令 $S=L\times R$ 为一个定值，则喇叭形区域的边界线为：$x^2-y^2=2S$，$y^2-x^2=2S$，式中 S 的取值大小决定了最合适区域的宽窄。因为 L 与 R 的乘积等于定值 S，显然 L 越大 R 越小，L 越小 R 越大，故图形呈喇叭状。

11.2.5 方案创新与评价

1. 方案的创新

为了提高产品的功能和降低成本，需要寻求最佳的替代方案。寻求或构思这种为满足已明确或潜在的功能需求而开发新构想或新方案的活动的过程就是方案的创新过程。价值工程活动能否取得成功，关键是在正确的功能分析和评价基础上能否提出可靠实现必要功能的新方案。方案的创新通常可选用下列方法：

（1）头脑风暴法（Brain Storming Method，简称 BS 法）

这种方法是以开小组会方式进行。具体做法是事先通知议题，开会时要求应邀参加会议的各方面专业人员在会上自由奔放地思考，提出不同的方案，多多益善。但不评价别人的方案，并且希望与会者在别人建议方案的基础上进行改进，提出新的方案。

（2）模糊目标法（Godon Method）

这种方法是美国人哥顿在20世纪60年代提出来的，所以也称哥顿法。其特点是与会人员会前不知道议题，在开会讨论时也只是抽象地讨论，不接触具体的实质性问题，以免束缚与会人员的思想。待讨论到一定程度以后才把中心议题指出来，以作进一步研究。

（3）专家函询法（Delphi Method）

这种方法不采用开会的形式，而是由主管人员或部门把已构思的方案以信函的方式分发给有关的专业人员，征询他们的意见，然后将意见汇总，统计和整理之后再分发下去，希望再次补充修改，如此反复若干次，即经过几上几下，把原来比较分散的意见做集中处理，作为新的代替方案。

方案创新的方法很多，总的原则是要充分发挥有关人员的聪明智慧，集思广益，多提方案，从而为评价方案创造条件。

2. 方案评价和选择

方案评价是在方案创新的基础上对新构思方案的技术、经济和社会效果等几方面进行的评估，以便选择最佳方案。方案评价分为概略评价和详细评价两个阶段。

（1）概略评价

概略评价是对已创新出来的方案从技术、经济和社会三个方面进行初步研究，其目的是从众多的方案中进行粗略的筛选，减少详细评价的工作量，使精力集中于优秀方案的评价。

（2）详细评价

方案的详细评价，就是对概略评价所得的比较抽象的方案进行调查和收集信息资料，使其在材料、结构、功能等方面进一步具体化，然后作最后的审查和评价。

在详细评价阶段，对产品或服务的成本究竟是多少，能否可靠地实现必要的功能，都必须得到准确的解答。总之，要证明方案在技术和经济方面是可行的，而且价值必须得到真正的提高。

经过评价，淘汰了不能满足要求的方案后，就可从保留的方案中选择技术上先进、经济上合理和社会上有利的最优方案。方案评价和选优的方法可参照前述有关章节的内容。

11.3 价值工程在工程项目方案评选中的应用

【例11-5】某城市高新技术开发区软件园电子大楼工程吊顶工程量为18000m^2，根据软件生产工艺的要求，车间的吊顶要具有防静电、防眩光、防火、隔热、吸声五种基本功能以及样式新颖、表面平整、易于清理三种辅助功能。工程技术人员采用价值工程选择生产车间的吊顶材料，取得了较好的经济效果。以下是他们的分析过程。

1. 情报收集

工程人员首先对吊顶材料进行广泛调查，收集各种吊顶材料的技术性能资料和有关经济资料。

2. 功能分析与评价

技术人员对软件生产车间吊顶的功能进行了系统分析，绘出了功能系统图，如图 11-9 所示。

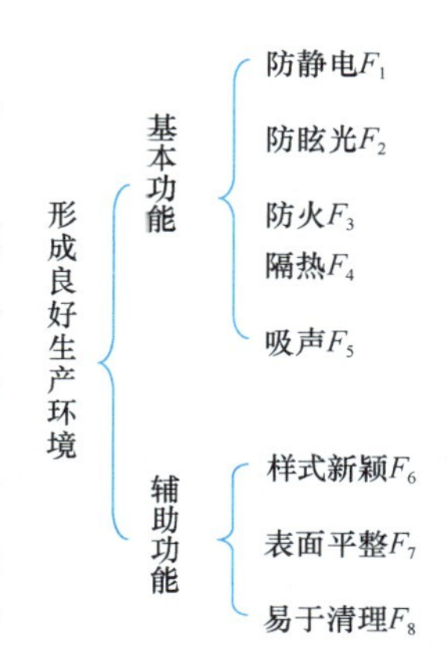

图 11-9 ［例 11-5］某软件生产车间吊顶功能系统图

根据功能系统图，技术人员组织使用单位、设计单位、施工单位共同确定各种功能权重。使用单位、设计单位、施工单位评价的权重分别设定为 50%、40% 和 10%，各单位对功能权重的打分采用 10 分制，各种功能权重见表 11-12 所列。

根据车间工艺对吊顶功能的要求，吊顶材料考虑铝合金加腈棉板、膨胀珍珠岩板和 PVC 板三个方案。三个方案的单方造价、工程造价、年维护费等见表 11-13 所列。基准折现率为 10%，吊顶寿命为 10 年。各方案成本系数计算见表 11-13 所列。

对三个方案采用 10 分制进行功能评价。各分值乘以功能权重得功能加权分，对功能加权分的和进行指数处理后可得各方案的功能系数。计算过程见表 11-14 所列。

［例 11-5］吊顶功能重要程度系数　　表 11-12

功能	使用单位评价（50%）		设计单位评价（40%）		施工单位评价（10%）		功能权重 $\frac{0.5F_{使用}+0.4F_{设计}+0.1F_{施工}}{10}$
	$F_{使用}$	$F_{使用}\times0.5$	$F_{设计}$	$F_{设计}\times0.4$	$F_{施工}$	$F_{施工}\times0.1$	
F_1	4.12	2.060	4.26	1.704	3.18	0.318	0.408
F_2	1.04	0.520	1.35	0.540	1.55	0.155	0.122
F_3	0.82	0.410	1.28	0.512	1.33	0.133	0.106
F_4	0.91	0.455	0.55	0.220	1.06	0.106	0.078
F_5	1.10	0.550	0.64	0.256	1.08	0.108	0.091
F_6	0.98	0.490	1.12	0.448	1.04	0.104	0.104
F_7	0.64	0.320	0.48	0.192	0.53	0.053	0.056
F_8	0.39	0.195	0.32	0.128	0.23	0.023	0.035
合计	10	5	10	4	10	1	1

［例 11-5］各方案成本系数计算表　　表 11-13

方案	铝合金加腈棉板	膨胀珍珠岩板	PVC 板
单方造价（元/m²）	112.53	26.00	20.00
工程造价（万元）	202.54	46.80	36.00
年维护费（元）	35067	23400	36000
折现系数	6.1446	6.1446	6.1446
维护费现值（万元）	3.5067×6.1446=21.55	2.3400×6.1446=14.38	3.5000×6.1446=22.12

续表

方案	铝合金加腈棉板	膨胀珍珠岩板	PVC 板
总成本现值	224.09	61.18	58.12
成本系数	224.09/(224.09+61.18+58.12)=0.653	61.18/(224.09+61.18+58.12)=0.178	58.12/(224.09+61.18+58.12)=0.169

[例 11-5] 各方案功能系数计算表　　表 11-14

功能	功能权重	铝合金加腈棉板		膨胀珍珠岩板		PVC 板	
		分值	加权分值	分值	加权分值	分值	加权分值
防静电 F_1	0.408	8	3.264	9	3.672	5	2.040
防眩光 F_2	0.122	7	0.854	9	1.098	8	0.976
防火 F_3	0.106	5	0.530	9	0.954	6	0.636
隔热 F_4	0.078	8	0.624	6	0.468	4	0.312
吸声 F_5	0.091	8	0.728	10	0.910	5	0.455
样式新颖 F_6	0.104	10	1.040	9	0.936	8	0.832
表面平整 F_7	0.056	10	0.560	9	0.504	8	0.448
易于清理 F_8	0.035	9	0.315	8	0.280	9	0.315
合计	1	65	7.915	69	8.822	53	6.014
加权分值指数化		7.915/(7.915+8.822+6.014)		8.822/(7.915+8.822+6.014)		6.014/(7.915+8.822+6.014)	
功能系数		0.348		0.388		0.264	

根据各方案的功能系数和成本系数计算其价值系数，计算结果见表 11-15 所列。

[例 11-5]各方案价值系数计算表　　表 11-15

方　案	铝合金加腈棉板	膨胀珍珠岩板	PVC 板
功能系数	0.348	0.388	0.264
成本系数	0.653	0.178	0.169
价值系数	0.533	2.180	1.562
最优方案		√	

案例分析

全新爱丽舍、全新捷达、全新桑塔纳全面对比

十年前，“老三样”爱丽舍、捷达、桑塔纳上演了一出“三国争霸”。十年后，在经历了脱胎换骨的变化后，昔日的老对手，又开始了新竞争。“新三样”爱丽舍、捷达、桑塔纳谁的性价比更高？下面通过测试三者的基本款(托运挡低配)车型给出答案。

1. 基本数据

“新三样”爱丽舍、捷达、桑塔纳车型的基本数据见案例分析表 11-1 所列。

车型基本数据　　案例分析表 11-1

项目 \ 车型	全新爱丽舍	全新捷达	全新桑塔纳
长×宽×高(mm)	4427×1748×1476	4487×1706×1470	4473×1706×1469
轴距(mm)	2652	2603	2603
后备厢空间	485L	466L	466L
发动机	EC5 1.6LCVVT	EA211	EA211
最大功率(kW)	86	81	81
100～0km/h 制动测试(m)	41.7	43.19	44.13
18℃后排加温速度	5 分 39 秒	8 分 48 秒	9 分 25 秒
怠速时噪声水平(dB)	40.9	41.5	43.0

2. 空间布局

由于全新爱丽舍在对车内空间影响巨大的轴距上具有较大优势，因此，车内空间上，全新爱丽舍前排和后排的腿部空间都有 3～5cm 的优势。这对身高较高的人驾驶有帮助。

在储物空间上，全新爱丽舍在数量和空间大小方面具有明显的优势。

3. 动力操控

从数据上看，差距不明显。但在实际测试中，全新爱丽舍在初段加速性上表现出色，在急加速过程中入挡顺畅，离合器踏板力度合适，更适合需要频繁启动的城市路况。

在制动方面，全新爱丽舍要优于其他两款车型。

4. 人性化配置

在舒适性和车内噪声控制方面，全新爱丽舍表现更胜一筹。另外，全新爱丽舍独有 PM2.5 车内滤净系统，能够对 PM2.5 实现 90%以上的过滤，对 PM10 的过滤效果更不低于 99%，这是赢得消费者青睐的利器。

5. 综合评价

“新三样”具有在空间、动力性能以及产品定位方面表现出的高度相似性，但由于设计风格和产品策略的不同，又表现出明显的差异化。显然，在同等价位下，全新爱丽舍的性能价格比更优(资料来源：李方．老对手新竞争．京华时报，2013-12-19)。

思考题

1. 什么是价值工程，价值工程中的价值含义是什么，提高价值有哪些途径？
2. 什么是寿命周期和寿命周期成本，价值工程中为什么要考虑寿命周期成本？
3. 什么是功能，功能如何分类？
4. 功能分析的目的是什么，功能系统图的要点是什么？
5. 什么是功能评价，常用的评价方法有哪些？
6. 什么是价值工程对象的选择，*ABC* 分析法的基本思路是什么？
7. 功能改善目标如何确定，最合适区域法的基本思路是什么？

附录Ⅰ　复　利　因　子

4%复利因子

一次支付			等额多次支付				
N	F/P	P/F	F/A	P/A	A/F	A/P	N
1	1.0400	0.9615	1.0000	0.9615	1.0000	1.0400	1
2	1.0816	0.9246	2.0400	1.8861	0.4902	0.5302	2
3	1.1249	0.8890	3.1216	2.7751	0.3202	0.3603	3
4	1.1699	0.8548	4.2465	3.6299	0.2355	0.2755	4
5	1.2167	0.8219	5.4163	4.4518	0.1846	0.2246	5
6	1.2653	0.7903	6.6330	5.2421	0.1508	0.1908	6
7	1.3159	0.7599	7.8983	6.0021	0.1266	0.1666	7
8	1.3686	0.7307	9.2142	6.7327	0.1085	0.1485	8
9	1.4233	0.7026	10.5828	7.4353	0.0945	0.1345	9
10	1.4802	0.6756	12.0061	8.1109	0.0833	0.1233	10
11	1.5395	0.6496	13.4863	8.7605	0.0741	0.1141	11
12	1.6010	0.6246	15.0258	9.3851	0.0666	0.1066	12
13	1.6651	0.6006	16.6268	9.9856	0.0601	0.1001	13
14	1.7317	0.5775	18.2919	10.5631	0.0547	0.0947	14
15	1.8009	0.5553	20.0236	11.1184	0.0499	0.0899	15
16	1.8730	0.5339	21.8245	11.6523	0.0458	0.0858	16
17	1.9479	0.5134	23.6975	12.1657	0.0422	0.0822	17
18	2.0258	0.4936	25.6454	12.6593	0.0390	0.0790	18
19	2.1068	0.4746	27.6712	13.1339	0.0361	0.0761	19
20	2.1911	0.4564	29.7781	13.5903	0.0336	0.0736	20
21	2.2788	0.4388	31.9692	14.0292	0.0313	0.0713	21
22	2.3699	0.4220	34.2480	14.4511	0.0292	0.0692	22
23	2.4647	0.4057	36.6179	14.8568	0.0273	0.0673	23
24	2.5633	0.3901	39.0826	15.2470	0.0256	0.0656	24
25	2.6658	0.3751	41.6459	15.6221	0.0240	0.0640	25
26	2.7725	0.3607	44.3117	15.9828	0.0226	0.0626	26
27	2.8834	0.3468	47.0842	16.3296	0.0212	0.0612	27
28	2.9987	0.3335	49.9676	16.6631	0.0200	0.0600	28
29	3.1187	0.3207	52.9663	16.9837	0.0189	0.0589	29
30	3.2434	0.3083	56.0849	17.2920	0.0178	0.0578	30
35	3.9461	0.2534	73.6522	18.6646	0.0136	0.0536	35
40	4.8010	0.2083	95.0255	19.7928	0.0105	0.0505	40
45	5.8412	0.1712	121.029	20.7200	0.0083	0.0483	45
50	7.1067	0.1407	152.667	21.4822	0.0066	0.0466	50
55	8.6464	0.1157	191.159	22.1086	0.0052	0.0452	55
60	10.5196	0.0951	237.991	22.6235	0.0042	0.0442	60
65	12.7987	0.0781	294.968	23.0467	0.0034	0.0434	65
70	15.5716	0.0642	364.290	23.3945	0.0027	0.0427	70
75	18.9452	0.0528	448.631	23.6804	0.0022	0.0422	75
80	23.0498	0.0434	551.245	23.9154	0.0018	0.0418	80
85	28.0436	0.0357	676.090	24.1085	0.0015	0.0415	85
90	34.1193	0.0293	827.98	24.2673	0.0012	0.0412	90
95	41.5113	0.0241	1012.78	24.3978	0.0010	0.0410	95
100	50.5049	0.0198	1237.62	24.5050	0.0008	0.0408	100
∞				25.0000		0.0400	∞

5%复利因子

	一次支付		等额多次支付				
N	F/P	P/F	F/A	P/A	A/F	A/P	N
1	1.0500	0.9524	1.0000	0.9524	1.0000	1.0500	1
2	1.1025	0.9070	2.0500	1.8594	0.4878	0.5378	2
3	1.1576	0.8636	3.1525	2.7232	0.3172	0.3672	3
4	1.2155	0.8227	4.3103	3.5460	0.2320	0.2820	4
5	1.2763	0.7835	5.5256	4.3295	0.1810	0.2310	5
6	1.3401	0.7462	6.8019	5.0757	0.1470	0.1970	6
7	1.4071	0.7107	8.1420	5.7864	0.1228	0.1728	7
8	1.4775	0.6768	9.5491	6.4632	0.1047	0.1547	8
9	1.5513	0.6446	11.0266	7.1078	0.0907	0.1407	9
10	1.6289	0.6139	12.5779	7.7217	0.0795	0.1295	10
11	1.7103	0.5847	14.2068	8.3064	0.0704	0.1204	11
12	1.7959	0.5568	15.9171	8.8633	0.0628	0.1128	12
13	1.8856	0.5303	17.7130	9.3936	0.0565	0.1065	13
14	1.9799	0.5051	19.5986	9.8986	0.0510	0.1010	14
15	2.0789	0.4810	21.5786	10.3797	0.0463	0.0963	15
16	2.1829	0.4581	23.6575	10.8378	0.0423	0.0923	16
17	2.2920	0.4363	25.8404	11.2741	0.0387	0.0887	17
18	2.4066	0.4155	28.1324	11.6896	0.0355	0.0855	18
19	2.5269	0.3957	30.5390	12.0853	0.0327	0.0827	19
20	2.6533	0.3769	33.0659	12.4622	0.0302	0.0802	20
21	2.7860	0.3589	35.7192	12.8212	0.0280	0.0780	21
22	2.9253	0.3418	38.5052	13.1630	0.0260	0.0760	22
23	3.0715	0.3256	41.4305	13.4886	0.0241	0.0741	23
24	3.2251	0.3101	44.5020	13.7986	0.0225	0.0725	24
25	3.3864	0.2953	47.7271	14.0939	0.0210	0.0710	25
26	3.5557	0.2812	51.1134	14.3752	0.0196	0.0696	26
27	3.7335	0.2678	54.6691	14.6430	0.0183	0.0683	27
28	3.9201	0.2551	58.4026	14.8981	0.0171	0.0671	28
29	4.1161	0.2429	62.3227	15.1411	0.0160	0.0660	29
30	4.3219	0.2314	66.4388	15.3725	0.0151	0.0651	30
35	5.5160	0.1813	90.3203	16.3742	0.0111	0.0611	35
40	7.0400	0.1420	120.800	17.1591	0.0083	0.0583	40
45	8.9850	0.1113	159.700	17.7741	0.0063	0.0563	45
50	11.4674	0.0872	209.348	18.2559	0.0048	0.0548	50
55	14.6356	0.0683	272.713	18.6335	0.0037	0.0537	55
60	18.6792	0.0535	353.584	18.9293	0.0028	0.0528	60
65	23.8399	0.0419	456.798	19.1611	0.0022	0.0522	65
70	30.4264	0.0329	588.528	19.3427	0.0017	0.0517	70
75	38.8327	0.0258	756.653	19.4850	0.0013	0.0513	75
80	49.5614	0.0202	971.228	19.5965	0.0010	0.0510	80
85	63.2543	0.0158	1245.09	19.6838	0.0008	0.0508	85
90	80.7303	0.0124	1594.61	19.7523	0.0006	0.0506	90
95	103.035	0.0097	2040.69	19.8059	0.0005	0.0505	95
100	131.501	0.0076	2610.02	19.8479	0.0004	0.0504	100
∞				20.0000		0.5000	∞

6%复利因子

	一次支付		等额多次支付				
N	F/P	P/F	F/A	P/A	A/F	A/P	N
1	1.0600	0.9434	1.0000	0.9434	1.0000	1.0600	1
2	1.1236	0.8900	2.0600	1.8334	0.4854	0.5454	2
3	1.1910	0.8396	3.1836	2.6730	0.3141	0.3741	3
4	1.2625	0.7921	4.3746	3.4651	0.2286	0.2886	4
5	1.3382	0.7473	5.6371	4.2124	0.1774	0.2374	5
6	1.4185	0.7050	6.9753	4.9173	0.1434	0.2034	6
7	1.5036	0.6651	8.3938	5.5824	0.1191	0.1791	7
8	1.5938	0.6274	9.8975	6.2098	0.1010	0.1610	8
9	1.6895	0.5919	11.4913	6.8017	0.0870	0.1470	9
10	1.7908	0.5584	13.1808	7.3601	0.0759	0.1359	10
11	1.8983	0.5268	14.9716	7.8869	0.0668	0.1268	11
12	2.0122	0.4970	16.8699	8.3838	0.0593	0.1193	12
13	2.1329	0.4688	18.8821	8.8527	0.0530	0.1130	13
14	2.2609	0.4423	21.0151	9.2950	0.0476	0.1076	14
15	2.3966	0.4173	23.2760	9.7122	0.0430	0.1030	15
16	2.5404	0.3936	25.6725	10.1059	0.0390	0.0990	16
17	2.6928	0.3714	28.2129	10.4773	0.0354	0.0954	17
18	2.8543	0.3503	30.9056	10.8276	0.0324	0.0924	18
19	3.0256	0.3305	33.7600	11.1581	0.0296	0.0896	19
20	3.2071	0.3118	36.7856	11.4699	0.0272	0.0872	20
21	3.3996	0.2942	39.9927	11.7641	0.0250	0.0850	21
22	3.6035	0.2775	43.3923	12.0416	0.0230	0.0830	22
23	3.8197	0.2618	46.9958	12.3034	0.0213	0.0813	23
24	4.0489	0.2470	50.8155	12.5504	0.0197	0.0797	24
25	4.2919	0.2330	54.8645	12.7834	0.0182	0.0782	25
26	4.5494	0.2198	59.1563	13.0032	0.0169	0.0769	26
27	4.8223	0.2074	63.7057	13.2105	0.0157	0.0757	27
28	5.1117	0.1956	68.5281	13.4062	0.0146	0.0746	28
29	5.4184	0.1846	73.6397	13.5907	0.0136	0.736	29
30	5.7435	0.1741	79.0581	13.7648	0.0126	0.726	30
35	7.6861	0.1301	111.435	14.4982	0.0090	0.0690	35
40	10.2857	0.0972	154.762	15.0463	0.0065	0.0665	40
45	13.7646	0.0727	212.743	15.4558	0.0047	0.0647	45
50	18.4201	0.0543	290.336	15.7619	0.0034	0.0634	50
55	24.6503	0.0406	394.172	15.9905	0.0025	0.0625	55
60	32.9876	0.0303	533.128	16.1614	0.0019	0.0619	60
65	44.1449	0.0227	719.082	16.2891	0.0014	0.0614	65
70	59.0758	0.0169	967.931	16.3845	0.0010	0.0610	70
75	79.0568	0.0126	1300.95	16.4558	0.0008	0.0608	75
80	105.796	0.0095	1746.60	16.5091	0.0006	0.0606	80
85	141.579	0.0071	2342.98	16.5489	0.0004	0.0604	85
90	189.464	0.0053	3141.07	16.5787	0.0003	0.0603	90
95	253.546	0.0039	4209.10	16.6009	0.0002	0.0602	95
100	339.301	0.0029	5638.36	16.6175	0.0002	0.0602	100
∞				18.182		0.0600	∞

8%复利因子

一次支付			等额多次支付				
N	F/P	P/F	F/A	P/A	A/F	A/P	N
1	1.0800	0.9259	1.0000	0.9259	1.0000	1.0800	1
2	1.1664	0.8573	2.0800	1.7833	0.4808	0.5608	2
3	1.2597	0.7938	3.2464	2.5771	0.3080	0.3880	3
4	1.3605	0.7350	4.5061	3.3121	0.2219	0.3019	4
5	1.4693	0.6806	5.8666	3.9927	0.1705	0.2505	5
6	1.5869	0.6302	7.3359	4.6229	0.1363	0.2163	6
7	1.7138	0.5835	8.9228	5.2064	0.1121	0.1921	7
8	1.8509	0.5403	10.6366	5.7466	0.0940	0.1740	8
9	1.9990	0.5002	12.4876	6.2469	0.0801	0.1601	9
10	2.1589	0.4632	14.4866	6.7101	0.0690	0.1490	10
11	2.3316	0.4289	16.6455	7.1390	0.0601	0.1401	11
12	2.5182	0.3971	18.9771	7.5361	0.0527	0.1327	12
13	2.7196	0.3677	21.4953	7.9038	0.0465	0.1265	13
14	2.9372	0.3405	24.2149	8.2442	0.0413	0.1213	14
15	3.1722	0.3152	27.1521	8.5595	0.0368	0.1168	15
16	3.4269	0.2919	30.3243	8.8514	0.0330	0.1130	16
17	3.7000	0.2703	33.7502	9.1216	0.0296	0.1096	17
18	3.9960	0.2502	37.4502	9.3719	0.0267	0.1067	18
19	4.3157	0.2117	41.4463	9.6036	0.0241	0.1041	19
20	4.6610	0.2145	45.7620	9.8181	0.0219	0.1019	20
21	5.0338	0.1987	50.4229	10.0168	0.0198	0.0998	21
22	5.4365	0.1839	55.4567	10.2007	0.0180	0.0980	22
23	5.8715	0.1703	60.8933	10.3711	0.0164	0.0964	23
24	6.3412	0.1577	66.7647	10.5288	0.0150	0.0950	24
25	6.8485	0.1460	73.1059	10.6748	0.0137	0.0937	25
26	7.3964	0.1352	79.9544	10.8100	0.0125	0.0925	26
27	7.9881	0.1252	87.3507	10.9352	0.0114	0.0914	27
28	8.6271	0.1159	95.3388	11.0511	0.0105	0.0905	28
29	9.3173	0.1073	103.966	11.1584	0.0096	0.0896	29
30	10.0627	0.0994	113.283	11.2578	0.0088	0.0888	30
35	14.7853	0.0676	172.317	11.6546	0.0058	0.0858	35
40	21.7245	0.0460	259.056	11.9246	0.0039	0.0839	40
45	31.9204	0.0313	386.506	12.1084	0.0026	0.0826	45
50	46.9016	0.0213	573.770	12.2335	0.0017	0.0817	50
55	68.9138	0.0145	848.923	12.3186	0.0012	0.0812	55
60	101.257	0.0099	1253.21	12.3766	0.0008	0.0808	60
65	148.780	0.0067	1847.25	12.4160	0.0005	0.0805	65
70	218.606	0.0046	2720.08	12.4428	0.0004	0.0804	70
75	321.204	0.0031	4002.55	12.4611	0.0002	0.0802	75
80	471.955	0.0021	5886.93	12.4735	0.0002	0.0802	80
85	693.456	0.0014	8655.71	12.4820	0.0001	0.0801	85
90	1018.92	0.0010	12723.9	12.4877	α	0.0801	90
95	1497.12	0.0007	18071.5	12.4917	α	0.0801	95
100	2199.76	0.0005	27484.5	12.4943	α	0.0800	100
∞				12.5000		0.0800	∞

$\alpha < 0.0001$

10%复利因子

	一次支付		等额多次支付				
N	*F/P*	*P/F*	*F/A*	*P/A*	*A/F*	*A/P*	*N*
1	1.1000	0.9091	1.0000	0.9091	1.0000	1.1000	1
2	1.2100	0.8264	2.1000	1.7355	0.4762	0.5762	2
3	1.3310	0.7513	3.3100	2.4869	0.3021	0.4021	3
4	1.4641	0.6830	4.6410	3.1699	0.2155	0.3155	4
5	1.6105	0.6209	6.1051	3.7908	0.1638	0.2638	5
6	1.7716	0.5645	7.7156	4.3553	0.1296	0.2296	6
7	1.9487	0.5132	9.4872	4.8684	0.1054	0.2054	7
8	2.1436	0.4665	11.4359	5.3349	0.0874	0.1874	8
9	2.3579	0.4241	13.5795	5.7590	0.0736	0.1736	9
10	2.5937	0.3855	15.9374	6.1446	0.0627	0.1627	10
11	2.8531	0.3505	18.5312	6.4951	0.0540	0.1540	11
12	3.1384	0.3186	21.3843	6.8137	0.0468	0.1468	12
13	3.4523	0.2897	24.5227	7.1034	0.0408	0.1408	13
14	3.7975	0.2633	27.9750	7.3667	0.0357	0.1357	14
15	4.1772	0.2394	31.7725	7.6061	0.0315	0.1315	15
16	4.5950	0.2176	35.9497	7.8237	0.0278	0.1278	16
17	5.0545	0.1978	40.5447	8.0216	0.0247	0.1247	17
18	5.5599	0.1799	45.5992	8.2014	0.0219	0.1219	18
19	6.1159	0.1635	51.1591	8.3649	0.0195	0.1195	19
20	6.7275	0.1486	57.2750	8.5136	0.0175	0.1175	20
21	7.4002	0.1351	64.0025	8.6487	0.0156	0.1156	21
22	8.1403	0.1228	71.4027	8.7715	0.0140	0.1140	22
23	8.9543	0.1117	79.5430	8.8832	0.0126	0.1126	23
24	9.8494	0.1015	88.4973	8.9847	0.0113	0.1113	24
25	10.8347	0.0923	98.3470	9.0770	0.0102	0.1102	25
26	11.9182	0.0839	109.182	9.1609	0.0092	0.1092	26
27	13.1100	0.0763	121.100	9.2372	0.0083	0.1083	27
28	14.4210	0.0693	134.210	9.3066	0.0075	0.1075	28
29	15.8631	0.0630	148.631	9.3696	0.0067	0.1067	29
30	17.4494	0.0573	164.494	9.4269	0.0061	0.1061	30
35	28.1024	0.0356	271.024	9.6442	0.0037	0.1037	35
40	45.2592	0.0221	442.592	9.7791	0.0023	0.1033	40
45	72.8904	0.0137	718.905	9.8628	0.0014	0.1024	45
50	117.391	0.0085	1163.91	9.9148	0.0009	0.1019	50
55	189.059	0.0053	1880.59	9.9471	0.0005	0.1005	55
60	304.481	0.0033	3034.81	9.9672	0.0003	0.1003	60
65	490.370	0.0020	4893.71	9.9796	0.0002	0.1002	65
70	789.746	0.0013	7887.47	9.9873	0.0001	0.1001	70
75	1271.89	0.0008	12708.9	9.9921	α	0.1001	75
80	2048.40	0.0005	20474.0	9.9951	α	0.0000	80
85	3298.97	0.0003	32979.7	9.9970	α	0.1000	85
90	5313.02	0.0002	53120.2	9.9981	α	0.1000	90
95	8556.67	0.0001	85556.7	9.9988	α	0.1000	95
100	13780.6	α	137796	9.9993	α	0.1000	100
∞				10.0000		0.1000	∞

12%复利因子

	一次支付		等额多次支付				
N	F/P	P/F	F/A	P/A	A/F	A/P	N
1	1.1200	0.8929	1.0000	0.8929	1.0000	1.1200	1
2	1.2544	0.7972	2.1200	1.6901	0.4717	0.5917	2
3	1.4049	0.7118	3.3744	2.4018	0.2963	0.4163	3
4	1.5735	0.6355	4.7793	3.0373	0.2092	0.3292	4
5	1.7623	0.5674	6.3528	3.6048	0.1574	0.2774	5
6	1.9738	0.5066	8.1152	4.1114	0.1232	0.2432	6
7	2.2107	0.4523	10.0890	4.5638	0.0991	0.2191	7
8	2.4760	0.4039	12.2997	4.9676	0.0813	0.2013	8
9	2.7731	0.3606	14.7757	5.3282	0.0677	0.1877	9
10	3.1058	0.3220	17.5487	5.6502	0.0570	0.1770	10
11	3.4785	0.2875	20.6546	5.9377	0.0484	0.1684	11
12	3.8960	0.2567	24.1331	6.1944	0.0414	0.1614	12
13	4.3635	0.2292	28.0291	6.4235	0.0357	0.1557	13
14	4.8871	0.2046	32.3926	6.6282	0.0309	0.1509	14
15	5.4736	0.1827	37.2797	6.8109	0.0268	0.1468	15
16	6.1304	0.1631	42.7533	6.9740	0.0234	0.1434	16
17	6.8660	0.1456	48.8837	7.1196	0.0205	0.1405	17
18	7.6900	0.1300	55.7497	7.2497	0.0179	0.1379	18
19	8.6128	0.1161	63.4397	7.3658	0.0158	0.1358	19
20	9.6463	0.1037	72.0524	7.4694	0.0139	0.1339	20
21	10.8038	0.0926	81.4987	7.5620	0.0122	0.1322	21
22	12.1003	0.0826	92.5026	7.6446	0.0108	0.1308	22
23	13.5523	0.0738	104.603	7.7184	0.0096	0.1296	23
24	15.1786	0.0659	118.155	7.7843	0.0085	0.1285	24
25	17.0001	0.0588	133.334	7.8431	0.0075	0.1275	25
26	19.0401	0.0525	150.334	7.8957	0.0067	0.1267	26
27	21.3249	0.0469	169.374	7.9426	0.0059	0.1259	27
28	23.8839	0.0419	190.699	7.9844	0.0052	0.1252	28
29	26.7499	0.0374	214.583	8.0218	0.0047	0.1247	29
30	29.9599	0.0334	241.333	8.0552	0.0041	0.1241	30
35	52.7996	0.0189	431.663	8.1755	0.0023	0.1223	35
40	93.0509	0.0107	767.091	8.2438	0.0013	0.1213	40
45	163.988	0.0061	1358.23	8.2825	0.0007	0.1207	45
50	289.002	0.0035	2400.02	8.3045	0.0004	0.1204	50
55	509.320	0.0020	4236.00	8.3170	0.0002	0.1202	55
60	897.596	0.0011	7471.63	8.3240	0.0001	0.1201	60
65	1581.87	0.0006	13173.9	8.3281	α	0.1201	65
70	2787.80	0.0004	23223.3	8.3303	α	0.1200	70
75	4913.05	0.0002	40933.8	8.3316	α	0.1200	75
80	8658.47	0.0001	72145.6	8.3324	α	0.1200	80
∞				8.333		0.1200	∞

15%复利因子

	一次支付		等额多次支付				
N	F/P	P/F	F/A	P/A	A/F	A/P	N
1	1.1500	0.8696	1.0000	0.8696	1.0000	1.1500	1
2	1.3225	0.7561	2.1500	1.6257	0.4651	0.6151	2
3	1.5209	0.6575	3.4725	2.2832	0.2880	0.4380	3
4	1.7490	0.5718	4.9934	2.8550	0.2003	0.3503	4
5	2.0114	0.4972	6.7424	3.3522	0.1483	0.2983	5
6	2.3131	0.4323	8.7537	3.7845	0.1142	0.2642	6
7	2.6600	0.3759	11.0668	4.1604	0.0904	0.2404	7
8	3.0579	0.3269	13.7268	4.4873	0.0729	0.2229	8
9	3.5179	0.2843	16.7858	4.7716	0.0596	0.2096	9
10	4.0456	0.2472	20.3037	5.0188	0.0493	0.1993	10
11	4.6524	0.2149	24.3493	5.2337	0.0411	0.1911	11
12	5.3502	0.1869	29.0017	5.4206	0.0345	0.1845	12
13	6.1528	0.1625	34.3519	5.5831	0.0291	0.1791	13
14	7.0757	0.1413	40.5047	5.7245	0.0247	0.1747	14
15	8.1371	0.1229	47.5804	5.8474	0.0210	0.1710	15
16	9.3576	0.1069	55.7175	5.9542	0.0179	0.1679	16
17	10.7613	0.0929	65.0751	6.0072	0.0154	0.1654	17
18	12.3755	0.0808	75.8363	6.1280	0.0132	0.1632	18
19	14.2318	0.0703	88.2118	6.1982	0.0113	0.1613	19
20	16.3665	0.0611	102.444	6.2593	0.0098	0.1598	20
21	18.8215	0.0531	118.810	6.3125	0.0084	0.1584	21
22	21.6447	0.0462	137.632	6.3587	0.0073	0.1573	22
23	24.8915	0.0402	159.276	6.3988	0.0063	0.1563	23
24	28.6252	0.0349	184.168	6.4338	0.0054	0.1554	24
25	32.9189	0.0304	212.793	6.4641	0.0047	0.1547	25
26	37.8568	0.0264	245.712	6.4906	0.0041	0.1541	26
27	43.5353	0.0230	283.569	6.5135	0.0035	0.1535	27
28	50.0656	0.0200	327.104	6.5335	0.0031	0.1531	28
29	57.5754	0.0174	377.170	6.5509	0.0027	0.1527	29
30	66.2118	0.0151	434.745	6.5660	0.0023	0.1523	30
35	133.176	0.0075	881.170	6.6166	0.0011	0.1511	35
40	267.863	0.0037	1779.09	6.6418	0.0006	0.1506	40
45	538.769	0.0019	3585.13	6.6543	0.0003	0.1503	45
50	1083.66	0.0009	7212.71	6.6605	0.0001	0.1501	50
55	2179.62	0.0005	14524.10	6.6636	α	0.1501	55
60	4384.00	0.0002	29220.0	6.6651	α	0.1500	60
65	8817.78	0.0001	58778.5	6.6659	α	0.1500	65
70	17735.7	α	118231	6.6663	α	0.1500	70
75	35672.8	α	237812	6.6665	α	0.1500	75
80	71750.8	α	478332	6.6666	α	0.1500	80
∞				6.667		0.1500	∞

20%复利因子

	一次支付		等额多次支付				
N	F/P	P/F	F/A	P/A	A/F	A/P	N
1	1.2000	0.8333	1.0000	0.8333	1.0000	1.2000	1
2	1.4400	0.6944	2.2000	1.5278	0.4545	0.6545	2
3	1.7280	0.5787	3.6400	2.1065	0.2747	0.4747	3
4	2.0736	0.4823	5.3680	2.5887	0.1863	0.3863	4
5	2.4883	0.4019	7.4416	2.9906	0.1344	0.3344	5
6	2.9860	0.3349	9.9299	3.3255	0.1007	0.3007	6
7	3.5832	0.2791	12.9159	3.6046	0.0774	0.2774	7
8	4.2998	0.2326	16.4991	3.8372	0.0606	0.2606	8
9	5.1598	0.1938	20.7989	4.0310	0.0481	0.2481	9
10	6.1917	0.1615	25.9587	4.1925	0.0385	0.2385	10
11	7.4301	0.1346	32.1504	4.3271	0.0311	0.2311	11
12	8.9161	0.1122	39.5805	4.4392	0.0253	0.2253	12
13	10.6993	0.0935	48.4966	4.5327	0.0206	0.2206	13
14	12.8392	0.0779	59.1959	4.6106	0.0169	0.2169	14
15	15.4070	0.0649	72.0351	4.6755	0.0139	0.2139	15
16	18.4884	0.0541	87.4421	4.7296	0.0114	0.2114	16
17	22.1861	0.0451	105.931	4.7746	0.0094	0.2094	17
18	26.6233	0.0376	128.117	4.8122	0.0078	0.2078	18
19	31.9480	0.0313	154.740	4.8435	0.0065	0.2065	19
20	38.3376	0.0261	186.688	4.8696	0.0054	0.2054	20
21	46.0051	0.0217	225.026	4.8913	0.0044	0.2044	21
22	55.2061	0.0181	271.031	4.9094	0.0037	0.2037	22
23	66.2474	0.0151	326.237	4.9245	0.0031	0.2031	23
24	79.4968	0.0126	392.484	4.9371	0.0025	0.2025	24
25	95.3962	0.0105	471.981	4.9476	0.0021	0.2021	25
26	114.475	0.0087	567.377	4.9563	0.0018	0.2018	26
27	137.371	0.0073	681.853	4.9636	0.0015	0.2015	27
28	164.845	0.0061	819.233	4.9697	0.0012	0.2012	28
29	197.814	0.0051	984.068	4.9747	0.0010	0.2010	29
30	237.376	0.0042	1181.88	4.9789	0.0008	0.2008	30
35	590.668	0.0017	2948.34	4.9915	0.0003	0.2003	35
40	1469.77	0.0007	7343.85	4.9966	0.0001	0.2001	40
45	3657.26	0.0003	18281.3	4.9986	α	0.2001	45
50	9100.43	0.0001	45497.2	4.9995	α	0.2000	50
55	22644.8	α	113219	4.9998	α	0.2000	55
60	56347.5	α	281732	4.9999	α	0.2000	60
∞				5.0000		0.2000	∞

25%复利因子

	一次支付		等额多次支付				
N	F/P	P/F	F/A	P/A	A/F	A/P	N
1	1.2500	0.8000	1.0000	0.8000	1.0000	1.2500	1
2	1.5625	0.6400	2.2500	1.4400	0.4444	0.6944	2
3	1.9531	0.5120	3.8125	1.9520	0.2623	0.5123	3
4	2.4414	0.4096	5.7656	2.3616	0.1734	0.4234	4
5	3.0518	0.3277	8.2070	2.6893	0.1218	0.3718	5
6	3.8147	0.2621	11.2588	2.9514	0.0888	0.3388	6
7	4.7684	0.2097	15.0735	3.1611	0.0663	0.3163	7
8	5.9605	0.1678	19.8419	3.3289	0.0504	0.3004	8
9	7.4506	0.1342	25.8023	3.4631	0.0388	0.2888	9
10	9.3132	0.1074	33.2529	3.5705	0.0310	0.2801	10
11	11.6415	0.0859	42.5661	3.6564	0.0235	0.2735	11
12	14.5519	0.0687	54.2077	3.7251	0.0184	0.2684	12
13	18.1899	0.0550	68.7596	3.7801	0.0145	0.2645	13
14	22.7374	0.0440	86.9495	3.8241	0.0115	0.2615	14
15	28.4217	0.0352	109.687	3.8593	0.0091	0.2591	15
16	35.5271	0.0281	138.109	3.8874	0.0072	0.2572	16
17	44.4089	0.0225	173.636	3.9099	0.0058	0.2558	17
18	55.5112	0.0180	218.045	3.9279	0.0046	0.2546	18
19	69.3889	0.0144	273.556	3.9424	0.0037	0.2537	19
20	86.7362	0.0115	342.945	3.9539	0.0029	0.2529	20
21	108.420	0.0092	429.681	3.9631	0.0023	0.3523	21
22	135.525	0.0074	538.101	3.9705	0.0019	0.2519	22
23	169.407	0.0059	673.626	3.9764	0.0015	0.2515	23
24	211.758	0.0047	843.033	3.9811	0.0012	0.2512	24
25	264.698	0.0038	1054.79	3.9849	0.0009	0.2509	25
26	330.872	0.0030	1319.49	3.9879	0.0008	0.2508	26
27	413.590	0.0024	1650.36	3.9903	0.0006	0.2506	27
28	516.988	0.0019	2063.95	3.9923	0.0005	0.2505	28
29	646.235	0.0015	2580.94	3.9938	0.0004	0.2504	29
30	807.794	0.0012	3227.17	3.9950	0.0003	0.2503	30
35	2465.19	0.0004	9856.76	3.9984	0.0001	0.2501	35
40	7523.16	0.0001	30088.7	3.9995	α	0.2500	40
45	22958.9	α	91831.5	3.9998	α	0.2500	45
50	70064.9	α	280256	3.9999	α	0.2500	50
∞				4.0000		0.2500	∞

30%复利因子

	一次支付		等额多次支付				
N	F/P	P/F	F/A	P/A	A/F	A/P	N
1	1.3000	0.7692	1.000	0.769	1.0000	1.3000	1
2	1.6900	0.5917	2.300	1.361	0.4348	0.7348	2
3	2.1970	0.4552	3.990	1.816	0.2506	0.5506	3
4	2.8561	0.3501	6.187	2.166	0.1616	0.4616	4
5	3.7129	0.2693	9.043	2.436	0.1106	0.4106	5
6	4.8268	0.2072	12.756	2.643	0.0784	0.3784	6
7	6.2749	0.1594	17.583	2.802	0.0569	0.3569	7
8	8.1573	0.1226	23.858	2.925	0.0419	0.3419	8
9	10.604	0.0943	32.015	3.019	0.0312	0.3312	9
10	13.786	0.0725	42.619	3.092	0.0235	0.3235	10
11	17.922	0.0558	56.405	3.147	0.0177	0.3177	11
12	23.298	0.0429	74.327	3.190	0.0135	0.3135	12
13	30.287	0.0330	97.625	3.223	0.0102	0.3102	13
14	39.374	0.0254	127.91	3.249	0.0078	0.3078	14
15	51.186	0.0195	167.29	3.268	0.0060	0.3060	15
16	66.542	0.0150	218.47	3.283	0.0046	0.3046	16
17	86.504	0.0116	285.01	3.295	0.0035	0.3035	17
18	112.46	0.0089	371.52	3.304	0.0027	0.3027	18
19	146.19	0.0068	483.97	3.311	0.0021	0.3021	19
20	190.05	0.0053	630.16	3.316	0.0016	0.3016	20
21	247.06	0.0040	820.21	3.320	0.0012	0.3012	21
22	321.18	0.0031	1067.3	3.323	0.0009	0.3009	22
23	417.54	0.0024	1388.5	3.325	0.0007	0.3007	23
24	542.80	0.0018	1806.0	3.327	0.0005	0.3005	24
25	705.64	0.0014	2348.8	3.329	0.0004	0.3004	25
26	917.33	0.0011	3054.4	3.330	0.0003	0.3003	26
27	1192.5	0.0008	3971.8	3.331	0.0003	0.3003	27
28	1550.3	0.0006	5164.3	3.331	0.0002	0.3002	28
29	2015.4	0.0005	6714.6	3.332	0.0002	0.3002	29
30	2620.0	0.0004	8730.0	3.332	0.0001	0.3001	30
31	3406.0	0.0003	11350	3.332	α	0.3001	31
32	4427.8	0.0002	14756	3.333	α	0.3001	32
33	5756.1	0.0002	19184	3.333	α	0.3001	33
34	7483.0	0.0001	24940	3.333	α	0.3000	34
35	9727.8	0.001	32423	3.333	α	0.3000	35
∞				3.333			∞

40%复利因子

	一次支付		等额多次支付				
N	F/P	P/F	F/A	P/A	A/F	A/P	N
1	1.4000	0.7134	1.000	0.714	1.000	1.4000	1
2	1.9600	0.5102	2.400	1.224	0.4167	0.8167	2
3	2.7440	0.3644	4.360	1.589	0.2294	0.6294	3
4	3.8416	0.2603	7.104	1.849	0.1408	0.5408	4
5	5.3782	0.1859	10.946	2.035	0.0914	0.4914	5
6	7.5295	0.1328	16.324	2.168	0.0163	0.4613	6
7	10.541	0.0949	23.853	2.263	0.0419	0.4419	7
8	14.758	0.0678	34.395	2.331	0.0291	0.4291	8
9	20.661	0.0484	49.153	2.379	0.0203	0.4203	9
10	28.925	0.0346	69.814	2.414	0.0143	0.4143	10
11	40.496	0.0247	98.739	2.438	0.0101	0.4101	11
12	56.694	0.0176	139.23	2.456	0.0072	0.4072	12
13	79.371	0.0126	195.93	2.469	0.0051	0.4051	13
14	111.12	0.0090	275.30	2.478	0.0036	0.4036	14
15	155.57	0.0064	386.42	2.484	0.0026	0.4026	15
16	217.80	0.0046	541.99	2.489	0.0018	0.4019	16
17	304.91	0.0033	759.78	2.492	0.0013	0.4013	17
18	426.88	0.0023	1064.7	2.494	0.0009	0.4009	18
19	597.63	0.0017	1491.6	2.496	0.0007	0.4007	19
20	836.68	0.0012	2089.2	2.497	0.0005	0.4005	20
21	1171.4	0.0009	2925.9	2.498	0.0003	0.4003	21
22	1639.9	0.0006	4097.2	2.498	0.0002	0.4002	22
23	2295.9	0.0004	5737.1	2.499	0.0002	0.4002	23
24	3214.2	0.0003	8033.0	2.499	0.0001	0.4001	24
25	4499.9	0.0002	11247	2.499	α	0.4001	25
26	6299.8	0.0002	15747	2.500	α	0.4001	26
27	8819.8	0.0001	22047	2.500	α	0.4000	27
28	12348	0.0001	30867	2.500	α	0.4000	28
29	17287	0.0001	43214	2.500	α	0.4000	29
30	24201	α	60501	2.500	α	0.4000	30
∞				2.500		0.4000	∞

50%复利因子

	一次支付		等额多次支付				
N	F/P	P/F	F/A	P/A	A/F	A/P	N
1	1.5000	0.6667	1.000	0.667	1.0000	1.5000	1
2	2.2500	0.4444	2.500	1.111	0.4000	0.9000	2
3	3.3750	0.2963	4.750	1.407	0.2101	0.7105	3
4	5.0625	0.1975	8.125	1.605	0.1231	0.6231	4
5	7.5938	0.1317	13.188	1.737	0.0758	0.5758	5
6	11.391	0.0878	20.781	1.824	0.0481	0.5481	6
7	17.086	0.0585	32.172	1.883	0.0311	0.5311	7
8	25.629	0.0390	49.258	1.922	0.0203	0.5203	8
9	38.443	0.0260	74.887	1.948	0.0134	0.5134	9
10	57.665	0.0173	113.33	1.965	0.0088	0.5088	10
11	86.498	0.0116	171.00	1.977	0.0059	0.5059	11
12	129.75	0.0077	257.49	1.985	0.0039	0.5039	12
13	194.62	0.0051	387.24	1.990	0.0026	0.5026	13
14	291.93	0.0034	591.86	1.993	0.0017	0.5017	14
15	437.89	0.0023	873.79	1.995	0.0011	0.5011	15
16	656.84	0.0015	1311.7	1.997	0.0008	0.5008	16
17	985.26	0.0010	1968.5	1.998	0.0005	0.5005	17
18	1477.9	0.0007	2953.8	1.999	0.0003	0.5003	18
19	2216.8	0.0005	4431.7	1.999	0.0002	0.5002	19
20	3325.3	0.0003	6648.5	1.999	0.0002	0.5002	20
21	4987.9	0.0002	9973.8	2.000	0.0001	0.5001	21
22	7481.8	0.0001	14962	2.000	α	0.5001	22
23	11223	0.0001	22443	2.000	α	0.5000	23
24	16834	0.0001	33666	2.000	α	0.5000	24
25	25251	α	50500	2.000	α	0.5000	25
∞				2.000		0.5000	∞

附录Ⅱ 定 差 因 子

现值定差因子(P/G)							
N	1%	2%	3%	4%	5%	6%	N
2	0.958	0.958	0.941	0.924	0.906	0.890	2
3	2.895	2.841	2.772	2.702	2.634	2.569	3
4	5.773	5.612	5.437	5.267	5.101	4.945	4
5	9.566	9.233	8.887	8.554	8.235	7.934	5
6	14.271	13.672	13.074	12.506	11.966	11.458	6
7	19.860	18.895	17.952	17.066	16.230	15.449	7
8	26.324	24.868	23.478	22.180	20.968	19.840	8
9	33.626	31.559	29.609	27.801	26.124	24.576	9
10	41.764	38.945	36.305	33.881	31.649	29.601	10
11	50.721	46.984	43.530	40.377	37.496	34.869	11
12	60.479	55.657	51.245	47.248	43.621	40.335	12
13	71.018	64.932	59.416	54.454	49.984	45.961	13
14	82.314	74.783	68.010	61.961	56.550	51.711	14
15	94.374	85.183	76.996	69.735	63.284	57.553	15
16	107.154	96.109	86.343	77.744	70.156	63.457	16
17	120.662	107.535	96.023	85.958	77.136	69.399	17
18	143.865	119.436	106.009	94.350	84.200	75.355	18
19	149.754	131.792	116.274	102.893	91.323	81.304	19
20	165.320	144.577	126.794	111.564	98.484	87.228	20
21	181.546	157.772	137.544	120.341	105.663	93.111	21
22	198.407	171.354	148.504	129.202	112.841	98.939	22
23	215.903	185.305	159.651	138.128	120.004	104.699	23
24	234.009	199.604	170.965	147.101	127.135	110.379	24
25	252.717	214.231	182.428	156.103	134.223	115.971	25
26	272.011	229.169	194.020	165.121	141.253	121.466	26
27	291.875	244.401	205.725	174.138	148.217	126.858	27
28	312.309	259.908	217.525	183.142	155.105	132.140	28
29	333.280	259.674	229.407	192.120	161.907	137.307	29
30	354.790	291.684	241.355	201.061	168.617	142.357	30
31	376.822	307.921	253.354	209.955	175.228	147.284	31
32	399.360	324.369	265.392	218.792	181.734	152.088	32
33	422.398	341.016	277.457	227.563	188.13	156.766	33
34	445.919	357.845	289.536	236.260	194.412	161.317	34
35	469.916	374.846	301.619	244.876	200.575	165.741	35
36	494.375	392.003	313.695	253.405	206.618	170.037	36
37	519.279	409.305	325.755	261.839	212.538	174.205	37
38	544.622	426.738	337.788	270.175	218.333	178.247	38
39	570.396	444.291	349.786	278.406	224.000	182.163	39
40	596.576	461.953	361.742	286.530	229.540	185.955	40
42	650.167	497.560	385.495	302.437	240.234	193.171	42
44	705.288	533.474	408.989	317.869	250.412	199.911	44
46	761.870	569.618	432.177	332.810	260.079	206.192	46
48	819.089	605.921	455.017	347.244	269.242	212.033	48
50	879.089	642.316	477.472	361.183	277.910	217.456	50

续表

现值定差因子(P/G)							
N	7%	8%	9%	10%	15%	20%	N
2	0.873	0.857	0.841	0.826	0.756	0.694	2
3	2.506	2.445	2.386	2.329	2.071	1.852	3
4	4.794	4.650	4.511	4.378	3.786	3.299	4
5	7.646	7.372	7.111	6.862	5.775	4.906	5
6	10.978	10.523	10.092	9.684	7.937	6.581	6
7	14.714	14.024	13.374	12.763	10.192	8.255	7
8	18.788	17.806	16.887	16.028	12.481	9.883	8
9	23.140	21.808	20.570	19.421	14.755	11.434	9
10	27.715	25.977	24.372	22.891	16.979	12.887	10
11	32.466	30.266	28.247	26.396	19.129	14.233	11
12	37.350	34.634	32.158	29.901	21.185	15.467	12
13	42.330	39.046	36.072	33.377	23.135	16.588	13
14	47.371	43.472	39.962	36.800	24.972	17.601	14
15	52.445	47.886	43.806	40.152	26.693	18.509	15
16	57.526	52.264	47.584	43.416	28.296	19.321	16
17	62.592	56.588	51.281	46.581	29.783	20.042	17
18	67.621	60.842	54.885	49.639	31.156	20.680	18
19	72.598	65.013	58.386	52.582	32.421	21.244	19
20	77.508	69.090	61.776	55.406	33.582	21.739	20
21	82.339	73.063	65.056	58.109	34.645	22.174	21
22	87.079	76.926	68.204	60.689	35.615	22.555	22
23	91.719	80.672	71.235	63.146	36.499	22.887	23
24	96.254	84.300	74.142	65.481	37.302	23.176	24
25	100.676	87.804	76.926	67.696	38.031	23.428	25
26	104.981	91.184	79.586	69.794	38.692	23.646	26
27	109.165	94.439	82.123	71.777	39.289	23.835	27
28	113.226	97.569	84.541	73.649	39.828	23.999	28
29	117.161	100.574	86.842	75.414	40.315	24.141	29
30	120.971	103.456	89.027	77.076	40.753	24.263	30
31	124.654	106.216	91.102	78.639	41.147	24.368	31
32	128.211	108.857	93.068	80.108	41.501	24.459	32
33	131.643	111.382	94.931	81.485	41.818	24.537	33
34	134.950	113.792	96.693	82.777	42.103	24.604	34
35	138.135	116.092	98.358	83.987	42.359	24.661	35
36	141.198	118.284	99.931	85.119	42.587	24.711	36
37	144.144	120.371	101.416	86.178	42.792	24.753	37
38	146.972	122.358	102.815	87.167	42.974	24.789	38
39	149.688	124.247	104.134	88.091	43.137	24.820	39
40	152.292	126.042	105.376	88.952	43.283	24.847	40
42	157.180	129.365	107.643	90.505	43.529	24.889	42
44	161.660	132.355	109.645	91.851	43.723	24.920	44
46	165.758	135.038	111.410	93.016	43.878	24.942	46
48	169.498	137.443	112.962	94.022	44.000	24.958	48
50	172.905	139.593	114.325	94.889	44.096	24.970	50

续表

现值定差因子(P/G)							
N	25%	30%	35%	40%	45%	50%	N
2	0.640	0.592	0.549	0.510	0.476	0.444	2
3	1.664	1.502	1.362	1.239	1.132	1.037	3
4	2.893	2.552	2.265	2.020	1.810	1.630	4
5	4.204	3.630	3.157	2.764	2.434	2.156	5
6	5.514	4.666	3.983	3.428	2.972	2.595	6
7	6.773	5.622	4.717	3.997	3.418	2.946	7
8	7.947	6.480	5.352	4.471	3.776	3.220	8
9	9.021	7.234	5.889	4.858	4.058	3.428	9
10	9.987	7.887	6.336	5.170	4.277	3.584	10
11	10.846	8.445	6.705	5.417	4.445	3.699	11
12	11.602	8.917	7.005	5.611	4.572	3.784	12
13	12.262	9.314	7.247	5.762	4.668	3.846	13
14	12.833	9.644	7.442	5.879	4.740	3.890	14
15	13.326	9.917	7.597	5.969	4.793	3.922	15
16	13.748	10.143	7.721	6.038	4.832	3.945	16
17	14.108	10.328	7.818	6.090	4.861	3.961	17
18	14.415	10.479	7.895	6.130	4.882	3.973	18
19	14.674	10.602	7.955	6.160	4.898	3.981	19
20	14.893	10.702	8.002	6.183	4.909	3.987	20
21	15.078	10.783	8.038	6.200	4.917	3.991	21
22	15.233	10.848	8.067	6.213	4.923	3.994	22
23	15.362	10.901	8.089	6.222	4.927	3.996	23
24	15.471	10.943	8.106	6.229	4.930	3.997	24
25	15.562	10.977	8.119	6.235	4.933	3.998	25
26	15.637	11.005	8.130	6.239	4.934	3.999	26
27	15.700	11.026	8.137	6.242	4.935	3.999	27
28	15.752	11.044	8.143	6.244	4.936	3.999	28
29	15.796	11.058	8.148	6.245	4.937	4.000	29
30	15.832	11.069	8.152	6.247	4.937	4.000	30
31	15.861	11.078	8.154	6.248	4.938	4.000	31
32	15.886	11.085	8.157	6.248	4.938	4.000	32
33	15.906	11.090	8.158	6.249	4.938	4.000	33
34	15.923	11.094	8.159	6.249	4.938	4.000	34
35	15.937	11.098	8.160	6.249	4.938	4.000	35
36	15.948	11.101	8.161	6.249	4.938	4.000	36
37	15.957	11.103	8.162	6.250	4.938	4.000	37
38	15.965	11.105	8.162	6.250	4.938	4.000	38
39	15.971	11.106	8.162	6.250	4.938	4.000	39
40	15.977	11.107	8.163	6.250	4.938	4.000	40
42	15.984	11.109	8.163	6.250	4.938	4.000	42
44	15.990	11.110	8.163	6.250	4.938	4.000	44
46	15.993	11.110	8.163	6.250	4.938	4.000	46
48	15.995	11.111	8.163	6.250	4.938	4.000	48
50	15.997	11.111	8.163	6.250	4.938	4.000	50

续表

年金定差因子(A/G)								
N	0.5%	1%	2%	3%	4%	5%	6%	N
2	0.461	0.486	0.493	0.492	0.490	0.487	0.485	2
3	0.954	0.984	0.985	0.980	0.974	0.967	0.961	3
4	1.453	1.480	1.474	1.463	1.451	1.439	1.427	4
5	1.954	1.971	1.959	1.941	1.922	1.902	1.883	5
6	2.448	2.463	2.441	2.413	2.386	2.358	2.330	6
7	2.942	2.952	2.920	2.881	2.843	2.805	2.767	7
8	3.440	3.440	2.395	3.345	3.294	3.244	3.195	8
9	3.931	3.926	3.867	3.803	3.739	3.675	3.613	9
10	4.425	4.410	4.336	4.256	4.177	4.099	4.022	10
11	4.916	4.893	4.801	4.705	4.609	4.514	4.421	11
12	5.405	5.374	5.263	5.148	5.034	4.922	4.811	12
13	5.894	5.853	5.722	5.587	5.453	5.321	5.192	13
14	6.385	6.331	6.177	6.021	5.866	5.713	5.563	14
15	6.873	6.807	6.630	6.450	6.272	6.097	5.926	15
16	7.360	7.281	7.079	6.874	6.672	6.473	9.279	16
17	7.846	7.754	7.524	7.293	7.066	6.842	6.624	17
18	8.331	8.225	7.967	7.708	7.453	7.203	6.960	18
19	8.816	8.694	8.406	8.118	7.834	7.557	7.287	19
20	9.300	9.162	8.842	8.523	8.209	7.903	7.605	20
22	10.266	10.092	9.704	9.318	8.941	8.573	8.216	22
24	11.228	11.016	10.553	10.095	9.648	9.214	8.795	24
25	11.707	11.476	10.973	10.476	9.992	9.523	9.072	25
26	12.186	11.934	11.390	10.853	10.331	9.826	9.341	26
28	13.141	12.844	12.213	11.593	10.991	10.411	9.857	28
30	14.092	12.748	13.024	12.314	11.627	10.969	10.342	30
32	15.041	14.646	13.822	13.017	12.241	11.500	10.799	32
34	15.986	15.537	14.607	13.702	12.832	12.006	11.227	34
35	16.458	15.980	14.995	14.037	13.120	12.250	11.432	35
36	16.928	16.421	15.380	14.369	13.402	12.487	11.630	36
38	17.867	17.299	16.140	15.018	13.950	12.944	12.006	38
40	18.802	18.170	16.887	15.650	14.476	13.377	12.359	40
45	21.126	20.320	18.702	17.155	15.705	14.364	13.141	45
50	23.429	22.429	20.441	18.557	16.812	15.223	13.796	50
55	25.711	24.498	22.105	19.860	17.807	15.966	14.341	55
60	27.973	26.526	23.695	21.067	18.697	16.606	14.791	60
65	30.214	28.515	25.214	22.184	19.491	17.154	15.160	65
70	32.435	30.463	26.662	23.214	20.196	17.621	15.461	70
75	34.635	32.372	28.042	24.163	20.821	18.017	15.706	75
80	36.814	34.242	29.356	25.035	21.372	18.352	15.903	80
85	38.973	36.073	30.605	25.835	21.857	18.635	15.062	85
90	41.112	37.866	31.792	26.566	22.283	18.871	16.189	90
95	43.230	39.620	32.918	27.235	22.655	19.069	16.290	95
100	45.328	41.336	33.985	27.844	22.980	19.234	16.371	100

续表

年金定差因子(A/G)								
N	7%	8%	9%	10%	12%	15%	18%	N
2	0.483	0.481	0.478	0.476	0.472	0.465	0.459	2
3	0.955	0.949	0.943	0.936	0.925	0.907	0.890	3
4	1.415	1.404	1.392	1.381	1.359	1.326	1.295	4
5	1.865	1.846	1.828	1.810	1.775	1.723	1.673	5
6	2.303	2.276	2.250	2.224	2.172	2.097	2.025	6
7	2.730	2.694	2.657	2.022	2.551	2.450	2.353	7
8	3.146	3.099	3.015	3.004	2.913	2.781	2.656	8
9	3.552	3.491	3.431	3.372	3.257	3.092	2.936	9
10	3.946	3.798	3.798	3.725	3.585	3.838	3.194	10
11	4.330	4.239	4.151	4.064	3.895	3.655	3.430	11
12	4.702	4.596	4.491	4.388	4.190	3.908	3.647	12
13	5.065	4.940	4.818	4.669	4.468	4.144	3.845	13
14	5.417	5.273	5.133	5.995	4.732	4.362	4.025	14
15	5.758	5.594	5.435	5.279	4.980	4.565	4.189	15
16	6.090	5.905	5.724	5.549	5.215	4.572	4.337	16
17	6.411	6.204	6.002	5.807	5.435	4.925	4.471	17
18	6.722	6.492	6.269	6.053	5.643	5.084	4.592	18
19	7.024	6.770	6.524	6.286	5.838	5.231	4.700	19
20	7.316	7.037	6.767	6.508	6.020	5.365	4.798	20
22	7.872	7.541	7.223	6.919	6.351	5.601	4.963	21
24	8.392	8.007	7.638	7.288	6.641	5.798	5.095	24
25	8.639	8.225	7.832	7.458	6.771	5.883	5.150	25
26	8.877	8.435	8.016	7.619	6.892	5.961	5.199	26
28	9.329	8.829	8.357	7.914	7.110	6.096	5.281	28
30	9.749	9.190	8.666	8.176	7.297	6.207	5.345	30
32	10.138	9.520	8.944	8.409	7.459	6.297	5.394	32
34	10.499	9.821	9.193	8.615	7.596	6.371	5.433	34
35	10.669	9.961	9.308	8.709	7.658	6.402	5.449	35
36	10.832	10.095	9.417	8.799	7.714	6.430	5.462	36
38	11.140	10.344	9.617	8.956	7.814	6.478	5.485	38
40	11.423	10.570	9.796	9.096	7.899	6.517	5.502	40
45	12.036	11.045	10.160	9.374	8.057	6.583	5.529	45
50	12.529	11.411	10.429	9.570	8.160	6.620	5.543	50
55	12.921	11.690	10.626	9.708	8.225	6.641	5.549	55
60	13.232	11.902	10.768	9.802	8.266	6.653	5.553	60
65	13.476	12.060	10.870	9.867	8.292	6.659	5.554	65
70	13.666	12.178	10.943	9.911	8.308	6.663	5.555	70
75	13.814	12.266	10.994	9.941	8.318	6.665	5.555	75
80	13.927	12.330	11.030	9.961	8.324	6.666	5.555	80
85	14.015	12.377	11.055	9.974	8.328	6.666	5.555	85
90	14.081	12.412	11.073	9.983	8.330	6.666	5.556	90
95	14.132	12.437	11.085	9.989	8.331	6.667	5.556	95
100	14.170	12.455	11.093	9.993	8.332	6.667	5.556	100

续表

年金定差因子(A/G)								
N	20%	25%	30%	35%	40%	45%	50%	N
2	0.455	0.444	0.435	0.426	0.417	0.408	0.400	2
3	0.879	0.852	0.827	0.803	0.780	0.758	0.737	3
4	1.274	1.225	1.178	1.134	1.092	1.053	1.015	4
5	1.641	1.563	1.490	1.422	1.358	1.298	1.242	5
6	1.979	1.868	1.765	1.670	1.581	1.499	1.423	6
7	2.290	2.142	2.00	1.881	1.766	1.661	1.565	7
8	2.576	2.387	2.216	2.060	1.919	1.791	1.675	8
9	2.836	2.605	2.396	2.209	2.042	1.893	1.760	9
10	3.074	2.797	2.551	2.334	2.142	1.973	1.824	10
11	3.289	2.966	2.683	2.436	2.221	2.034	1.871	11
12	3.484	3.115	2.795	2.520	2.285	2.082	1.907	12
13	3.660	3.244	2.889	2.589	2.334	2.118	1.933	13
14	3.817	3.356	2.968	2.644	2.373	2.145	1.952	14
15	3.959	3.453	2.034	2.689	2.403	2.165	1.966	15
16	4.085	3.537	3.089	2.725	2.426	2.180	1.976	16
17	4.198	3.608	3.135	2.753	2.444	2.191	1.983	17
18	4.298	3.670	3.172	2.776	2.458	2.200	1.988	18
19	4.386	3.722	3.202	2.793	2.468	2.206	1.991	19
20	4.464	3.767	3.228	2.008	2.476	2.210	1.994	20
22	4.594	3.836	3.265	2.827	2.487	2.216	1.997	22
24	4.694	3.886	3.289	2.839	2.493	2.219	1.999	24
25	4.735	3.905	3.298	2.843	2.494	2.220	1.999	25
26	4.771	3.921	3.305	2.847	2.496	2.221	1.999	26
28	4.829	3.946	3.315	2.851	2.498	2.221	2.000	28
30	4.873	3.963	3.322	2.853	2.499	2.222	2.000	30
32	4.906	3.975	3.326	2.855	2.490	2.222	2.000	32
34	4.931	3.983	3.329	2.856	2.500	2.222	2.000	34
35	4.941	3.986	3.330	2.856	2.500	2.222	2.000	35
36	4.949	3.988	3.330	2.856	2.500	2.222	2.000	36
38	4.963	3.992	3.332	2.857	2.500	2.222	2.000	38
40	4.973	3.995	3.332	2.857	2.500	2.222	2.000	40
45	4.988	3.998	3.333	2.857	2.500	2.222	2.000	45
50	4.995	3.999	3.333	2.857	2.500	2.222	2.000	50
55	4.998	4.000	3.333	2.857	2.500	2.222	2.000	55
60	4.999	4.000	3.333	2.857	2.500	2.222	2.000	60
65	5.000	4.000	3.333	2.857	2.500	2.222	2.000	65
70	5.000	4.000	3.333	2.857	2.500	2.222	2.000	70
75	5.000	4.000	3.333	2.857	2.500	2.222	2.000	75
80	5.000	4.000	3.333	2.857	2.500	2.222	2.000	80
85	5.000	4.000	3.333	2.857	2.500	2.222	2.000	85
90	5.000	4.000	3.333	2.857	2.500	2.222	2.000	90
95	5.000	4.000	3.333	2.857	2.500	2.222	2.000	95
100	5.000	4.000	3.333	2.857	2.500	2.222	2.000	100

附录Ⅲ　标准正态分布表

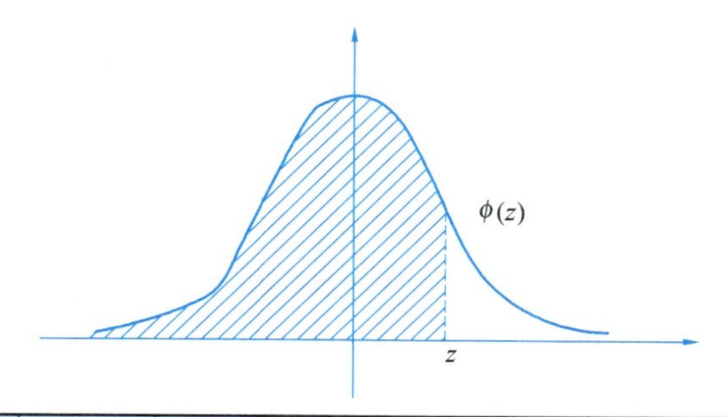

Z	0	1	2	3	4	5	6	7	8	9
−3.0	0.0013	0.0010	0.0007	0.0005	0.0003	0.0002	0.0002	0.0001	0.0001	0.0000
−2.9	0.0019	0.0018	0.0017	0.0017	0.0016	0.0016	0.0015	0.0015	0.0014	0.0014
−2.8	0.0026	0.0025	0.0024	0.0023	0.0023	0.0022	0.0021	0.0021	0.0020	0.0019
−2.7	0.0035	0.0034	0.0033	0.0032	0.0031	0.0030	0.0029	0.0028	0.0027	0.0026
−2.6	0.0047	0.0045	0.0044	0.0043	0.0041	0.0040	0.0039	0.0038	0.0037	0.0036
−2.5	0.0062	0.0060	0.0059	0.0057	0.0055	0.0054	0.0052	0.0051	0.0049	0.0048
−2.4	0.0082	0.0080	0.0078	0.0075	0.0073	0.0071	0.0069	0.0068	0.0066	0.0064
−2.3	0.0107	0.0104	0.0102	0.0099	0.0096	0.0094	0.0091	0.0089	0.0087	0.0084
−2.2	0.0139	0.0136	0.0132	0.0129	0.0126	0.0122	0.0119	0.0116	0.0113	0.0110
−2.1	0.0179	0.0174	0.0170	0.0166	0.0162	0.0158	0.0154	0.0150	0.0146	0.0143
−2.0	0.0228	0.0222	0.0217	0.0212	0.0207	0.0202	0.0197	0.0192	0.0188	0.0183
−1.9	0.0287	0.0281	0.0274	0.0268	0.0262	0.0256	0.0250	0.0244	0.0238	0.0233
−1.8	0.0359	0.0352	0.0344	0.0336	0.0329	0.0322	0.0314	0.0307	0.0300	0.0294
−1.7	0.0446	0.0436	0.0427	0.0418	0.0409	0.0401	0.0392	0.0384	0.0375	0.0367
−1.6	0.0548	0.0537	0.0526	0.0516	0.0505	0.0495	0.0485	0.0475	0.0465	0.0455
−1.5	0.0668	0.0655	0.0643	0.0630	0.0618	0.0606	0.0594	0.0582	0.0570	0.0559
−1.4	0.0808	0.0793	0.0778	0.0764	0.0749	0.0735	0.0722	0.0708	0.0694	0.0681
−1.3	0.0968	0.0951	0.0934	0.0913	0.0901	0.0885	0.0869	0.0853	0.0838	0.0823
−1.2	0.1151	0.1131	0.1112	0.1093	0.1075	0.1056	0.1038	0.1020	0.1003	0.0985
−1.1	0.1357	0.1335	0.1314	0.1292	0.1271	0.1251	0.1230	0.1210	0.1190	0.1170
−1.0	0.1587	0.1562	0.1539	0.1515	0.1492	0.1469	0.1446	0.1423	0.1401	0.1379
−0.9	0.1841	0.1814	0.1788	0.1762	0.1736	0.1711	0.1685	0.1660	0.1635	0.1611
−0.8	0.2119	0.2090	0.2061	0.2033	0.2005	0.1977	0.1949	0.1922	0.1894	0.1867
−0.7	0.2420	0.2389	0.2358	0.2327	0.2297	0.2266	0.2236	0.2206	0.2177	0.2148
−0.6	0.2743	0.2709	0.2676	0.2643	0.2611	0.2578	0.2546	0.2514	0.2483	0.2451
−0.5	0.3085	0.3050	0.3015	0.2981	0.2946	0.2912	0.2877	0.2843	0.2810	0.2776
−0.4	0.3446	0.3409	0.3372	0.3336	0.3300	0.3264	0.3228	0.3192	0.3150	0.3121
−0.3	0.3821	0.3783	0.3745	0.3707	0.3669	0.3632	0.3594	0.3557	0.3520	0.3483
−0.2	0.4207	0.4168	0.4129	0.4090	0.4052	0.4013	0.3974	0.3930	0.3897	0.3859
−0.1	0.4602	0.4562	0.4522	0.4483	0.4443	0.4404	0.4364	0.4325	0.4286	0.4247
−0.0	0.5000	0.4960	0.4920	0.4880	0.4840	0.4801	0.4761	0.4721	0.4681	0.4641

续表

Z	0	1	2	3	4	5	6	7	8	9
0.0	0.5000	0.5040	0.5080	0.5120	0.5160	0.5199	0.5239	0.5279	0.5319	0.5359
0.1	0.5398	0.5438	0.5478	0.5517	0.5557	0.5596	0.5636	0.5675	0.5714	0.5753
0.2	0.5793	0.5832	0.5871	0.5910	0.5948	0.5987	0.6026	0.6064	0.6103	0.6141
0.3	0.6179	0.6217	0.6255	0.6293	0.6331	0.6368	0.6406	0.6443	0.6480	0.6517
0.4	0.6554	0.6591	0.6628	0.6664	0.6700	0.6736	0.6772	0.6808	0.6844	0.6879
0.5	0.6915	0.6950	0.6985	0.7019	0.7054	0.7088	0.7123	0.5157	0.7190	0.7224
0.6	0.7257	0.7291	0.7324	0.7357	0.7389	0.7422	0.7454	0.7486	0.7517	0.7549
0.7	0.7580	0.7611	0.7642	0.7673	0.7703	0.7734	0.7764	0.7794	0.7823	0.7852
0.8	0.7881	0.7910	0.7939	0.7967	0.7995	0.8023	0.8051	0.8078	0.8106	0.8133
0.9	0.8159	0.816	0.8212	0.8238	0.8264	0.8289	0.8315	0.8340	0.8365	0.8389
1.0	0.8413	0.8438	0.8461	0.8485	0.8508	0.8531	0.8554	0.8577	0.8599	0.8621
1.1	0.8643	0.8665	0.8686	0.8708	0.8729	0.8749	0.8770	0.8790	0.8810	0.8830
1.2	0.8849	0.8869	0.8888	0.8907	0.8925	0.8944	0.8962	0.8980	0.8997	0.9015
1.3	0.9032	0.9049	0.9066	0.9082	0.9099	0.9115	0.9131	0.9147	0.9162	0.9177
1.4	0.9192	0.9207	0.9222	0.9236	0.9251	0.9265	0.9278	0.9292	0.9306	0.9319
1.5	0.9332	0.9345	0.9357	0.9370	0.9382	0.9394	0.9406	0.9418	0.9430	0.9441
1.6	0.9452	0.9463	0.9472	0.9484	0.9495	0.9505	0.9515	0.9525	0.9535	0.9545
1.7	0.9554	0.9564	0.9573	0.9582	0.9591	0.9599	0.9608	0.9616	0.9625	0.9633
1.8	0.9641	0.9648	0.9656	0.9664	0.9671	0.9678	0.9686	0.9693	0.9700	0.9606
1.9	0.9713	0.9719	0.9726	0.9732	0.9738	0.9744	0.9750	0.9756	0.9762	0.9767
2.0	0.9772	0.9778	0.9783	0.9788	0.9793	0.9798	0.9803	0.9808	0.9812	0.9817
2.1	0.9821	0.9826	0.9830	0.9834	0.9838	0.9842	0.9846	0.9850	0.9854	0.9857
2.2	0.9861	0.9864	0.9868	0.9871	0.9874	0.9878	0.9881	0.9884	0.9887	0.9890
2.3	0.9893	0.9896	0.9898	0.9901	0.9904	0.9906	0.9909	0.9911	0.9913	0.9916
2.4	0.9918	0.9920	0.9922	0.9925	0.9927	0.9929	0.9931	0.9932	0.9934	0.9936
2.5	0.9938	0.9940	0.9941	0.9943	0.9945	0.9946	0.9948	0.9949	0.9951	0.9952
2.6	0.9953	0.9955	0.9956	0.9957	0.9959	0.9960	0.9961	0.9962	0.9963	0.9964
2.7	0.9965	0.9966	0.9967	0.9968	0.9969	0.9970	0.9971	0.9972	0.9973	0.9974
2.8	0.9974	0.9975	0.9976	0.9977	0.9977	0.9978	0.9979	0.9979	0.9980	0.9981
2.9	0.9981	0.9982	0.9982	0.9983	0.9984	0.9984	0.9985	0.9985	0.9986	0.9986
3.0	0.9987	0.9990	0.9993	0.9995	0.9997	0.9998	0.9998	0.9999	0.9999	0.1000

附录Ⅳ　随　机　数　表

48867	33971	29678	13151	56644	49193	93469	43252	14006	47173
32267	69746	00113	51336	36551	56310	85793	53453	09744	64346
27345	03196	33877	35032	98054	48358	21788	98862	67491	42221
55753	05256	51557	90419	40716	64589	90398	37070	78318	02918
93124	50675	04507	44001	06365	77897	84566	99600	67985	49133
98658	86583	97433	10733	80495	62709	61357	66903	76730	79355
68216	94830	41248	50712	46878	87317	80545	31484	03195	14755
17901	30815	78360	78260	67866	42304	07293	61290	61301	04815
88124	21868	14942	25893	72695	56231	18918	72534	86737	77792
83464	36749	22336	50443	83576	19238	91730	37507	22717	94719
91310	99003	25704	55581	00729	22024	61319	66162	20933	67713
32729	38352	91256	77744	75080	01492	90984	63090	53087	41301
07751	66724	03290	56386	06070	67105	64219	48192	70478	84722
55228	64156	90480	97774	08055	04435	26999	42039	16589	06757
89013	51781	81116	24383	95569	94247	44437	36293	29967	16088
51828	81819	81038	89146	39192	89470	76331	56420	14527	34828
59783	85454	93327	06078	64924	07271	77563	92710	42183	12380
80267	47103	90556	16128	41490	07996	78454	47929	81586	67024
92919	44210	61607	93001	26314	26965	26714	43793	94937	28439
77019	77417	19466	14967	75521	49967	74065	09746	27881	01070
66225	61832	06242	40093	48000	76849	29929	18988	10888	40344
98534	12777	84601	56336	00034	85939	32438	09549	01855	40550
63175	70789	51345	43723	06995	11186	38615	56646	54320	39632
92362	73011	09115	78303	38901	58107	95366	17226	74626	78208
61831	44794	65079	97130	94289	73502	04857	68855	47045	06309
42502	01646	88493	48207	01283	16474	08864	68322	92454	19287
89733	86230	04903	55015	11811	98185	32014	84716	80926	14509
01336	86633	26015	66768	24846	00321	73118	15802	13549	41335
72623	56083	65799	88934	87274	19417	84897	90877	76472	52145
74004	68388	04090	35239	49379	04456	07642	68642	01026	43810
09388	54633	27684	47117	67583	42496	20703	68579	65883	10729
51771	92019	39791	60400	08585	60680	28841	09921	00520	73135
69796	30304	79836	20631	10743	00246	24979	35707	75283	39211
98417	33403	63448	90462	91645	24919	73609	26663	09380	30515
56150	18324	43011	02660	86574	86097	49399	21249	90380	94375
76199	75692	09063	72999	94672	69128	39046	15379	98450	09159
74978	98693	21433	34676	97603	48534	59205	66265	03561	83075
85769	92530	04407	53725	96963	19395	16193	51018	70333	12094
63819	65669	38960	74631	39650	39419	93707	61365	46302	26134
18892	43143	19619	43200	49613	54904	73502	19519	11667	53294
32855	17190	61587	80411	22827	38852	51951	47785	34952	93574
29435	96277	53583	92804	06027	19736	54918	66396	96547	00351
36211	67263	82064	41624	49826	17566	02476	79368	28831	02805
73514	00176	41638	01420	31850	41380	11643	06787	09011	88924
90895	93099	27850	29423	98693	71762	39928	35268	59359	20674
69719	90656	62186	50435	77015	29661	94698	56057	04388	33381
94982	81453	87162	28248	37921	21143	62673	81224	38972	92988
84136	04221	72790	04719	34914	95609	88695	60180	58790	12802
58515	80581	88442	65727	72121	40481	06001	13159	55324	93595
20681	59164	75797	08928	68381	12616	97487	84803	92457	88847

附录V 随机正态偏差表

1.102	-0.944	0.401	0.226	1.396	-1.030	-1.723	-0.368	2.170	0.393
0.148	1.10	0.492	-1.210	-0.998	0.573	0.893	-0.855	-2.209	-0.267
2.372	1.353	-0.900	-0.554	-0.343	0.470	-1.033	-1.026	2.172	0.195
-0.145	0.466	0.854	-0.282	-1.504	0.431	-0.060	0.952	-0.343	0.735
0.140	0.732	0.604	-0.016	-0.266	1.372	-0.925	-1.594	-2.004	1.925
1.419	-1.853	-0.347	0.155	-1.078	0.623	-0.024	0.498	0.466	0.049
0.069	-0.411	-0.661	-0.037	0.703	0.532	-0.177	0.395	-0.278	0.240
0.797	0.488	-1.070	-0.721	-1.412	-0.976	-1.953	-0.206	1.848	0.632
-0.393	-0.351	0.222	0.557	-1.094	1.403	0.173	-0.113	0.806	0.939
-0.874	-1.336	0.523	0.848	0.304	-2.202	-1.279	0.501	0.396	0.859
0.125	-1.170	-0.192	1.387	2.291	-0.959	0.090	1.031	0.180	-1.389
-1.091	-0.649	-0.514	-0.232	-1.198	0.822	0.240	0.951	-1.736	0.270
2.304	0.481	-0.987	-1.222	0.549	-1.056	0.277	-0.919	0.148	1.517
-0.961	2.057	-0.546	-0.896	0.165	-0.343	0.696	0.628	-0.929	-0.965
-0.783	0.854	-0.139	1.087	0.515	-0.876	-0.448	0.485	0.589	-0.804
0.487	0.557	0.327	1.280	-1.731	-0.339	0.295	-0.724	0.720	0.331
-0.299	0.979	-0.924	-0.649	0.574	1.407	-0.292	-0.775	-0.511	0.026
1.831	-0.937	-1.321	-1.734	1.677	-1.393	-1.187	-0.079	-0.181	-0.884
0.243	0.466	-1.330	1.078	-1.102	1.123	-0.421	-0.674	-2.951	-0.743
-2.181	-1.854	-1.059	-0.478	-1.119	0.272	-0.800	0.841	-0.061	2.261
0.154	-0.333	1.011	-1.565	1.261	0.776	1.130	1.552	-0.563	0.558
-1.065	1.610	0.463	0.062	-0.086	0.021	1.633	1.788	0.480	2.824
1.083	-0.760	-0.012	0.183	0.155	0.676	-1.315	0.067	0.213	2.380
0.615	-0.594	-0.028	-0.506	-0.054	3.173	0.817	0.210	1.699	1.950
0.178	-0.500	1.100	1.613	1.048	2.323	-0.174	-0.033	2.220	-0.661
-0.507	-1.273	0.596	0.690	-1.724	-1.689	0.163	-0.199	-0.450	0.244
0.362	-0.588	-1.386	0.072	0.778	-0.591	0.365	0.465	2.472	1.049
0.775	1.546	0.217	-1.012	0.778	0.246	1.055	1.071	0.447	-0.585
0.818	0.561	-1.024	2.105	-0.868	0.060	-0.385	1.089	0.017	-0.873
0.014	0.240	-0.632	-0.225	-0.844	0.448	1.651	1.423	0.425	0.252
-1.236	-1.045	-1.628	0.687	0.983	-0.840	-1.835	-1.864	1.327	-0.408
-0.567	-1.161	0.010	-0.853	0.111	1.145	1.015	0.056	0.141	1.471
0.278	-1.783	0.170	-0.358	0.705	-0.054	1.098	0.707	-0.585	-0.305
-0.959	-0.497	0.688	-0.268	-1.431	-0.791	-0.727	0.958	0.237	0.092
1.249	0.037	0.497	0.579	-0.227	0.860	0.349	2.355	2.184	-1.744
-0.915	-0.164	-1.166	1.529	0.008	0.636	-1.080	-0.688	2.444	-1.316
0.132	2.809	-1.918	-1.083	-0.642	-0.179	0.339	0.637	0.063	-0.079
-0.156	-1.664	1.140	0.295	1.086	-2.546	-0.002	-0.672	0.205	-0.039
0.538	-1.143	-0.390	0.165	-0.160	0.457	-1.307	0.273	-0.670	-0.988
0.027	-0.057	0.742	-0.149	-0.801	1.702	-0.346	-0.053	0.892	-1.181
0.023	0.423	1.051	-0.831	-0.325	-0.795	-1.129	-0.287	0.172	-0.793
-0.196	-1.457	1.060	0.557	-0.190	-0.891	-0.768	0.282	-1.432	-0.447
0.133	0.577	-0.332	-1.932	0.220	0.189	-1.521	0.895	-0.781	-0.899
0.020	-0.217	-0.856	0.605	0.072	0.520	1.222	-0.131	-0.266	-1.222
1.405	1.065	1.350	1.353	-26289	-1.003	0.375	1.621	-1.126	0.937
0.178	-1.237	-0.520	-0.603	-0.615	-0.358	0.605	-0.407	-1.579	-1.811
-1.438	0.104	-1.821	-0.390	-0.630	1.294	1.470	0.991	-0.355	-1.285
1.768	-0.175	-0.450	0.915	-0.221	-0.019	1.864	0.038	0.058	1.212
0.099	1.076	2.348	-1.550	0.458	0.147	-1.223	0.994	-1.657	1.264
0.951	0.252	-1.261	-0.963	0.221	0.036	-0.395	-0.252	1.379	1.885

习 题 参 考 答 案

第 2 章　现金流量与资金时间价值

习题 1.（1）798.90 万元；（2）1806.23 万元；（3）897.64 万元（注：此答案为利用复利系数表计算结果）。

习题 2. 利用复利公式确定系数值

（1）17.1300；（2）0.1788；（3）5.4777；（4）0.1883。

利用复利系数表确定系数值

（1）17.1459；（2）0.1736；（3）5.4798；（4）0.1913。

习题 3. 需要 5.72 年还清。

习题 4. 按单利计算为 6421.78 元；按复利计算为 6422.02 元。

第 3 章　投资、成本、收入、税金与利润

习题 1.

年份	1	2	3	4	5	6	7	8
折旧额	15000	11250	8437.5	6328.13	4746.09	3559.57	4339.36	4339.36

习题 2.

年份	1	2	3	4	5	6	7
折旧额	0.55	0.47	0.39	0.31	0.24	0.16	0.08

习题 3.（1）年数总和法：第 10 年折旧费 170.12 万元，第 10 年末该固定资产账面价值 2551.83 万元；（2）双倍余额递减法：第 10 年折旧费 141.81 万元，第 10 年末该固定资产账面价值 2694.32 万元。

习题 4. 第 3 年为 28 万元；第 9 年为 18 万元。

习题 5. 50245.5752 元。

习题 6. 增值税 42017.70 元 ；消费税 10619.47 元；城市维护建设税 3684.60 元；教育费及附加 1579.12 元；增值税金及附加 57900.89 元。

习题 7. 363.99 万元。

习题 8. 199.002 万元。

习题 9. 增值税 334 万元；城乡维护建设税 23.38 万元；教育费附加 10.02 万元。

第 4 章　经济评价方法

习题 1.（1）静态投资回收期为 4.5 年，动态投资回收期为 5.34 年；（2）净现值为

297.12 万元；(3) 内部收益率为 15.63%。

习题 2. (1) 费用现值为 129291.99 元；(2) 费用年值为 15101.30 元。

习题 3. 内部收益率为 35.38%。

习题 4. (1) 内部收益率为 7.41%；(2) 投资回收期为 9.32 年。

习题 5. *B* 方案。

习题 6. *A* 型号。

习题 7. *B* 点。

习题 8. *A* 和 *B* 组合方案。

习题 9. A_1、B_1和 C_2组合方案。

第 5 章 风险与不确定性分析

习题 1. (1) 66000 元；(2) 3000 件；(3) 5273 件。

习题 2. 加工配件少于 929 件时采用手工安装法，当加工配件多于 929 件时采用机械安装法。

习题 3.

年收入变化对内部收益率的影响

年收入变化	−20%	−10%	0	10%	20%
IRR（%）	3.47	7.18	10.58	13.84	17.00

年收入平均敏感度为 3.1971。

三个参数同时变化对净现值的影响（万元）

净现值 年收入	初始投资								
	−10%			0			10%		
	寿命								
	−10%	0	10%	−10%	0	10%	−10%	0	10%
−10%	−1118.10	−289.18	464.38	−2618.10	−1789.18	−1035.62	−4118.10	−3289.18	−2535.62
0	897.56	1861.42	2737.65	−602.44	361.42	1237.65	−2102.44	−1138.58	−262.35
10%	2913.22	4012.02	5010.92	1413.22	2512.02	3510.92	−86.78	1012.02	2010.92

习题 4.

因素变化对净现值的影响（万元）

基准收益率 净现值 年收入	*P* (20%)	*M* (15%)	*O* (12%)
P（2500）	−1686.22	−538.79	278.52
M（3000）	−23.47	1353.45	2334.22
O（4000）	3302.04	5137.93	6445.63

习题 5. 期望值为 8738.12；标准差为 10093.78。
习题 6. （1）0.7486；（2）0.5675。

第 7 章 建设项目财务分析

习题 1. $P_t = 5.56$ 年，$P'_t = 6.60$ 年；$FNPV = 577.76$ 元；$FIRR = 27.52\%$。

习题 2. 习题表 7-2，现金流出中去掉“增值税”和“折旧”两项；习题表 7-3，现金流入中去掉“折旧”，现金流出中去掉“增值税”和“流动资金利息”。

习题 3.

利息支付：

时点	4	5	6	7	8	9	10	11	12	13
当年利息支付	463	417	370	324	278	232	185	139	93	46

利润与所得税计算：

利润总额	521	1307	1353	1400	1446	1492	1539	1585	1631	1678	1724	1724
所得税	130	327	338	350	362	373	385	396	408	420	431	431
净利润	391	980	1015	1050	1084	1119	1154	1189	1223	1258	1293	1293

调整所得税与净现金流量：

时 点	1	2	3	4	5～14	15
调整所得税				308.25	493.25	493.25
净现金流量	−2500	−3500	−4490	1472	2027	6583

全部资金净现值为 1198.09 万元；静态投资回收期 8.45 年。

第 8 章 建设项目费用效益分析

习题 1. 影子工资为 4400 元/月。
习题 2. 用美元表示的到岸价格为 62.4 美元/t。
习题 3. 投入物的影子价格为 2412.58 元/t。

第 9 章 建设项目费用效果分析

习题 1. 应选择低坝方案。
习题 2. 没有必要设置这种安全措施。
习题 3. 选择甲方案。
习题 4. 选择 B 方案。

第 10 章 设备更新分析

习题 1. 经济寿命 4 年。

习题 2. 用设备 B 更新，设备 A 费用年值 811.84 元，设备 B 费用年值 771.76 元。

习题 3. 新车床更优，新车床费用年值为 30023.77 元，旧车床费用年值为 32940.38 元。

习题 4. 选择保留线路 A，7 年后新增线路 B，费用年值为 30.206 万元。C 线路费用年值为 114.09 万元。

参 考 文 献

[1] 李伟. 国务院发展研究中心研究丛书2018. 北京：中国发展出版社，2018.

[2] 国家铁路局. 中华人民共和国行业标准：铁路建设项目预可行性研究、可行性研究和设计文件编制办法 TB 10504—2018. 北京：中国铁道出版社，2019.

[3] 郭建树. 城镇基础设施融资与投资补偿机制. 北京：中国财政经济出版社，2017.

[4] 燕志雄等. 高科技产业风险投资与公共政策研究. 北京：经济科学出版社，2017.

[5] 全国税务师职业资格考试教材编写组. 税法(Ⅱ). 北京：中国税务出版社，2019.

[6] Ernie Jowsey. Real Estate Economics. Palgrave Macmillan，2011.

[7] William G. Sullivan，Elin M Wicks，C. Patrick Koelling. Engineering Economy. Fourteenth Edition. New Jersey07458，2009.

[8] (美)Leland Blank，Anthony Tarquin. 工程经济学(第6版). 胡欣悦，李从东，汤勇力译. 北京：清华大学出版社，2010.

[9] 武献华，宋维佳，屈哲. 工程经济学. 大连：东北财经大学出版社，2015.

[10] 邵颖红. 工程经济学(第5版). 上海：同济大学出版社，2015.

[11] 李红艳，朱九龙，陶晓燕. 工程经济学(第2版). 北京：北京师范大学出版社，2018.

[12] 柳卸林，陈傲. 中国区域创新能力报告2011. 北京：科学出版社，2012.

[13] 程克群. 高级财务会计. 大连：东北财经大学出版社，2012.

[14] 侯剑平. 现代公司筹融资决策理论. 北京：中国金融出版社，2011.

[15] 王斌. 资产评估理论与方法. 北京：社会科学文献出版社，2011.

[16] 国家发展改革委，建设部. 建设项目经济评价方法与参数(第三版). 北京：中国计划出版社，2006.

[17] Niall M. Fraser，Irwin Bernhardt，Elizabeth M. Jewkes. in Canada. Peartice Hall，2006.

[18] 钱·S·帕克(Chan S. Park). 工程经济学(第5版). 邵颖红译. 北京：中国人民大学出版社，2012.

[19] 邹辉霞. 技术经济管理学. 北京：清华大学出版社，2011.

[20] 刘海生. 按技术分配：理论与实践. 北京：中国财政经济出版社，2006.

[21] 于俊年. 投资项目可行性研究与项目评估. 北京：对外经济贸易大学出版社，2011.

[22] White John A. Fundamentals of Engineering Economics，WP Course Wiley [Imprint]；John Wiley & Sons，Incorporated，2012.

[23] Fraser Niall M. Engineering Economics：Financial Decision Making for Engineers. Pearson Canada，2012.

[24] 李明哲. 投资项目经济评价问答. 北京：中国计划出版社，2011.

[25] 全国注册咨询工程师(投资)资格考试参考教材编写委员会. 项目决策分析与评价. 北京：中国计划出版社，2011.

[26] (英)David Vose. 风险分析. 郑增忍，李明，陈茂盛等译. 北京：中国农业出版社，2008.

[27] Newnan Donald. Engineering Economic Analysis. Oxford University Press，Incorporated；Oxford University Press Australia & New Zealand [Distributor]，2011.